A2/B1

ESPAGNOL

Próxima parada

Direction pédagogique :
Edouard Clemente
Inspecteur d'Académie,
Inspecteur Pédagogique Régional honoraire

Luis Aranda Ayensa
Professeur agrégé
Lycée d'Arsonval, Brive

William Broutin
Professeur certifié
Lycée Louis de Foix, Bayonne

Caroline Girot
Professeur certifié
Lycée Sainte Marie Grand Lebrun, Bordeaux
Formatrice ISFEC, Académie de Bordeaux

Valérie Lagrange
Professeur agrégé
Lycée Bertran de Born, Périgueux

Danièle Urbin-Landreau
Professeur agrégé honoraire

Nathan

Conception de la maquette : Frédéric Jély
Conception de la couverture : Grégoire Bourdin
Édition : Sonia Berthelot
Iconographie : Christine Morel
Cartographie : AFDEC
Mise en pages : Élodie Breda

ISBN 978-209-178023-8

DANGER
LE
PHOTOCOPILLAGE
TUE LE LIVRE

Le papier de cet ouvrage est composé de fibres naturelles, renouvelables, fabriquées à partir de bois provenant de forêts gérées de manière responsable.

Aux élèves de Seconde

Bienvenue dans votre manuel de seconde de la nouvelle collection *Próxima parada* dans lequel le programme *L'art de vivre ensemble* est décliné en trois parties qui comprennent chacune trois unités thématiques problématisées autour des notions culturelles : *Sentiment d'appartenance : singularités et solidarités*, *Mémoire : héritages et ruptures* et *Visions d'avenir : créations et adaptations*.

Au sein de chaque unité vous trouverez un parcours d'apprentissage linguistique et culturel guidé autour des **cinq activités langagières** (écouter, lire, parler en continu, parler en interaction, écrire). Tout au long de ce parcours, *Próxima parada* vous propose la **construction d'une réflexion sur la notion culturelle** dans les rubriques *Enfoque sobre la noción*, avant un récapitulatif en fin d'unité *Enfoque final: Noción y Documentos*, qui facilitera votre prise de parole sur cette notion.

La progression linguistique de chaque unité est adaptée à vos besoins de révision, de consolidation et d'approfondissement avec de nombreux **exercices de grammaire** et de **lexique** proposés d'abord **en situation** dans les pages documents.

Les descripteurs annoncés dans ces pages renvoient au Cadre européen auquel s'adosse le programme de seconde. Ils précisent le niveau d'appréhension et d'exploitation visé par les documents présentés tout en ciblant l'activité langagière majeure retenue afin de construire un itinéraire adapté. Vous pourrez ainsi consolider le niveau A2 validé en classe de 3e et atteindre clairement et sûrement le niveau supérieur B1.

Les pages ***Panorama*** vous feront découvrir de nombreuses facettes du monde hispanique que vous pourrez approfondir par des recherches sur Internet grâce à la ***Ciberencuesta***. Enfin, la page ***Bellas artes*** est consacrée à l'Histoire des arts.

Les activités proposées, qui constituent autant d'étapes dans votre apprentissage, sont facilement repérables. Elles vous permettront de réinvestir les acquis linguistiques, grammaticaux, méthodologiques et culturels dans la réalisation de **deux tâches finales** qui vous sont proposées **au choix, l'une écrite, l'autre orale** en fin de parcours.

La richesse des documents de *Próxima parada* nourrira votre intérêt et votre motivation pour la langue espagnole et les cultures hispaniques. Vous pourrez travailler en espagnol sur une grande variété de documents : sonores, textuels, visuels et audiovisuels sans oublier l'ouverture sur les TICE offerte par les *Talleres de Internet* et la baladodiffusion facilitée par la mise à disposition de tous **vos fichiers audio au format MP3 sur le site de la méthode**.

Nous vous souhaitons à tous et à toutes une année riche en découvertes avec *Próxima parada* !

Edouard Clemente

Présentation du manuel

Document enregistré sur...    

Les rubriques récurrentes

Recursos Aide à l'expression

DATOS Culturales Encadré informatif

PREPARA EL PROYECTO Micro-tâche

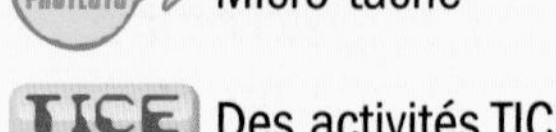

TICE Des activités TICE

Ouverture de partie

- Une partie pour chacune des 3 notions du programme : **Sentiment d'appartenance, Mémoire** et **Visions d'avenir**
- Des visuels pour représenter les 3 unités de la partie avec un questionnement posant les problématiques

Ouverture d'unité

- Deux visuels et des pistes simples pour entrer dans la thématique
- 2 tâches finales au choix
- Les faits de langue et le lexique de l'unité

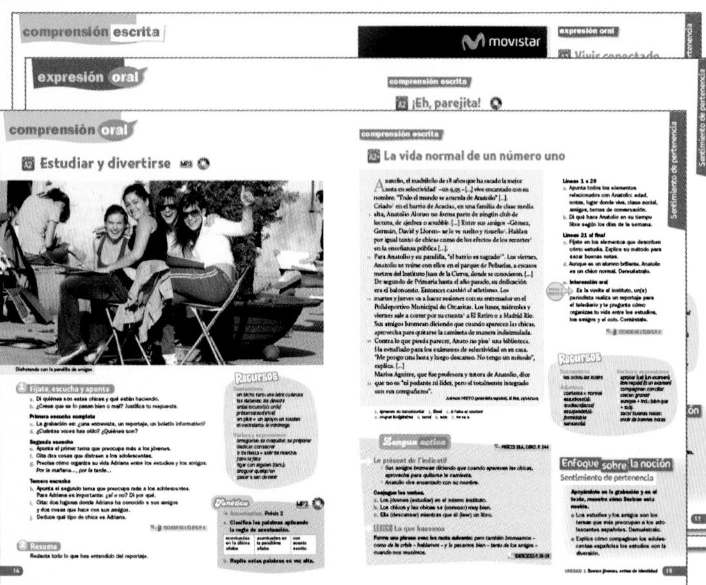

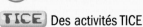

Textes et documents

Une activité langagière dominante

- Un ou plusieurs document(s) majeur(s) et un document mineur sur une même thématique
- ***Lengua activa :*** l'étude d'un fait de langue issu des documents avec des exercices de grammaire et de lexique en situation
- ***Prepara el proyecto :*** micro-tâche pour préparer la tâche finale
- ***Enfoque sobre la noción :*** la construction d'une réflexion sur la notion tout au long du parcours

Panorama

- Des documents pour découvrir les cultures du monde hispanique
- ***Ciberencuesta :*** des activités de recherche sur Internet pour aller plus loin

Talleres de comunicación

- Un ***Taller de comprensión oral*** pour travailler cette compétence avec des documents ludiques (chansons, clips, etc.)
- Un ***Taller de expresión escrita*** pour s'entraîner à l'expression écrite
- Un ***Taller de Internet*** pour travailler les TICE
- Un ***Taller de vídeo*** sur des extraits de fictions ou des reportages authentiques

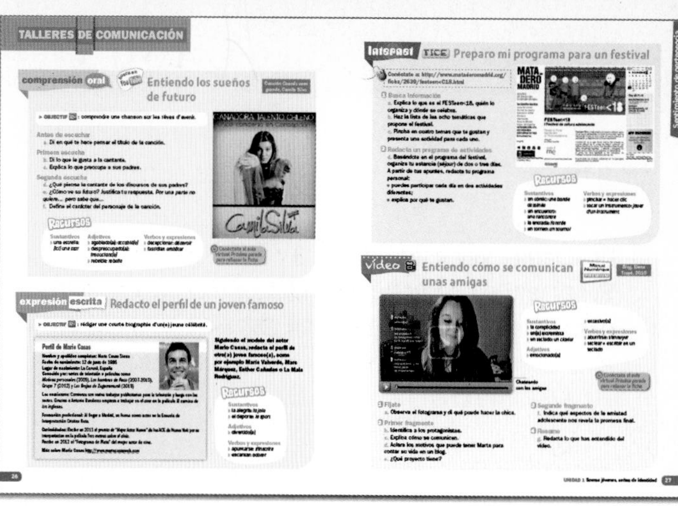

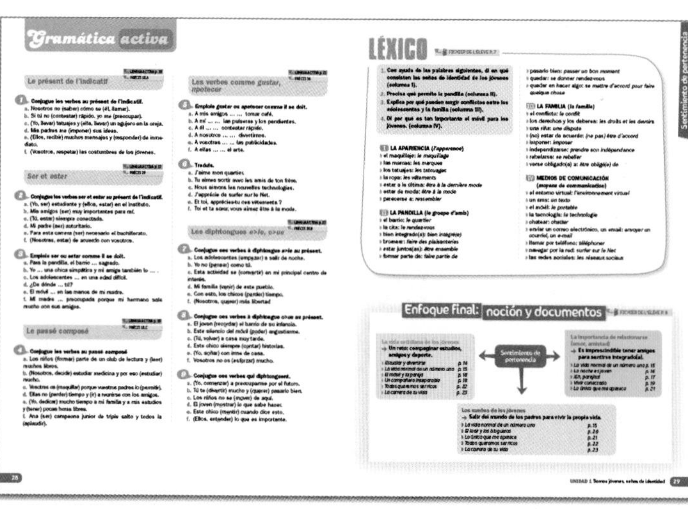

Gramática activa, Léxico et *Enfoque final*

- Des **exercices** complémentaires sur les **points de langue** de l'unité
- Le **lexique** de l'unité par champ lexical avec traduction et des activités
- Un ***enfoque final*** pour faire la synthèse et faciliter l'expression sur la notion étudiée

Bellas Artes

- Une œuvre ou un élément culturel hispanique
- Une courte présentation de l'œuvre ou une notice biographique de l'artiste
- Une série de tâches pour s'exprimer sur l'œuvre

Proyecto final

- Deux tâches finales proposées au choix, à l'écrit ou à l'oral

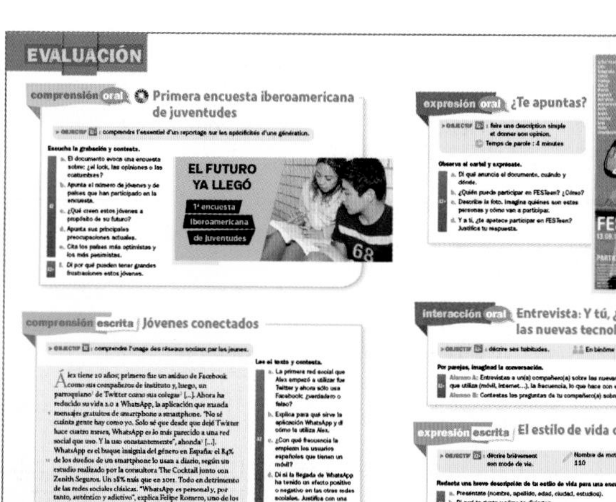

Evaluación

- Des activités pour s'évaluer et valoriser les compétences acquises dans chaque activité langagière

En fin de manuel

- Une banque de textes informatifs ***Para más información***
- Un précis grammatical et des tableaux de conjugaison
- Un lexique espagnol-français

SOMMAIRE

Memoria:
herencias y rupturas 78

4 El legado andalusí 80

5 Lo precolombino sigue atrayendo 102

6 Ciudades latinoamericanas con pasado 124

Visiones de futuro: creaciones y adaptaciones 146

7 Crear e innovar 148

8 Retos ambientales 170

Nuevos rumbos, nuevas voces 192

Précis grammatical 223-243

Sentimiento de pertenencia

Singularidades y solidaridades

UNIDAD 1

Somos jóvenes, señas de identidad

a. ¿Cuáles son las principales actividades de los jóvenes?
b. ¿Qué necesitan chicos y chicas para sentirse integrados?
c. ¿Con qué sueña la mayor parte de los jóvenes en el área hispana?

UNIDAD 2

¿Aficiones o tradiciones?

a. ¿Por qué las fiestas hispanas son expresiones culturales?

b. ¿Comparte aficiones España con Latinoamérica?

c. ¿En qué las relaciones festivas favorecen las relaciones sociales?

UNIDAD 3

¿Nuevas solidaridades?

a. ¿Por qué sigue siendo indispensable el voluntariado?

b. ¿Por qué la familia es aún más importante en España hoy día?

c. ¿Cuáles son las diferentes acciones que permiten superar les dificultades económicas?

UNIDAD 1 Somos jóvenes, señas de identidad

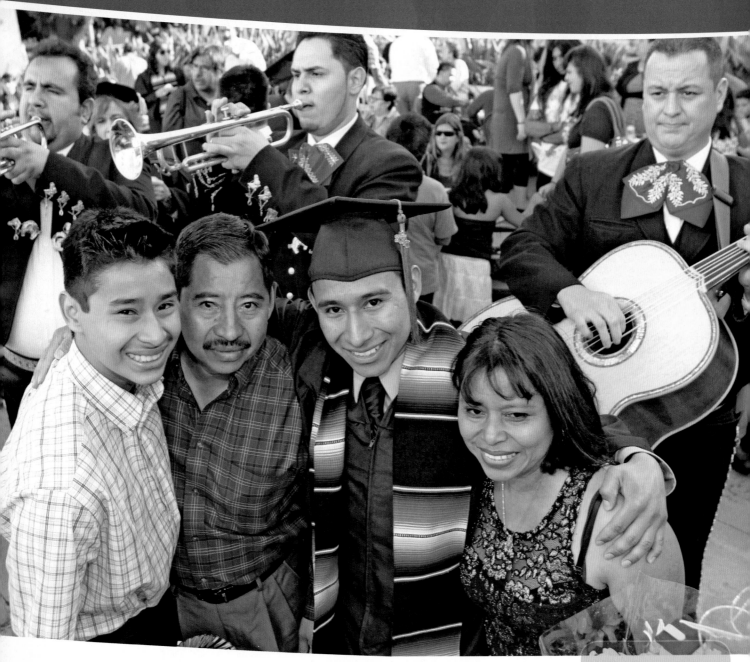

1 Estudiante mexicano de titulación de fin de curso

Recursos

Sustantivos
- la diversión
- los estudios
- el gorro de graduado
- los músicos mexicanos = los mariachis
- un(a) recién titulado(a): *un(e) jeune diplômé(e)*
- la toga: *la toge*

Adjetivos
- alegre: *joyeux(euse)*
- feliz: *heureux(euse)*

Verbos y expresiones
- acabar la carrera: *terminer ses études*
- divertirse (ie): *s'amuser*

PROYECTO FINAL

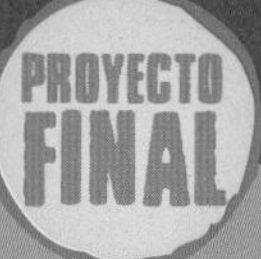

PROYECTO A **interacción oral** **Entrevistad a jóvenes hispanos sobre sus gustos, costumbres y aspiraciones.**

PROYECTO B **expresión escrita** **Crea tu perfil hispánico para una red social.**

Outils linguistiques

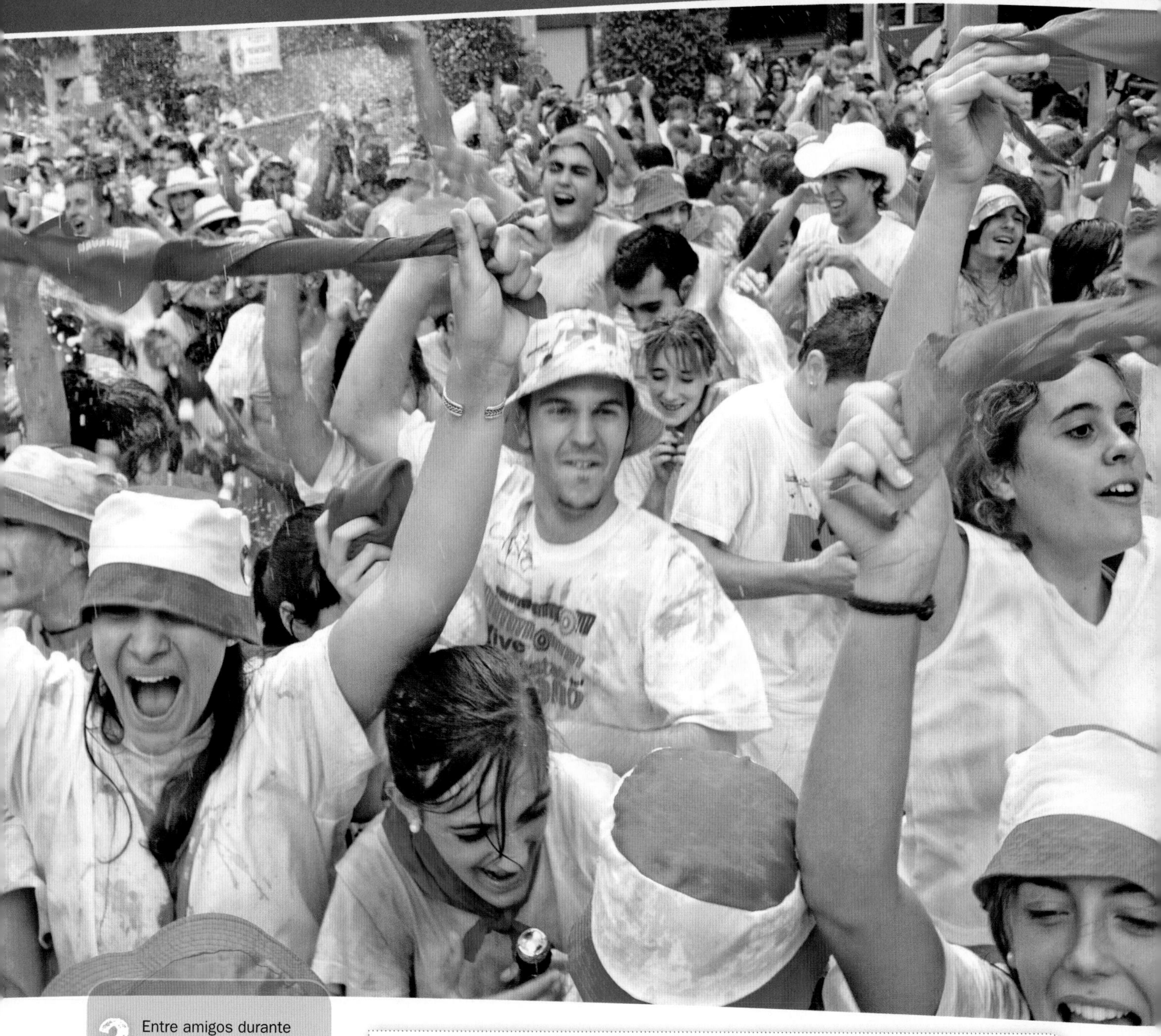

2 Entre amigos durante las fiestas de Pamplona

Y tú, ¿cómo lo ves?

1. Fíjate en la foto 1, imagina quién es el chico, con quién está y qué celebra.
2. Explica qué están haciendo los jóvenes en la foto 2.
3. Di en qué son representativas estas fotos del tipo de vida de los jóvenes de hoy.

A2 Estudiar y divertirse MP3 CD CLASSE

Disfrutando con la pandilla de amigas

1 Fíjate, escucha y apunta

a. Di quiénes son estas chicas y qué están haciendo.
b. ¿Crees que se lo pasan bien o mal? Justifica tu respuesta.

Primera escucha completa

c. La grabación es: ¿una entrevista, un reportaje, un boletín informativo?
d. ¿Cuántas voces has oído? ¿Quiénes son?

Segunda escucha

e. Apunta el primer tema que preocupa más a los jóvenes.
f. Cita dos cosas que distraen a los adolescentes.
g. Precisa cómo organiza su vida Adriana entre los estudios y los amigos. *Por la mañana..., por la tarde...*

Tercera escucha

h. Apunta el segundo tema que preocupa más a los adolescentes. Para Adriana es importante: ¿sí o no? Di por qué.
i. Cita dos lugares donde Adriana ha conocido a sus amigos y dos cosas que hace con sus amigos.
j. Deduce qué tipo de chica es Adriana.

FICHIER DE L'ÉLÈVE P. 4

2 Resume

Redacta todo lo que has entendido del reportaje.

Recursos

Sustantivos

- un bicho raro: *une bête curieuse*
- los deberes: *les devoirs*
- un(a) locutor(a): *un(e) présentateur(trice)*
- un pilar = un apoyo: *un soutien*
- el vecindario: *le voisinage*

Verbos y expresiones

- arreglarse: *se maquiller, se préparer*
- dedicar: *consacrer*
- ir de fiesta = salir de marcha: *faire la fête*
- ligar con alguien (fam.): *draguer quelqu'un*
- pasar a ser: *devenir*

Fonética

MP3

→ Accentuation, **Précis 2**

a. **Clasifica las palabras aplicando la regla de acentuación.**

acentuadas en la última sílaba	acentuadas en la penúltima sílaba	con acento escrito

b. **Repite estas palabras en voz alta.**

comprensión escrita

A2+ La vida normal de un número uno

Anatolio, el madrileño de 18 años que ha sacado la mejor nota en selectividad[1] –un 9,95 –[...] vive encantado con su nombre. "Todo el mundo se acuerda de Anatolio" [...].
Criado[2] en el barrio de Acacias, en una familia de clase media alta, Anatolio Alonso no forma parte de ningún club de lectura, de ajedrez o *scrabble*. [...] Entre sus amigos –Gómez, Germán, David y Lloren– se le ve suelto y risueño[3]. Hablan por igual tanto de chicas como de los efectos de los recortes[4] en la enseñanza pública [...].
Para Anatolio y su pandilla, "el barrio es sagrado[5]". Los viernes, Anatolio se reúne con ellos en el parque de Peñuelas, a escasos metros del Instituto Juan de la Cierva, donde se conocieron. [...] De segundo de Primaria hasta el año pasado, su dedicación era el baloncesto. Entonces cambió al atletismo. Los martes y jueves va a hacer sesiones con su entrenador en el Polideportivo Municipal de Orcasitas. Los lunes, miércoles y viernes sale a correr por su cuenta[6] a El Retiro o a Madrid Río. Sus amigos bromean diciendo que cuando aparecen las chicas, aprovecha para quitarse la camiseta de manera indisimulada.
Contra lo que pueda parecer, Anato no pisa[7] una biblioteca. Ha estudiado para los exámenes de selectividad en su casa. "Me pongo una hora y luego descanso. No tengo un método", explica. [...]
Marisa Aguirre, que fue profesora y tutora de Anatolio, dice que no es "ni pedante ni líder, pero sí totalmente integrado con sus compañeros".

Antonio NIETO (periodista español), *El País*, 25/06/2013

1. *épreuves du baccalauréat* 2. *Élevé* 3. *à l'aise et souriant* 4. *coupes budgétaires* 5. *sacré* 6. solo 7. no va a

Líneas 1 a 20

a. Apunta todos los elementos relacionados con Anatolio: edad, notas, lugar donde vive, clase social, amigos, temas de conversación.
b. Di qué hace Anatolio en su tiempo libre según los días de la semana.

Líneas 21 al final

c. Fíjate en los elementos que describen cómo estudia. Explica su método para sacar buenas notas.
d. Aunque es un alumno brillante, Anatolio es un chico normal. Demuéstralo.

Interacción oral

PREPARA EL PROYECTO Es la vuelta al instituto, un(a) periodista realiza un reportaje para el telediario y te pregunta cómo organizas tu vida entre los estudios, los amigos y el ocio. Contéstale.

FICHIER DE L'ÉLÈVE P. 6

Recursos

Sustantivos
- los ocios: *les loisirs*

Adjetivos
- corriente = normal
- estudioso(a): *studieux(euse)*
- estupendo(a): *formidable*
- sensato(a)

Verbos y expresiones
- aprobar (ue) (un examen): *être reçu(e) (à un examen)*
- compaginar: *concilier*
- crecer: *grandir*
- aunque + ind.: *bien que + subj.*
- sacar buenas notas: *avoir de bonnes notes*

Lengua activa

PRÉCIS 18.A, CONJ. P. 244

Le présent de l'indicatif

- *Sus amigos brome**an** diciendo que cuando aparec**en** las chicas, aprovech**a** para quitarse la camiseta.*
- *Anatolio viv**e** encantado con su nombre.*

Conjugue les verbes.

a. Los jóvenes (estudiar) en el mismo instituto.
b. Los chicos y las chicas se (conocer) muy bien.
c. Ella (descansar) mientras que él (leer) un libro.

LÉXICO Lo que hacemos

Forme une phrase avec les mots suivants: *pero también bromeamos – como de la crisis – hablamos – y lo pasamos bien – tanto de los amigos – cuando nos reunimos*

EXERCICES P. 28-29

Enfoque sobre la noción

Sentimiento de pertenencia

Apoyándote en la grabación y en el texto, muestra cómo ilustran esta noción.

- Los estudios y los amigos son los temas que más preocupan a los adolescentes españoles. Demuéstralo.
- Explica cómo compaginan los adolescentes españoles los estudios con la diversión.

A2 La noche es joven

La noche es joven, ÀGUEDA (dibujante español), 2008

- lárgate (fam.): *tire-toi*
- te aviso: *je te préviens*
- no quiero rollo: *je ne veux pas sortir avec toi*
- una copa: *un verre*
- la moraleja: *la morale, la leçon*

Mira y exprésate

a. A partir de los dibujos y de las preguntas del chico, sitúa la escena y di lo que está haciendo.
b. Fíjate en las respuestas de las chicas, ¿qué deduces?
c. Observa la cara del protagonista en la última viñeta y di cómo se siente.
d. ¿Qué moraleja saca el protagonista de esta situación? Imagina qué tipo de persona es.

Recursos

Sustantivos
- la discoteca
- las notas musicales

Adjetivos
- decepcionado(a): *déçu(e)*
- desconcertado(a): *déconcerté(e), perplexe*
- optimista
- perseverante
- sorprendido(a): *surpris(e)*

Verbos y expresiones
- intentar: *essayer de*
- darse por vencido(a): *s'avouer vaincu(e)*
- mandar a paseo: *envoyer promener*
- tener (ie) éxito: *avoir du succès*

comprensión escrita

A2 ¡Eh, parejita!

Libia y Eva están en San Sebastián (Donosti) y acaban de conocer a Eneko y Aritz. Eneko conversa con Libia.

–¿Cuánto tiempo lleváis en Donosti?
–Tres semanas. Vinimos desde Galicia, hemos estado también en Asturias, unos pocos días en Santander, y ahora aquí. [...]
–¿Vais a estar muchos días?
–¿Le entras[1] así a todas las tías[2]?
–¿Cómo?
–Te falta[3] preguntarme si estudio o trabajo.
–Como no nos conocemos... ya sabes, lo típico, de dónde eres, qué haces y un montón de etcéteras más.
–Soy de Cádiz, pero ciudadana del mundo, tengo veinticinco años y soy licenciada en Filología, vagabunda de profesión, voy con mis amigos de acá para allá, sin rumbo fijo, donde nos apetece, vendiendo pulseras y pendientes[4] que hacemos con estas manitas... ¿Conforme?
–¡Eh, parejita![5]–gritó Aritz...

Carlos FONSECA (escritor español), *Luz Negra*, 2011

1. *(fam.) Tu accostes*
2. *(fam.)* las chicas
3. *Il ne te reste plus qu'à*
4. *des bracelets et des boucles d'oreilles*
5. *(ici) les amoureux*

Líneas 1 a 9

a. Di lo que quiere saber Eneko de Libia.
b. Libia piensa que Eneko quiere ligar con ella: ¿sí o no? Apunta las frases que lo demuestran.

Líneas 10 al final

c. Presenta a Libia. *Es de Cádiz que se sitúa en... También dice que es "ciudadana del mundo" para explicar que... se considera...*
d. ¿Qué elementos indican que los jóvenes pueden gustarse?

Interacción oral

PREPARA EL PROYECTO Estás en una discoteca y te presentan a un(a) chico(a). Quieres conocerlo(la) mejor y le/la invitas a bailar. Con un(a) compañero(a) de clase, imagina el diálogo.

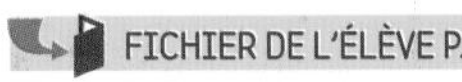
FICHIER DE L'ÉLÈVE P. 6

Recursos

Adjetivos
- atrevido(a): *audacieux(euse), hardi(e)*
- solidario(a)

Verbos y expresiones
- abordar a (una persona)
- acabar la carrera: *finir ses études*
- gustar: *plaire*
- lo extranjero
- tener (ie) curiosidad por

Lengua activa

PRÉCIS 29, CONJ. P. 246

Ser et estar

- *Hemos **estado** en Asturias. Mi novio **está** en el baño.*
- *¿De dónde **eres**? **Soy** de Cádiz, **soy** licenciada en Filología.*

Emploie *ser* ou *estar* comme il se doit.

a. Yo ... estudiante, y tú ¿ también lo ... ?
b. Tú ... de Barcelona y yo ... de Santander.
c. Mi mejor amigo ... en este instituto.

LÉXICO Quiénes somos y dónde estamos

Complète les phrases avec : *en la discoteca, estudiantes, de Cádiz, en la universidad.*

a. El chico le dice a la chica que es ... .
b. La chica le contesta al chico que su novio está bailando con amigas ... .
c. Nosotros somos ... y estamos ... .

EXERCICES P. 28-29

Enfoque sobre la noción

Sentimiento de pertenencia

Los jóvenes españoles se parecen a todos los jóvenes de su generación. Apoyándote en la historieta y el texto, muestra cómo ilustran esta noción.

- Describe cómo ligan los jóvenes de hoy.
- Enumera los lugares donde suelen conocerse los jóvenes.

Texto 1

A2+ El móvil y la pareja

¿Qué es hoy un adolescente sin teléfono móvil? [...] Los héroes de hoy, como los antiguos, también van armados con una lanza para matar al dragón que tiene cautiva a una bella princesa. En este caso la lanza es el teléfono móvil, que concede al adolescente un gran poder. El *WhatsApp* transforma al cobarde[1] en valiente, al tímido en audaz, al tonto en listo[2], al tipo duro en un castigador ilimitado, solo que en estos ritos de iniciación también las princesas cautivas usan la misma arma y ya no necesitan ayuda de ningún héroe para escapar del dragón. Tanto ellos como ellas saben que sin el móvil no son nada. [...] En los *WhatsApp* la rapidez en responder a las llamadas es más determinante que el contenido de los propios mensajes. [...] Antes los enamorados se eternizaban en la despedida por el viejo teléfono. Cuelga[3] tú; no, cuelga tú; anda, cuelga tú. En cambio, hoy los móviles se diseñan[4] para poder expresar una idiotez cada día un segundo más rápido.

Manuel VICENT (periodista español), *El País*, 16/6/13

1. *le lâche* 2. *malin* 3. *Raccroche* 4. se fabrican

Texto 1

Líneas 1 a 9

a. Di con qué personaje compara el autor a los adolescentes de hoy. Justifica tu respuesta.
b. Explica cuáles son sus armas y lo que tienen en común.

Líneas 10 al final

c. Presenta el uso que hacen las parejas de *WhatsApp* y explica qué tiene más importancia hoy en la comunicación.
d. Explica y comenta las diferencias que subraya el periodista entre "ayer" y "hoy" en la comunicación sentimental.

Texto 2

A2 Un compañero inseparable

Según una encuesta realizada por el equipo de la aplicación LiveClubs entre 5.000 de sus usuarios, el "smartphone" ha revolucionado la forma de comunicarse de los jóvenes españoles con edades comprendidas entre los 18 y 30 años.

El 95 por ciento de los jóvenes españoles confiesa que nunca sale de marcha sin su "smartphone", que se ha convertido en un compañero inseparable a la hora de disfrutar de la noche. Lo utilizan como vía principal de comunicación con su grupo de amigos, así como para quedar[1] los fines de semana.

Antena 3, 27/06/2013

1. *se donner rendez-vous*

Texto 2

e. ¿A quién se aplica el título? Justifica tu respuesta. *El móvil se ha convertido en...*

Textos 1 y 2

f. ¿Nos permiten los dos textos afirmar que los jóvenes españoles están a la última?

Sustantivos
- un caballero: *un chevalier*
- la Edad Media: *le Moyen Âge*

Adjetivos
- colgado(a) = adicto(a): *accro*
- incomunicado(a): *(ici) isolé(e)*

Verbos y expresiones
- estar a la última: *(ici) être branché(e)*
- estar en contacto
- mandar un mensaje: *envoyer un message*
- no poder (ue) estar sin: *ne pas pouvoir se passer de*

movistar
Tube
Movistar ADSL
Mucho más que una conexión
Y si contratas tu ADSL de Movistar a través de la web consigue el alta de línea totalmente gratis.

expresión oral

A2 Vivir conectado

a. Identifica al anunciante y los elementos que componen la publicidad.
b. Indica a qué corresponden los iconos alrededor de los personajes.
c. Di a quién va dirigido el anuncio y en qué consiste la oferta.

Expresión oral

PREPARA EL PROYECTO Investigas sobre las nuevas formas de comunicación. Pregúntales a tus compañeros de clase si usan mucho el móvil o las redes sociales para quedar con sus amigos, o si pueden prescindir de ellos.

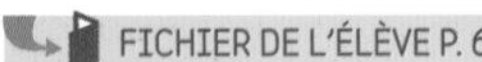
FICHIER DE L'ÉLÈVE P. 6

Recursos

Sustantivos
- el alta de línea: *l'ouverture de ligne*
- un icono: *une icône*
- una oferta: *une promotion*
- una red social: *un réseau social*

Adjetivos
- alegre: *joyeux[euse]*
- indispensable = imprescindible

Verbos y expresiones
- en cualquier lugar: *n'importe où*
- en cualquier momento: *n'importe quand.*

Lengua activa

PRÉCIS 18. C, CONJ. P. 244

Le passé composé : *haber* + participe passé
- *El "smartphone" **ha** revolucion**ado** la forma de comunicarse.*
- *Se **ha** convert**ido** en un compañero inseparable.*

Conjugue les verbes au passé composé.
a. Yo te (llamar) y tú no (contestar).
b. Según lo que tú me (decir), (olvidar) tu móvil.
c. Nosotras te (responder), pero tú no (poder).

LÉXICO Estamos conectados
Forme une phrase avec les mots suivants: *y sentirse integrados - con - el teléfono móvil - para estar conectados - les parece indispensable - los amigos - a los jóvenes*

EXERCICES P. 28-29

Enfoque sobre la noción
Sentimiento de pertenencia

Apoyándote en los textos y en la publicidad muestra cómo ilustran esta noción.
- Explica por qué las nuevas tecnologías son imprescindibles para los jóvenes españoles.
- Muestra cómo las relaciones sociales en España se hacen ahora a través de los nuevos modos de comunicación.

A2 El look y los blogueros

MP3 CD CLASSE DVD

INICIO MÚSICA CINE Y TV TENDENCIAS ENTREVISTAS ZONA BLOGGER
LOOK DE LA SEMANA
Verónica Sánchez
Elena Villamín
Vintage
Zara
Zara
Desigual
New Balance
Camper
Moda
revista
¿Cómo votar?
Para votar por uno de los dos looks, debes entrar en nuestra página Facebook y comentar la fotografía del duelo.

Recursos

Sustantivos
- la apariencia: *l'apparence*
- un estilo: *un style*
- las joyas: *les bijoux*
- una marca: *une marque*

Adjetivos
- actual
- cómodo(a) = práctico(a)
- elegante

Verbos y expresiones
- estar de moda = estar a la última: *être à la mode*

1 Fíjate, escucha y apunta

a. Observa las imágenes y deduce el tema del reportaje.
b. ¿Qué pueden hacer los internautas que consultan este blog de moda?

Primera escucha completa

c. Identifica a las personas que aparecen y di dónde están.
d. Haz la lista de la ropa y de las marcas presentadas.

Segunda escucha

e. Explica en qué son expertos los blogueros del reportaje.
f. Según el primer bloguero, "estar a la última" no es obligatoriamente…

Tercera escucha

g. ¿Cómo califica su estilo la segunda bloguera?
h. Según el periodista todos…

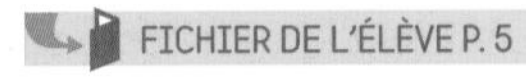
FICHIER DE L'ÉLÈVE P. 5

2 Resume

Redacta todo lo que has entendido del reportaje.

Fonética

MP3 CD CLASSE

→ Alphabet, Précis 1

a. **Deletrea las palabras siguientes:**
un experto – una tendencia – una gorra – la última – jovencitas – chaqueta – collar

b. **Repite estas palabras en voz alta.**

A2+ Lo único que me apetece

Pues todos mis amigos llevan *piercings*, todos mis amigos llevan tatuajes, y se dilatan las orejas, y les dejan volver a casa a la una de la mañana, o cuando les da la gana, pero yo no, claro, yo no puedo hacer nada... [...] Porque no respetas mi cultura, me impones tus ideas y yo no las quiero, mamá, a mí no me gustan, yo no pienso como tú y tengo derecho a tener vida social, a tener amigos y a ser como ellos, y no un bicho raro[1]. [...] Y lo único que quiero, lo único que me apetece, de verdad, es cumplir 18 años e irme de casa, y así estaremos las dos bien: tú, porque te quitarás[2] un problema de encima, y yo, porque podré vivir como me dé la gana, con tatuajes en todo el cuerpo y un agujero[3] en cada oreja, así que ya sabes, nos quedan dos años, bueno y un par de meses... [...] ¿Y tú, qué? ¿Qué te crees, que tus hermanos no me han contado cómo eras a mi edad? ¿Que no sé que estabas todo el tiempo discutiendo con la abuela, y cambiándote de ropa en el ascensor, y llegando tarde? [...] Bueno, ¿me dejas o no?

–No.

Almudena GRANDES (escritora y periodista española), *El País Semanal*, 13/01/2013

1. *une bête curieuse*
2. *tu t'enlèveras*
3. *un trou*

Líneas 1 a 15

a. Apoyándote en los sustantivos y verbos, haz la lista de lo que le apetece a la hija.
b. Di qué espera la hija y por qué.

Líneas 16 al final

c. ¿Puede su madre entender sus reivindicaciones? Justifica tu respuesta con elementos del texto.

Interacción oral

PREPARA EL PROYECTO Entrevista a un(a) compañero(a) sobre los *looks* que le gustan e investiga para saber si es importante la apariencia física para él/ella.

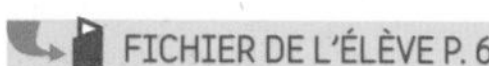
FICHIER DE L'ÉLÈVE P. 6

Recursos

Sustantivos
- un conflicto: *un conflit*
- la mirada: *le regard*
- un modelo de conducta = un ejemplo
- una riña: *une dispute*

Adjetivos
- estricto(a): *strict(e)*
- excluido(a)
- firme: *intransigent(e)*
- rebelde: *rebelle*

Verbos y expresiones
- conformarse con: *se contenter de*
- independizarse: *prendre son indépendance*
- juzgar: *juger*
- rebelarse contra: *se rebeller contre*
- tener (ie) ganas de: *avoir envie*

Lengua activa

PRÉCIS 36

Les verbes comme *gustar, apetecer*

- *Lo que* ***me apetece*** *es cumplir 18 años.*
- *A mí no* ***me gustan*** *(tus ideas).*

Complète avec *gusta, gustan* ou *apetece*.

a. A mí me ... los tatuajes y me ... salir con amigos.
b. A mi madre le ... la vida tranquila.
c. A nosotros no nos ... vivir como los adultos.

LÉXICO Lo que nos gusta

Complète les phrases avec: *salir con amigos – los tatuajes – volver tarde a casa – agujeros en cada oreja*

a. A los jóvenes les gustan ... ... y hacerse ... ...
b. A mis hermanos les gusta ... ... y a mí me apetece ... ...

EXERCICES P. 28-29

Enfoque sobre la noción

Sentimiento de pertenencia

Apoyándote en el artículo y en el reportaje, muestra cómo ilustran esta noción.

- ¿Por qué valoran tanto la apariencia los jóvenes españoles?
- Explica cómo la variedad de estilos les permite a los jóvenes españoles de hoy afirmar su identidad.

Texto 1

A2 Todos queremos ser ricos

Me llamo Guadalupe, tengo diecinueve años. Me presento en todas partes como Lupe, para no aparecer tan mexicana, porque soy chilena y bastante poco católica. Los más cercanos[1] me dicen Lu, como si fuera china, y eso me gusta. (...)
Salí del colegio el año pasado y estudio Informática. Tengo la ambición secreta de terminar un día en algo parecido a Silicon Valley, inventando *softwares* y especializándome en la confección de juegos, eso sería bacán[2], mi máxima aspiración. De paso puedo convertirme en millonaria, lo que no estaría nada de mal. En mi generación todos queremos ser ricos.
Y a propósito de eso, vengo de una familia más o menos platuda[3] pero, por lo que entiendo, no tradicional. Vivo en La Dehesa[4], en una casa enorme y llena de comodidades, con mucha tecnología y no muy buen gusto, todo es nuevo. Cuando hablo de comodidades, quiero decir que nunca he compartido[5] un dormitorio ni mi baño con nadie, que tuve mi primer *laptop*[6] a los quince y fui la primera del curso en llegar a clases con un iPod.

Marcela SERRANO (escritora chilena), *Diez mujeres*, 2011

1. *Mes proches* **2.** (amer.) genial **3.** (amer.) que tiene plata = dinero
4. barrio rico de Santiago de Chile **5.** *je n'ai jamais partagé* **6.** ordenador portátil

Texto 1

Líneas 1 a 12

a. Apunta los datos de la protagonista: nombre, edad, nacionalidad y lugar de residencia.
b. Explica cuáles son sus proyectos y sus aspiraciones.

Líneas 12 al final

c. Describe sus condiciones de vida. Di si pueden ser representativas de los jóvenes de hoy.

Recursos

Sustantivos
- el porvenir: *l'avenir*
- un(a) privilegiado(a)

Adjetivos
- adinerado(a) = rico(a)
- afortunado(a): *chanceux(euse)*
- ambicioso(a)

Verbos y expresiones
- tener (ie) sueños: *avoir des rêves*

Texto 2

A2 Importa más la educación

Consultados sobre las preocupaciones de los adolescentes frente al futuro, surgen entre los temas más importantes el fracaso[1] en los estudios (27,2 por ciento), los noviazgos[2] (13,3 por ciento), tener dinero para comprar lo que a uno le apetece (12,9 por ciento), la situación económica (10,5 por ciento), los conflictos en las familias (7,9 por ciento) y el paro (7,3 por ciento).
Así se desprende[3] del estudio “Adolescentes de hoy, aspiraciones y modelos”, que ha sido elaborado por la Liga Española de la Educación.

EFE, 04/10/2012

1. *l'échec* **2.** *les fiançailles* **3.** *C'est ce qu'il ressort*

Texto 2

d. Según el estudio “Adolescentes de hoy” a los jóvenes españoles les preocupa...

Textos 1 y 2

e. Basándote en los dos textos, di si son diferentes las aspiraciones y preocupaciones de los jóvenes sudamericanos y españoles. *Unos quieren que...otros piensan que...*

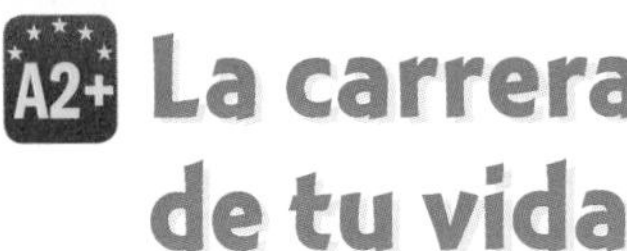

A2+ La carrera de tu vida

a. Identifica al anunciante del cartel.
b. Describe la imagen. ¿Quiénes son las personas y qué están haciendo?
c. Explica el juego de palabras del eslogan.
d. Di a quién se dirige el documento y cuál es su objetivo.

Expresión escrita

PREPARA EL PROYECTO Para descubrir las aspiraciones de tus compañeros y cómo sueñan su futuro, prepara cinco preguntas para una encuesta en clase.

FICHIER DE L'ÉLÈVE P. 7

Recursos

Sustantivos
- una carrera: *une course, un cursus universitaire*
- ropa de deporte (camiseta, pantalón corto)

Adjetivos
- motivado(a)

Verbos y expresiones
- matricularse: *s'inscrire (à un cours, une école)*
- soñar (ue) con: *rêver de*
- superarse: *se dépasser*
- estudiar una carrera: *faire des études*
- preparar su futuro

UNIVERSIDAD PERUANA UNIÓN
Formando líderes con valores cristianos

ADMISIÓN
20
Nov.

Campus Juliaca

Carretera Arequipa Km. 6, Chullunquiani
Telf: (051) 328825 / Fax: (051) 325923
Cels. RPC: 951751595 / 951301916
e-mail: admisionjuliaca@upeu.edu.pe

www.upeu.edu.pe

Lengua activa

PRÉCIS 25.B

Les diphtongues e>ie, o>ue

- ***Quiero*** *decir que nunca he compartido un dormitorio.*
- *De paso,* ***puedo*** *convertirme en millonaria.*

Conjugue les verbes au présent.
a. Yo (comenzar) a pensar en el futuro.
b. La chica (querer) especializarse en la confección de juegos.
c. Guadalupe (venir) de una familia adinerada.

LÉXICO Sueños de jóvenes

Classe les mots ou expressions selon leur sens: *ir al instituto, tener dinero, irse a una universidad extranjera, ganar concursos, vivir en casa de los padres*

Realidad	Sueños

EXERCICES P. 28-29

Enfoque sobre la noción

Sentimiento de pertenencia

Apoyándote en los textos y en la publicidad, muestra cómo ilustran esta noción.
- Explica qué ambiciones tienen los jóvenes hispanos de hoy.
- Di si te parecen esas ambiciones específicas o parecidas a las de todos los jóvenes.
- ¿Cómo pueden preparar su futuro estos jóvenes?

Jóvenes españoles con futuro

A Ricky Rubio: el deporte como única meta

Desde pequeño, sus padres le han inculcado que el deporte es el complemento perfecto para hacer amigos. Le entra el gusanillo[1] del baloncesto viendo a su hermano entrenar. Empieza a jugar a los 4 años en el club de su pueblo. Algunos años después empieza a jugar al fútbol, pero lo deja porque se aburre y vuelve al baloncesto. Se incorpora después a clubes profesionales como el Joventut de Badalona y el Regal FC Barcelona hasta formar parte de la Selección española. En la actualidad, ha cumplido su sueño americano : juega en la NBA.

1. *(ici) la passion du*

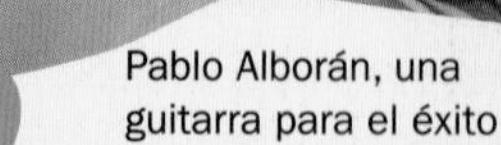

Pablo Alborán, una guitarra para el éxito

B Pablo Alborán: el fenómeno musical de las redes sociales

Empieza muy pequeño en el mundo de la música, a los doce años escribe sus primeras canciones y a los catorce sube sus vídeos en *MySpace*. Estudia piano, guitarra clásica, flamenca y acústica. Se da a conocer en *YouTube* cantando sus canciones sentado en el sofá blanco de su casa y poco después recorre con su guitarra los clubes de toda España. Las redes sociales lo hacen famoso antes de publicar su primer álbum. Ha recibido numerosos premios como artista revelación.

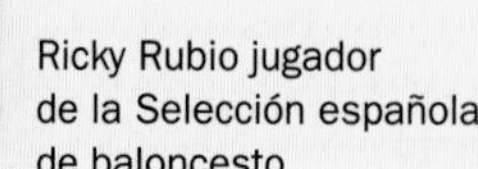

Ricky Rubio jugador de la Selección española de baloncesto

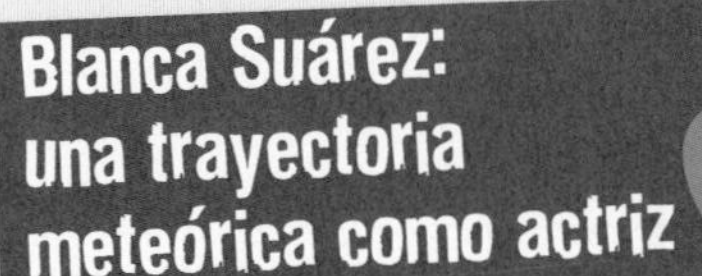

C Blanca Suárez: una trayectoria meteórica como actriz

Desde pequeña, Blanca muestra inclinaciones artísticas, por lo que sus padres la envían a estudiar Interpretación en una escuela de Artes Escénicas, la Escuela Tritón de Madrid. Se hace popular gracias a la serie televisiva *El internado* emitida por Antena 3. En 2007 cumple su sueño de dar el salto a la gran pantalla de la mano del director de cine Pedro Almodóvar y participa en *Los Amantes pasajeros*. Blanca está labrándose[1] en España una prometedora carrera.

1. haciéndose

Blanca Suárez en el estreno de *Amantes pasajeros*

D Ana Peleteiro: el salto de la victoria

Ana es campeona junior de triple salto y una de las grandes promesas europeas. Es una chica extrovertida, coqueta, buena estudiante y está a la última en nuevas tecnologías y redes sociales. Su pasión es el atletismo y, según su entrenador, siempre quiere superarse[1]. Como a toda chica de su edad, le encanta escuchar música y estar con sus amigas, pero antes de saltar a la pista se dedica a cantar para quitarse los nervios. Ha firmado por dos temporadas[2] en el FC Barcelona.

1. *se dépasser* 2. *saisons*

Ana Peleteiro durante el Campeonato de España de Atletismo, Barcelona, 2013

Ciberencuesta

Conéctate a http://www.rickyrubio9.com/es/index.php

1. Busca más información sobre el jugador de baloncesto Ricky Rubio: medallas y trofeos, últimas noticias, causas solidarias que apoya.

Conéctate a http://www.pabloalboran.es

2. Busca las últimas noticias relacionadas con el cantante: álbum, conciertos...

Conéctate a http://www.blanca-suarez.com

3. Completa la biografía y filmografía de Blanca Suárez buscando más información en su web.

Conéctate a http://marcaespana.es/es/educacion-cultura-sociedad/deportes/

4. Lista los deportes en los que se distinguen los deportistas españoles.

comprensión oral

Entiendo los sueños de futuro

Canción *Cuando seas grande*, Camila Silva

> OBJECTIF A2+ : comprendre une chanson sur les rêves d'avenir.

GANADORA TALENTO CHILENO
Unico concierto en Concepción
CamilaSilva

Antes de escuchar

a. Di en qué te hace pensar el título de la canción.

Primera escucha

b. Di lo que le gusta a la cantante.
c. Explica lo que preocupa a sus padres.

Segunda escucha

d. ¿Qué piensa la cantante de los discursos de sus padres?
e. ¿Cómo ve su futuro? Justifica tu respuesta. *Por una parte no quiere... pero sabe que...*
f. Define el carácter del personaje de la canción.

Sustantivos
- una estrella: *(ici) une star*

Adjetivos
- agobiado(a): *accablé(e)*
- despreocupado(a): *insouciant(e)*
- rebelde: *rebelle*

Verbos y expresiones
- decepcionar: *décevoir*
- fastidiar: *embêter*

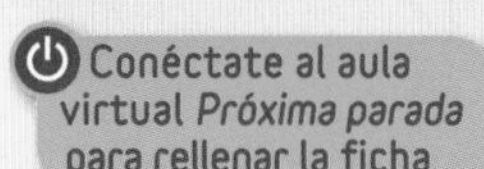

expresión escrita

Redacto el perfil de un joven famoso

> OBJECTIF A2+ : rédiger une courte biographie d'un(e) jeune célébrité.

Perfil de Mario Casas

Nombre y apellidos completos: Mario Casas Sierra
Fecha de nacimiento: 12 de junio de 1986
Lugar de nacimiento: La Corunã, España
Conocido por: series de televisión o películas como *Motivos personales* (2005), *Los hombres de Paco* (2007-2010), *Grupo 7* (2012) y *Las Brujas de Zugarramurdi* (2013)

Los comienzos: Comienza con varios trabajos publicitarios para la televisión y luego con las series. Gracias a Antonio Banderas empieza a trabajar en el cine en la película *El camino de los ingleses*.

Formación profesional: Al llegar a Madrid, se forma como actor en la Escuela de Interpretación Cristina Rota.

Curiosidades: Recibe en 2011 el premio de "Mejor Actor Nuevo" de los ACE de Nueva York por su interpretacion en la película *Tres metros sobre el cielo*.
Recibe en 2012 el "Fotograma de Plata" del mejor actor de cine.

Más sobre Mario Casas http://www.mariocasasweb.com

Siguiendo el modelo del actor Mario Casas, redacta el perfil de otro(a) joven famoso(a), como por ejemplo María Valverde, Marc Márquez, Esther Cañadas o La Mala Rodríguez.

Sustantivos
- la alegría: *la joie*
- el deporte: *le sport*

Adjetivos
- divertido(a)

Verbos y expresiones
- apuntarse: *s'inscrire*
- encantar: *adorer*

Internet TICE Preparo mi programa para un festival

Conéctate a: http://www.mataderomadrid.org/ficha/2639/festeen<C18.html

1 Busca información

a. Explica lo que es el FESTeen<18, quién lo organiza y dónde se celebra.
b. Haz la lista de las ocho temáticas que propone el festival.
c. Pincha en cuatro temas que te gustan y presenta una actividad para cada uno.

2 Redacta un programa de actividades

d. Basándote en el programa del festival, organiza tu estancia (*séjour*) de dos o tres días. A partir de tus apuntes, redacta tu programa personal:
- puedes participar cada día en dos actividades diferentes;
- explica por qué te gustan.

CENTRO DE CREACIÓN CONTEMPORÁNEA

MATADERO MADRID
Casa del Lector
Central de diseño
Extensión AVAM
Cineteca
Intermediæ
Nave de Música
Naves del Español
INFORMACIÓN ÚTIL
ACTIVIDADES
RECURSOS EN RED
Convocatorias

[english]

¡MADRID!

© Matadero Madrid

13.09.13 / 15.09.13 MATADERO MADRID FESTeen<18

FESTeen<18
I Festival de cultura adolescente

Desde el 13 de septiembre al 15 de septiembre

Institución: MATADERO MADRID

radio 3 rne

PARTICIPA EN LA EXPOSICIÓN HABITACIONES

tuenti móvil

FESTeen <18 es un festival gratuito dirigido y realizado para y por el público adolescente. Un punto de encuentro para los menores de 18 años en torno al arte, la creación colectiva, la participación, el deporte urbano o el ocio al aire libre.

FESTeen<18 es el lugar donde durante tres jornadas los jóvenes talentos de la ciudad de Madrid mostrarán las mejores creaciones de música, cine, fotografía, artes visuales, cómic; compartirán destrezas y saberes y disfrutarán sin tapujos de su propia cultura, sus gustos, su manera de ser.
El último día para apuntarse a las actividades de FESTeen<18 será el 12 de septiembre a las 14h.

Durante estas tres jornadas contaremos con 70 actividades gratuitas de todos los ámbitos:

buscar OK
NOVIEMBRE 13

Hoy 25.11.13
MADRIDIMAGEN 2013
Festival dedicado a la imagen cinematográfica
SEMANA INTERNACIONAL DE CINE DE MADRID
Cine experimental

APP MATADERO
TODA LA INFORMACIÓN, HORARIOS Y PROPUESTAS EN TU MÓVIL

NOTICIAS
ESPECIALES - El blog de Matadero -
RSS

Recursos

Sustantivos
- un cómic: *une bande dessinée*
- un encuentro: *une rencontre*
- la entrada: *l'entrée*
- un torneo: *un tournoi*

Verbos y expresiones
- pinchar = hacer clic
- tocar un instrumento: *jouer d'un instrument*

Entiendo cómo se comunican unas amigas

DVD *Blog*, Elena Trapé, 2010

Chateando con las amigas

Recursos

Sustantivos
- la complicidad
- un(a) extremista
- un teclado: *un clavier*

Adjetivos
- emocionado(a)
- excesivo(a)

Verbos y expresiones
- aburrirse: *s'ennuyer*
- teclear = escribir en un teclado

Conéctate al aula virtual *Próxima parada* para rellenar la ficha

1 Fíjate

a. Observa el fotograma y di qué puede hacer la chica.

2 Primer fragmento

b. Identifica a los protagonistas.
c. Explica cómo se comunican.
d. Aclara los motivos que puede tener Marta para contar su vida en un blog.
e. ¿Qué proyecto tiene?

3 Segundo fragmento

f. Indica qué aspectos de la amistad adolescente nos revela la promesa final.

4 Resume

g. Redacta lo que has entendido del vídeo.

Gramática activa

LENGUA ACTIVA p. 15
PRÉCIS 18.A

Le présent de l'indicatif

1 Conjugue les verbes au présent de l'indicatif.

a. Nosotros no (saber) cómo se (él, llamar).
b. Si tú no (contestar) rápido, yo me (preocupar).
c. (Yo, llevar) tatuajes y (ella, llevar) un agujero en la oreja.
d. Mis padres me (imponer) sus ideas.
e. (Ellos, recibir) muchos mensajes y (responder) de inmediato.
f. (Vosotros, respetar) las costumbres de los jóvenes.

LENGUA ACTIVA p. 17
PRÉCIS 29

Ser et *estar*

2 Conjugue les verbes *ser* et *estar* au présent de l'indicatif.

a. (Yo, ser) estudiante y (ellos, estar) en el instituto.
b. Mis amigos (ser) muy importantes para mí.
c. (Tú, estar) siempre conectada.
d. Mi padre (ser) autoritario.
e. Para esta carrera (ser) necesario el bachillerato.
f. (Nosotras, estar) de acuerdo con vosotros.

3 Emploie *ser* ou *estar* comme il se doit.

a. Para la pandilla, el barrio … sagrado.
b. Yo … una chica simpática y mi amiga también lo … .
c. Los adolescentes … en una edad difícil.
d. ¿De dónde … tú?
e. El móvil … en las manos de mi madre.
f. Mi madre … preocupada porque mi hermano sale mucho con sus amigos.

LENGUA ACTIVA p. 19
PRÉCIS 18.C

Le passé composé

4 Conjugue les verbes au passé composé.

a. Los niños (formar) parte de un club de lectura y (leer) muchos libros.
b. (Nosotros, decidir) estudiar medicina y por eso (estudiar) mucho.
c. Vosotras os (maquillar) porque vuestros padres lo (permitir).
d. Ellas no (perder) tiempo y (ir) a reunirse con los amigos.
e. (Yo, dedicar) mucho tiempo a mi familia y a mis estudios y (tener) pocas horas libres.
f. Ana (ser) campeona junior de triple salto y todos la (aplaudir).

LENGUA ACTIVA p. 21
PRÉCIS 36

Les verbes comme *gustar*, *apetecer*

5 Emploie *gustar* ou *apetecer* comme il se doit.

a. A mis amigos … … tomar café.
b. A mí … … las pulseras y los pendientes.
c. A él … … contestar rápido.
d. A nosotros … … divertirnos.
e. A vosotras … … las publicidades.
f. A ellas … … el arte.

6 Traduis.

a. J'aime mon quartier.
b. Tu aimes sortir avec les amis de ton frère.
c. Nous aimons les nouvelles technologies.
d. J'apprécie de surfer sur le Net.
e. Et toi, apprécies-tu ces vêtements ?
f. Toi et ta sœur, vous aimez être à la mode.

LENGUA ACTIVA p. 23
PRÉCIS 25.B

Les diphtongues *e>ie*, *o>ue*

7 Conjugue ces verbes à diphtongue *e>ie* au présent.

a. Los adolescentes (empezar) a salir de noche.
b. Yo no (pensar) como tú.
c. Esta actividad se (convertir) en mi principal centro de interés.
d. Mi familia (venir) de este pueblo.
e. Con esto, los chicos (perder) tiempo.
f. (Nosotros, querer) más libertad.

8 Conjugue ces verbes à diphtongue *o>ue* au présent.

a. El joven (recordar) el barrio de su infancia.
b. Este silencio del móvil (poder) angustiarme.
c. (Tú, volver) a casa muy tarde.
d. Este chico siempre (contar) historias.
e. (Yo, soñar) con irme de casa.
f. Vosotros no os (esforzar) mucho.

9 Conjugue ces verbes qui diphtonguent.

a. (Yo, comenzar) a preocuparme por el futuro.
b. Tú te (divertir) mucho y (querer) pasarlo bien.
c. Los niños no se (mover) de aquí.
d. El joven (mostrar) lo que sabe hacer.
e. Este chico (mentir) cuando dice esto.
f. (Ellos, entender) lo que es importante.

1. **Con ayuda de las palabras siguientes, di en qué consisten las señas de identidad de los jóvenes (columna I).**
2. **Precisa qué permite la pandilla (columna II).**
3. **Explica por qué pueden surgir conflictos entre los adolescentes y la familia (columna III).**
4. **Di por qué es tan importante el móvil para los jóvenes (columna IV).**

I LA APARIENCIA (*l'apparence*)
- el maquillaje: *le maquillage*
- las marcas: *les marques*
- los tatuajes: *les tatouages*
- la ropa: *les vêtements*
- estar a la última: *être à la dernière mode*
- estar de moda: *être à la mode*
- parecerse a: *ressembler à*

II LA PANDILLA (*le groupe d'amis*)
- el barrio: *le quartier*
- la cita: *le rendez-vous*
- bien integrado(a): *bien intégré(e)*
- bromear: *faire des plaisanteries*
- estar juntos(as): *être ensemble*
- formar parte de: *faire partie de*
- pasarlo bien: *passer un bon moment*
- quedar: *se donner rendez-vous*
- quedar en hacer algo: *se mettre d'accord pour faire quelque chose*

III LA FAMILIA (*la famille*)
- el conflicto: *le conflit*
- los derechos y los deberes: *les droits et les devoirs*
- una riña: *une dispute*
- (no) estar de acuerdo: *(ne pas) être d'accord*
- imponer: *imposer*
- independizarse: *prendre son indépendance*
- rebelarse: *se rebeller*
- verse obligado(a) a: *être obligé(e) de*

IV MEDIOS DE COMUNICACIÓN (*moyens de communication*)
- el entorno virtual: *l'environnement virtuel*
- un sms: *un texto*
- el móvil: *le portable*
- la tecnología: *la technologie*
- chatear: *chatter*
- enviar un correo electrónico, un email: *envoyer un courriel, un e-mail*
- llamar por teléfono: *téléphoner*
- navegar por la red: *surfer sur le Net*
- las redes sociales: *les réseaux sociaux*

Enfoque final: noción y documentos

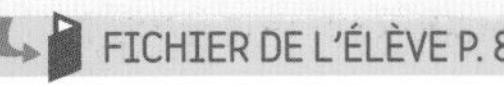

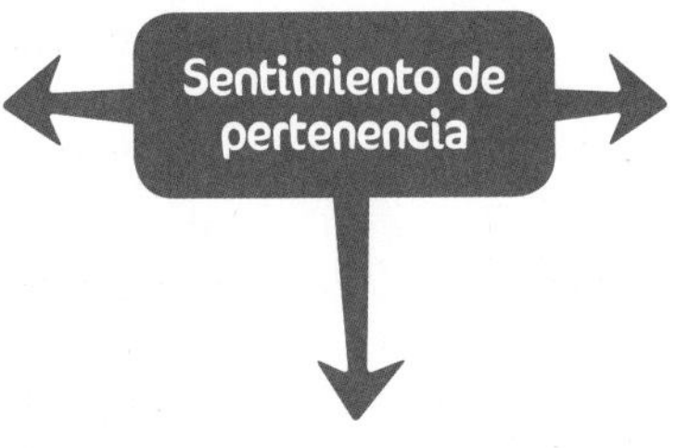

La vida cotidiana de los jóvenes
→ **Un reto: compaginar estudios, amigos y deporte.**
- *Estudiar y divertirse* p. 14
- *La vida normal de un número uno* p. 15
- *El móvil y la pareja* p. 18
- *Un compañero inseparable* p. 18
- *Todos queremos ser ricos* p. 22
- *La carrera de tu vida* p. 23

La importancia de relacionarse (amor, amistad)
→ **Es imprescindible tener amigos para sentirse integrado(a).**
- *La vida normal de un número uno* p. 15
- *La noche es joven* p. 16
- *¡Eh, parejita!* p. 17
- *Vivir conectado* p. 19
- *Lo único que me apetece* p. 21

Los sueños de los jóvenes
→ **Salir del mundo de los padres para vivir la propia vida.**
- *La vida normal de un número uno* p. 15
- *El look y los blogueros* p. 20
- *Lo único que me apetece* p. 21
- *Todos queremos ser ricos* p. 22
- *La carrera de tu vida* p. 23

Loka comic
José Luis Martínez-Larraz Juan Moya
CRISTI Y SUS MOVIDAS
P.V.P 1,95 € num. 1
En Canarias, Ceuta y Melilla 2,10€
www.lokamagazine.com
www.fricandeaustudio.com
POR SÓLO 1'95€ EN CANARIAS, CEUTA Y MELILLA 2,10€
Números del 1 al 12
+ Un capítulo INÉDITO
Aprende a dibujar a Cristi y Laura

Portada de la revista *Loka Magazine*

José Luis (Pepe) Larraz (1981) es un joven dibujante madrileño con muchísimo talento que se está convirtiendo en una de las grandes estrellas de Marvel, la editorial de cómics más importante del mundo. Dibuja la serie estrella *Thor*. Se dedicó al cómic de forma profesional a partir de 2003 con la publicación de *Cristi y sus movidas* en la revista musical juvenil *Loka Magazine*. Este cómic cuenta las aventuras de una adolescente, Cristina, y sus amigos.

¿Qué representa esta portada de revista?
Dilo con lo que sabes...

1. Identifica a Cristi, la protagonista del cómic. Define su look y el de sus amigos.
2. Enumera los objetos que aparecen y deduce cuáles son los ocios de esta pandilla.
3. ¿Qué tipo de plano y ángulo de visión ha elegido el dibujante?
4. Fíjate en el grafismo, di qué colores y formas predominan. ¿Qué efectos producen?

Recursos

Sustantivos
- un amplificador
- un bote de pintura en aerosol
- un contrapicado: *une contre-plongée*
- una mesa de mezclas: *une table de mixage*
- un plato: *une platine*
- unos vaqueros anchos: *un jean large*
- las zapatillas (deportivas): *les chaussures de sport*

Adjetivos
- cálido(a)
- punki
- puntiagudo(a): *pointu(e)*
- vivo(a): *vif(ve)*

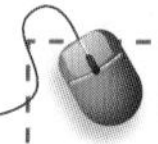
Para saber más: **http://jldrawings.blogspot.com.es**

PROYECTO A

Entrevistad a jóvenes hispanos sobre sus gustos, costumbres y aspiraciones

interacción oral

Para una encuesta sobre los hábitos de los jóvenes españoles o latinoamericanos entrevistad a unos compañeros sobre sus gustos, costumbres y aspiraciones.

1 Preparad la entrevista

a. Preparad grupos: unos son los periodistas y otros son jóvenes españoles o latinoamericanos.

b. Grupo A: preparad y ordenad las preguntas claves que vais a hacerles: ¿Qué estudian y cuáles son sus planes de futuro? ¿Qué ocios y gustos comparten con sus amigos? ¿Qué uso hacen del teléfono móvil?...

c. Grupo B: preparad las respuestas sobre los mismos temas.

2 Haced la entrevista

d. Cada uno de los periodistas dirige sucesivamente tres entrevistas.

e. Al final, cada periodista destaca los puntos comunes de los entrevistados.

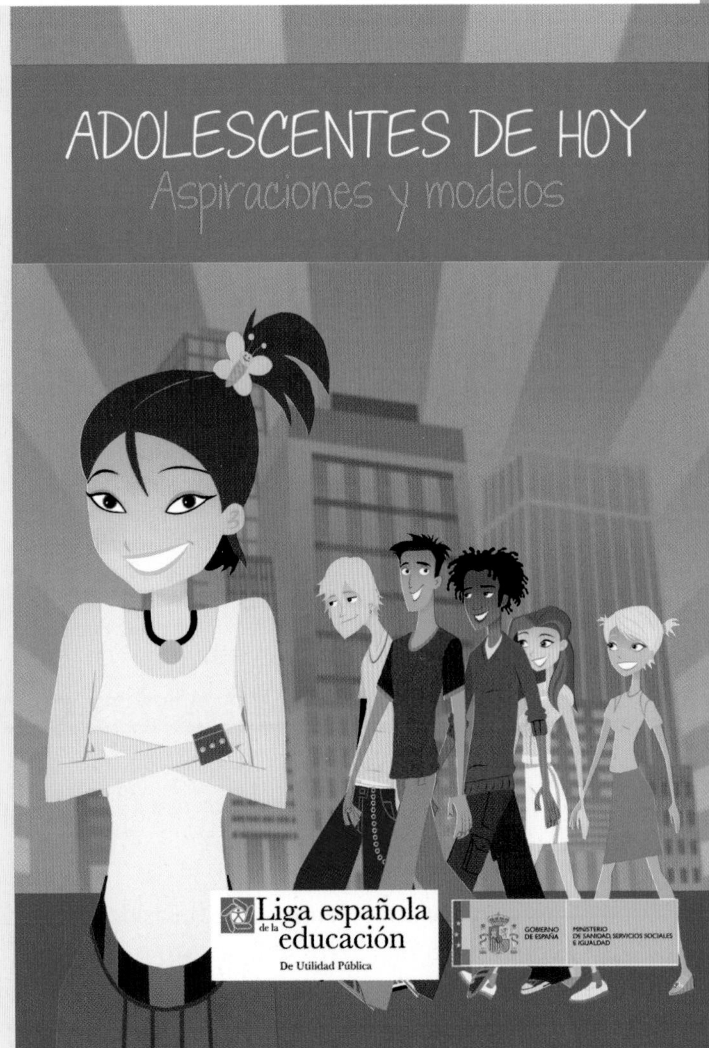

ADOLESCENTES DE HOY
Aspiraciones y modelos
Liga española de la educación
De Utilidad Pública

PROYECTO B

Crea tu perfil hispánico para una red social

expresión escrita

Para hacerte nuevos amigos que comparten los mismos intereses y gustos, crea tu perfil para una red social.

1 Prepara tu perfil

a. Eres un joven español o latinoamericano, invéntate un nombre y unos apellidos hispánicos, el país o la ciudad donde vives, la edad que tienes.

b. Imagina tus centros de interés, tus gustos y tus aspiraciones de futuro.

2 Crea tu perfil

c. Redacta un texto en el que te presentas y hablas de tus gustos y aspiraciones. Explica por qué has creado tu perfil en esta red social.

d. Redacta una breve invitación para buscar nuevos amigos.

Páginas web que puedes consultar:
https://www.tuenti.com
https://es-es.facebook.com

EVALUACIÓN

comprensión oral — Primera encuesta iberoamericana de juventudes

CD CLASSE

> OBJECTIF A2+ : comprendre l'essentiel d'un reportage sur les spécificités d'une génération.

Escucha la grabación y contesta.

A2

a. El documento evoca una encuesta sobre: ¿el look, las opiniones o las costumbres?

b. Apunta el número de jóvenes y de países que han participado en la encuesta.

c. ¿Qué creen estos jóvenes a propósito de su futuro?

d. Apunta sus principales preocupaciones actuales.

e. Cita los países más optimistas y los más pesimistas.

A2+

f. Di por qué pueden tener grandes frustraciones estos jóvenes.

EL FUTURO
YA LLEGÓ
1ª encuesta
Iberoamericana
de Juventudes
68

comprensión escrita — Jóvenes conectados

> OBJECTIF A2 : comprendre l'usage des réseaux sociaux par les jeunes.

Álex tiene 20 años; primero fue un asiduo de Facebook como sus compañeros de instituto y, luego, un parroquiano[1] de Twitter como sus colegas[2] [...]. Ahora ha reducido su vida 2.0 a WhatsApp, la aplicación que manda mensajes gratuitos de smartphone a smartphone. "No sé cuánta gente hay como yo. Solo sé que desde que dejé Twitter hace cuatro meses, WhatsApp es lo más parecido a una red social que uso. Y la uso constantemente", ahonda[3] [...]. WhatsApp es el buque insignia del género en España: el 84% de los dueños de un smartphone lo usan a diario, según un estudio realizado por la consultora The Cocktail junto con Zenith Seguros. Un 28% más que en 2011. Todo en detrimento de las redes sociales clásicas. "WhatsApp es personal y, por tanto, auténtico y adictivo", explica Felipe Romero, uno de los autores del estudio. "Facebook es cada vez más publicitario, y Twitter, genérico."

Tom C. AVENDAÑO, *El País Semanal*, 25/7/2013

Lee el texto y contesta.

A2

a. La primera red social que Alex empezó a utilizar fue Twitter y ahora sólo usa Facebook: ¿verdadero o falso?

b. Explica para qué sirve la aplicación WhatsApp y di cómo la utiliza Alex.

c. ¿Con qué frecuencia la emplean los usuarios españoles que tienen un móvil?

d. Di si la llegada de WhatsApp ha tenido un efecto positivo o negativo en las otras redes sociales. Justifica con una frase del artículo.

1. *(ici)* un adepte
2. *(fam.)* amigos
3. precisa

expresión oral ¿Te apuntas?

> OBJECTIF A2+ : faire une description simple et donner son opinion.
> Temps de parole : 4 minutes

Observa el cartel y exprésate.

A2+
- **a.** Di qué anuncia el documento, cuándo y dónde.
- **b.** ¿Quién puede participar en FESTeen? ¿Cómo?
- **c.** Describe la foto. Imagina quiénes son estas personas y cómo van a participar.
- **d.** Y a ti, ¿te apetece participar en FESTeen? Justifica tu respuesta.

interacción oral Entrevista: Y tú, ¿qué tal llevas las nuevas tecnologías?

> OBJECTIF A2+ : décrire ses habitudes.  En binôme

Por parejas, imaginad la conversación.

A2+
Alumno A: Entrevistas a un(a) compañero(a) sobre las nuevas tecnologías. Puedes preguntarle lo que utiliza (móvil, Internet...), la frecuencia, lo que hace con estas nuevas tecnologías...
Alumno B: Contestas las preguntas de tu compañero(a) sobre las nuevas tecnologías.

expresión escrita El estilo de vida de los jóvenes

> OBJECTIF A2+ : décrire brièvement son mode de vie.
> Nombre de mots : 110

Redacta una breve descripción de tu estilo de vida para una encuesta de tu instituto.

A2
- **a.** Preséntate (nombre, apellido, edad, ciudad, estudios).
- **b.** Di qué te gusta y cómo te diviertes.
- **c.** Describe tus relaciones: padres, amigos, pandilla.

A2+
- **d.** Di cuáles son los temas que más te preocupan.

¿Aficiones o tradiciones?

1 Aficionados mexicanos durante un partido de fútbol

Recursos

Sustantivos
- la camiseta: *le tee-shirt, le maillot*
- el encaje: *la dentelle*
- el entusiasmo
- la mantilla
- el vestido: *la robe*

Adjetivos
- alegre
- elegante
- festivo(a)

Verbos y expresiones
- apretarse (ie): *se serrer*
- compartir: *partager*
- de gala = de fiesta
- juntarse: *se reunir*
- llevar: *porter*
- parecer: *paraître*
- sonreír (i)

PROYECTO A **interacción oral** **Jugad a "Saber y Ganar" sobre las fiestas y tradiciones españolas.**

PROYECTO B **expresión escrita** **Relata tu experiencia de aficionado(a) en un periódico local.**

Outils linguistiques

- Le lexique des fêtes, des traditions, des rencontres et des émotions

2 Jóvenes con el traje de fallera, posando para los admiradores, Valencia

Y tú, ¿cómo lo ves?

1. Describe la foto 1 y caracteriza el ambiente de la escena.
2. Di qué ropa llevan las jóvenes de la foto 2 e imagina por qué.
3. En tu opinión, ¿en qué aspectos ilustran las dos fotos el título de la unidad?

Texto 1

A2 Como el Barcelona y el Madrid

CD CLASSE

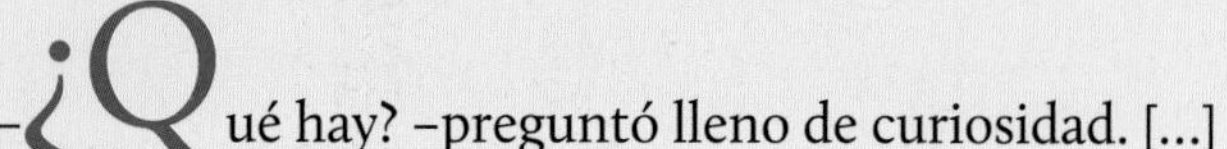

–¿Qué hay? –preguntó lleno de curiosidad. [...]

–¿Tienes un par de minutos? –preguntó el visitante.

–Sí, naturalmente –dijo Óscar.

–Mejor aún, ¿por qué no me acompañas? Tengo trabajo y de camino te lo cuento. Ya sé que con este sol no apetece[1] salir, pero...

–No importa, vamos. [...]

–¿Sabes que dentro de dos semanas son las fiestas del pueblo?

–Sí.

–¿Sabes también que uno de los actos más importantes y tradicionales es el partido de fútbol con los del otro pueblo?

–No.

–Pues así es –[...] Cuando son las fiestas de su pueblo nosotros vamos a jugar allí, y cuando son las nuestras, ellos vienen a jugar aquí. Son los partidos del año, algo así como cuando juegan el Barcelona y el Madrid, ¿sabes?

–Lo entiendo [...].

–Tú aún seguirás aquí[2] para las fiestas, ¿no?

–¿Por qué?

–Porque quiero que juegues en el equipo, de salida, en la delantera[3], conmigo. Si no les metemos diez es que somos idiotas.

–¿Quieres que juegue con vosotros... de verdad?

–¡Pues claro!

Jordi SIERRA I FABRA (escritor español), *Tiempo de escarcha*, 2006

1. *on n'a pas envie de* 2. *Tu seras encore ici* 3. *au poste d'avant-centre*

Texto 2

A2 El fútbol ¿pasión o aversión?

Mi padre evitaba las multitudes siempre que podía. En el caso de los acontecimientos deportivos, lo que sentía era una verdadera aversión. [...] Había un vecino, Gregorio, socio del Deportivo, que trabajaba como técnico en la emisora de Radio Coruña, y que se ofrecía a llevarme al estadio de Riazor[1]. Para mi padre, aquellas horas épicas, cuando el Deportivo se jugaba el ser y el no ser[2], y era cada tarde de domingo, resultaban ser las más adecuadas para una plantación en la huerta[3]. Yo quedaba abatido, y él entonces trataba de convencerme de que esa pasión, la de ver dos facciones de hombres adultos detrás de un balón, jaleadas[4] por turbas fanáticas, era una especie de derrota[5] de la humanidad. Hasta que reconoció su propia derrota, y pude ir con Gregorio a Riazor.

Manuel RIVAS (escritor español), *Las voces bajas*, 2012

1. el campo de fútbol de La Coruña 2. *(ici) jouait son maintien en première division*
3. *le jardin potager* 4. *acclamées, encouragées* 5. *c'était une sorte de défaite*

Texto 1

Líneas 1 a 16

a. Identifica a los dos protagonistas y precisa dónde y cuándo transcurre esta conversación.

b. Di qué acontecimiento está en preparación citando uno de los actos más importantes.

Líneas 17 al final

c. Completa la frase: *El visitante le propone a Óscar que...* Explica por qué se lo propone.

d. Di cómo reacciona Óscar.

Recursos

Sustantivos
- los aficionados = los hinchas: *(ici) les supporters*
- el deporte
- el equipo: *l'équipe*
- la estupidez: *la stupidité*
- un(a) forastero(a): *un(e) étranger(ère) (personne d'un autre village ou ville)*
- la rivalidad

Adjetivos
- apasionado(a)
- entusiasta

Verbos y expresiones
- aceptar
- compartir una opinión: *partager un avis*
- meter un gol: *marquer un but*
- mientras que: *tandis que, alors que*
- tener (ie) lugar: *avoir lieu*

Texto 2

e. ¿Qué sentía el padre por el fútbol? Indica la frase que lo explica.

Textos 1 y 2

f. Los protagonistas del primer texto ¿piensan como el padre del segundo texto o como su hijo? Justifica tu respuesta.

A2 Un famoso con sus admiradores

Iker Casillas, portero del Real Madrid y de la Roja, firmando autógrafos

a. Di qué representa la foto. ¿De qué club son hinchas los jóvenes? Justifica.
b. Continúa la frase: *Los hinchas quieren que...*

PREPARA EL PROYECTO

Expresión oral

En la radio local hablas de la fiesta del pueblo y anuncias el partido de fútbol. Animas a la gente del pueblo a que apoye a su equipo.

FICHIER DE L'ÉLÈVE P. 10

Recursos

Sustantivos
- el escudo: *l'écusson*
- un recuerdo: *un souvenir*

Adjetivos
- inolvidable
- prestigioso(a)

Verbos y expresiones
- acercarse a su ídolo: *(s')approcher de son idole*
- firmar: *signer*
- hacer / tomar / sacar una foto
- soñar (ue) con: *rêver de*

Lengua activa

PRÉCIS 20.A.B

Quiero que + présent du subjonctif

- *Quiero que juegues en el equipo.*

Conjugue les verbes au présent du subjonctif.
a. Quiero que tú me (acompañar).
b. Quiero que mi amigo no (quedar) abatido por la derrota.
c. Quiero que mis padres (compartir) mi afición.

LÉXICO Fútbol, una pasión común

Forme des phrases avec les mots suivants.
a. un acto muy importante – de fútbol – para los pueblos – es – un partido
b. jueguen – el joven – sus amigos – quiere que – y sientan la misma pasión

EXERCICES P. 50-51

Enfoque sobre la noción
Sentimiento de pertenencia

Apoyándote en los dos textos y la foto muestra cómo ilustran esta noción.
- Da un ejemplo de cómo favorece el fútbol las buenas relaciones entre la gente en España.
- Explica por qué provoca el fútbol tanto entusiasmo entre los aficionados.

A2 El tapeo español MP3 CD CLASSE DVD

La tradición de las tapas: comiendo en la barra

1 Fíjate, escucha y apunta

a. Lee el título, observa las imágenes y deduce el tema del reportaje.
b. ¿Qué otras informaciones puedes extraer del fotograma?

Primera escucha completa

c. Indica los diferentes lugares que aparecen en el reportaje.
d. Precisa quiénes son las personas que intervienen.

Segunda escucha

e. Apunta los números que oyes y precisa a qué corresponden.
f. La barra es un elemento importante de la vida social porque…

Tercera escucha

g. ¿Cómo se siente la gente cuando come en la barra?
h. Di qué diferencias hay entre comer en una mesa y comer en la barra.

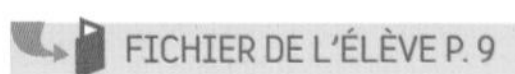
FICHIER DE L'ÉLÈVE P. 9

2 Resume

Redacta lo que has entendido del reportaje.

Recursos

Sustantivos
- la barra: *le comptoir*
- la convivencia: *la convivialité*
- una costumbre: *une habitude*
- un pincho = una tapa

Adjetivos
- agradable
- amigable, distendido(a): *convivial(e)*

Verbos y expresiones
- acudir a: *se rendre, aller (quelque part)*
- escoger: *choisir*
- relacionarse: *nouer des relations*

Fonética

a. Escucha las siguientes palabras y di si se escriben con "c" o "z".
b. Repite estas palabras en voz alta.

B1 Bares

Amo los bares y tabernas
junto al mar,
donde la gente charla y bebe
sólo por beber y charlar.

Donde Juan Nadie[1] llega y pide
su trago[2] elemental,
y están Juan Bronco[1] y Juan Navaja[1]
y Juan Narices[1] y hasta Juan
simple, el sólo, el simplemente
Juan.

Allí la blanca ola
bate de la amistad;
una amistad de pueblo, sin retórica,
una ola de ¡hola! y ¿cómo estás?
Allí huele a pescado[3],
a mangle, a ron, a sal
y a camisa sudada[4] puesta a secar al sol.

Búscame, hermano, y me hallarás[5]
(en La Habana, en Oporto,
en Jacmel[6], en Shangai)
con la sencilla gente
que sólo por beber y charlar
puebla los bares y tabernas
junto al mar.

Nicolás GUILLÉN (poeta cubano),
La paloma de vuelo popular, 1958

1. apodos populares para designar a hombres de origen modesto
2. *(ici) son verre*
3. *ça sent le poisson*
4. *trempée de sueur*
5. me encontrarás
6. puerto de la isla de Haití

Primera y cuarta estrofas

a. Indica qué lugares "ama" el poeta. Precisa dónde están situados y explica por qué los ama.

Segunda estrofa

b. Cita y explica los nombres o apodos de los que frecuentan estos lugares.

Tercera estrofa

c. Elige la respuesta correcta y justifica. En estos lugares la gente se relaciona de manera: ¿**a.** artificial y complicada. **b.** sencilla y directa?

Expresión escrita

PREPARA EL PROYECTO Vas a participar en un concurso de tapas. Tienes que presentar tres tapas. Indica el nombre, los ingredientes, etc.

FICHIER DE L'ÉLÈVE P. 10

Recursos

Sustantivos
- un apodo: *un surnom*
- el carácter
- el pescador: *le pêcheur*
- el puerto
- la sencillez = la simplicidad

Adjetivos
- amistoso[a]
- sencillo[a] = simple

Verbos y expresiones
- charlar: *bavarder, discuter*
- sin remilgos: *sans faire des manières*

Lengua activa

PRÉCIS 25.C

L'affaiblissement *(e > i)* des verbes comme *pedir*

- *Pide su trago elemental.*

Imite l'exemple.

a. El poeta (repetir) el verbo "beber".
b. En los bares cubanos se (servir) ron.
c. Cuando los pescadores se reúnen en el bar, (vestir) ropa de trabajo.

LÉXICO Bares y convivencia

Complète les phrases avec les mots et expressions suivants : *tapas – la barra – charlar con alguien – picar algo – juntos – jóvenes y ancianos – encuentros – pinchos*

a. En los bares, puedes ... ..., y en ... ..., puedes ... ... y comer ... y ... .
b. Los bares facilitan los ... y permiten que ... ... estén ... .

EXERCICES P. 50-51

Enfoque sobre la noción

Sentimiento de pertenencia

Los bares y tabernas hispánicos son lugares donde se manifiesta el sentimiento de pertenencia. Demuéstralo completando las frases.

- Frecuentar los bares y tabernas es una costumbre que persiste en... En efecto...
- En los bares hispánicos el ambiente es... porque la gente...

A2 Fallas de Valencia

La falla de la Tierra y los elementos, Valencia 2010

DATOS Culturales

Un ***ninot*** (en valenciano) o muñeco (en español) es una figura humana de cartón que tiene un carácter satírico. Una falla reúne varios *ninots*. La fiesta de las Fallas de Valencia se desarrolla en marzo. El 19, día de la *cremà*, se queman todas las fallas.

Mira y exprésate

a. Di cómo se llaman las figuras que componen la falla de la foto e identifícalas.
b. Después de fijarte en los elementos de la parte baja, explica por qué llora el planeta desconsoladamente.
c. Busca y justifica lo que puede simbolizar el *ninot* de la mujer.
d. Precisa el mensaje que quiere transmitir la falla.

Recursos

Sustantivos
- un aerogenerador: *une éolienne*
- un(a) bañista
- la chimenea
- el enchufe: *la prise*
- una fábrica: *une usine*
- un grifo: *un robinet*
- el humo: *la fumée*
- las llamas: *les flammes*
- el provecho: *le profit*

Adjetivos
- desnudo(a): *nu(e)*
- indefenso(a) = frágil

Verbos y expresiones
- amenazar con: *menacer de*
- contaminar: *polluer*
- destruir
- reaccionar: *réagir*
- tener (ie) cuidado con: *faire attention à*

comprensión escrita

A2 Fiestas regionales

Nunca he visto un país tan fanático de las fiestas como España. Para empezar, las duplican todas: celebran santo[1] y cumpleaños, Navidad y Reyes, incluso prolongan los festivos[2] hasta convertirlos en puentes. Y luego, por si aún te quedan ganas[3] de celebrar, están las fiestas regionales [...]: las religiosas como la Semana Santa de Sevilla, las paganas como el Carnaval de Cádiz y las fiestas en que la gente se mata o hiere[4] como los Sanfermines de Pamplona.[...]

Llego a la ciudad [de Valencia] en viernes, y miles de personas desfilan por el centro de la ciudad. Los trajes de las mujeres son especialmente vistosos. Literalmente relucientes, las mujeres le llevan ramos de flores a una virgen de veinte metros de altura. [...]

No muy lejos de ahí, una estatua de cartón piedra más o menos del mismo tamaño representa a una monumental mulata[5] carnavalera bailando al ritmo de un grupo tropical. Cada barrio construye estatuas de cartón piedra llamadas precisamente fallas que satirizan a las personas, sus manías, sus mentiras, sus problemas. Como colosales dibujos animados que brotan[6] por las calles.

Santiago RONCAGLIOLO (escritor peruano), *Jet Lag*, 2007

1. *la fête (de quelqu'un)*
2. *les jours fériés*
3. *si tu as encore envie*
4. *se blesse*
5. *mulâtre, métisse*
6. *jaillissent*

Líneas 1 a 6

a. Apunta el adjetivo que usa el narrador para caracterizar a España. ¿Qué costumbres evoca para justificar su punto de vista?

Líneas 7 al final

b. Da el nombre de las fiestas emblemáticas de Valencia y explica en qué consisten apoyándote en lo que hace cada barrio para celebrarlas.

c. Explica por qué para el narrador las fiestas de Valencia tienen un carácter religioso y pagano.

Expresión oral

PREPARA EL PROYECTO Busca información sobre las otras fiestas evocadas en el texto (momento del año, lugar, participantes, desarrollo) y preséntalas brevemente.

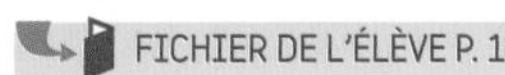
FICHIER DE L'ÉLÈVE P. 10

Recursos

Sustantivos
- las costumbres = las tradiciones

Adjetivos
- increíble: *incroyable*
- loco(a): *fou, folle*

Verbos y expresiones
- participar en: *participer à*

Lengua activa

PRÉCIS 40.H

Les adverbes

- *Los trajes son **especialmente** vistosos.*
- *Cada barrio construye estatuas llamadas **precisamente** fallas.*

Forme des adverbes sur les adjectifs (adjectif au féminin + *mente*) :

a. La ciudad de Valencia aprecia (particular) las fiestas.
b. Cada barrio participa (religioso).
c. La falla está (hermoso) decorada.

LÉXICO Fiestas populares

Retrouve la phrase en associant les mots suivants :
religiosas, paganas, satirizan a las personas, le llevan flores a una virgen.

Se consideran las Fallas como fiestas ... porque ... ...
pero también como fiestas ... porque ... ...

EXERCICES P. 50-51

Enfoque sobre la noción

Sentimiento de pertenencia

Apoyándote en la foto y el texto muestra cómo ilustran esta noción.

- Cita tres ejemplos del carácter singular de las fiestas de Valencia.
- Da dos argumentos que evidencian que las Fallas son fiestas populares.
- Explica por qué es España un país aficionado a las fiestas.

comprensión escrita

Texto 1

A2 La afición a los toros

Aunque, en conjunto[1], es una ciudad sin personalidad, hay en ella lugares hermosos, como ciertas plazas, conventos e iglesias, y esa joya[2] que es Acho, la plaza de toros. Lima mantiene la afición taurina desde la época colonial y el aficionado limeño es un conocedor tan entendido como el de México o el de Madrid. Soy uno de esos entusiastas que procura[3] no perderse ninguna corrida de la Feria de Octubre. Me inculcó[4] esta afición mi tío Juan, otro de mis infinitos parientes por el lado materno. Su padre había sido amigo de Juan Belmonte, el gran torero, y éste le había regalado[5] uno de los trajes de luces[6] con los que toreó en Lima. Ese vestido se guardaba en casa del tío Juan como una reliquia y a los niños de la familia nos lo mostraban en las grandes ocasiones.

Mario VARGAS LLOSA (escritor hispanoperuano), *Sables y utopías*, 2009

Mario VARGAS LLOSA (Perú, 1936). Escritor, ensayista y periodista, que ha recibido el Premio Nobel de Literatura 2010. Entre sus novelas destacan *La ciudad y los perros*, *La casa verde*, *La tía Julia y el escribidor*, *La fiesta del chivo*, *El sueño del celta* y *El héroe discreto* (2013).

1. *dans l'ensemble*
2. *ce bijou*
3. *qui essaie de*
4. *m'a transmis*
5. ofrecido
6. trajes de los toreros

Líneas 1 a 8

a. Precisa de qué ciudad y de qué lugares habla el autor. Di cuál es el más hermoso para él y justifica completando la frase: *porque a él le gustan...*

b. ¿Cómo se puede explicar la tradicional afición taurina en Lima y más generalmente en Latinoamérica?

Líneas 9 al final

c. ¿Cómo interpretas la comparación del traje de luces de Belmonte con *una reliquia* ?

Texto 2

A2 Protesta contra las corridas en Mallorca

Un total de 20 jóvenes de la organización de defensa de los animales AnimaNaturalis han protestado este jueves, en la Plaza España de Palma, contra las corridas de toros en Mallorca con una 'performance' en la que, en ropa interior[1] y tendidos en el suelo[2], han formado la palabra "Stop" en alusión directa a la actividad taurina.

El coordinador estatal de la campaña antitaurina de AnimaNaturalis [...] ha asegurado que más del 73% de la población se muestra "indiferente o está en contra de este espectáculo de crueldad".

Europa Press, 09/08/2012

1. *en sous-vêtements* 2. *allongés par terre*

Recursos

Sustantivos
- la tradición
- los vínculos: *les liens*

Adjetivos
- cruel
- sagrado(a): *sacré(e)*

Verbos y expresiones
- a él/a ellos (no) le/les gusta(n) la(s) corrida(s)
- compartir una pasión: *partager une passion*
- estar a favor de ≠ estar en contra de
- oponerse a: *s'opposer à*
- pertenecer a: *appartenir à*

Textos 1 y 2

d. Di en qué aspectos se opone este artículo al texto precedente.

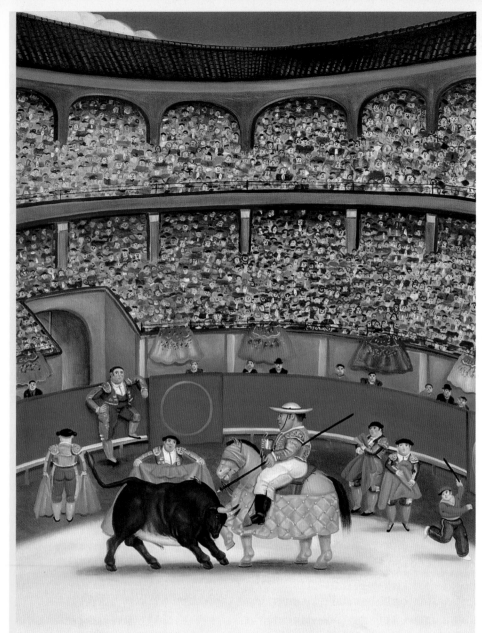

Fernando **BOTERO,** *La plaza* (1985), Marlborough Gallery, Nueva York

expresión oral

A2+ ¿La fiesta nacional?

a. Precisa qué representa el cuadro de Botero y di cuáles son los diferentes elementos que lo componen.
b. Fíjate en los colores y la actitud de los protagonistas y deduce la intención del pintor. Justifica tu respuesta.

Búsqueda en Internet

Busca informaciones sobre la Feria de Octubre, también llamada Feria de Otoño, en Madrid. Apunta los días que corresponden a las corridas y di qué marca esta Feria.

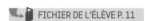

FICHIER DE L'ÉLÈVE P. 11

Recursos

Sustantivos
- el caballo: *le cheval*
- los espectadores: *les spectateurs*
- la muleta roja
- el ruedo: *l'arène*
- el traje de luces (del torero): *l'habit de lumière*

Adjetivos
- apacible: *paisible*
- gordo(a): *gros, grosse*
- inmóvil, estático(a)

Verbos y expresiones
- como si no hubiera peligro: *comme s'il n'y avait pas de danger*

Lengua activa

PRÉCIS 10

Les démonstratifs *este(os), esta(s), ese(os), esa(s)*

- ***este*** *jueves/****esta*** *afición*
- ***esa*** *joya/****ese*** *vestido*

Emploie le démonstratif comme il se doit.
a. Los jóvenes no aceptan ... decisión.
b. La asociación protesta contra ... corridas.
c. Su padre admiraba a ... gran torero.

LÉXICO Corrida ¿a favor o en contra?

Classe les mots ou expressions selon leur sens.
a. un espectáculo cruel **b.** defender la tradición **c.** no perderse una corrida **d.** una muerte sangrienta **e.** condenar **f.** la afición taurina

A favor	En contra

EXERCICES P. 50-51

Enfoque sobre la noción

Sentimiento de pertenencia

Apoyándote en los tres documentos destaca los argumentos que te han parecido más relevantes.

- Explica por qué toda la gente no quiere conservar la corrida como una tradición.
- Explica por qué la corrida suscita reacciones tan violentas y apasionadas.
- Di por qué se transmite esta afición en algunas familias.

A2 Una fiesta mexicana

CD CLASSE

Una pareja de charros mexicanos

Una joven española, Elena, se encuentra en México en 1991.

Supo que el 20 de noviembre era fiesta en todo el país. Era el día en que se conmemoraba el aniversario de la Revolución mexicana, y era costumbre en la hacienda Santa Lucía celebrar una charreada, un evento festivo tradicional en México con exhibiciones a caballo, música de mariachis y platillos típicos.
Elena observaba desde la ventana el murmullo de la gente que se dirigía a la plaza de toros; algunas mujeres vestían los trajes típicos mexicanos: largas faldas de vuelo y profusamente coloreadas. También los hombres vestían trajes de charros[1], incluso un cinturón en piel con cartuchos y funda de revólver.
Estaba ensimismada contemplando el exterior y no oyó[2] la puerta tras ella. Antonio estaba en la puerta principal. [...]
–Hola. –¿Estás lista? Pronto comenzará el espectáculo.
La plaza rebosaba de gente[3]. La música de fondo y el murmullo de los numerosos invitados ofrecían un aire festivo y alegre. [...]
Se inició la fiesta con un desfile de participantes ataviados[4] con trajes de charros de gala. Las mujeres también participaban activamente, y el desfile rebosaba colorido con las faldas de lentejuelas[5] de vivos colores y amplios sombreros bordados a juego...
–¿Qué te ha parecido? preguntó Antonio
–Ha sido impresionante, de una gran belleza –dijo Elena sonriendo.

Mercedes GUERRERO (escritora española), *El árbol de la diana*, 2010

DATOS Culturales

En España, **el charro** es el vaquero de Salamanca. En México, el charro es un vaquero que suele llevar trajes muy vistosos.

1. (Amér.) *gardien mexicain de troupeaux de vaches*
2. *elle n'entendit pas*
3. Había mucha gente
4. vestidos
5. *jupes à paillettes*

Líneas 1 a 18

a. Apunta las palabras que indican lo que pasa el 20 de noviembre en México.
b. Lista los adjetivos y sustantivos que indican cómo vestían las personas presentes.
c. Precisa cómo era el ambiente y explica cómo se celebraba el 20 de noviembre en la hacienda Santa Lucía.

Líneas 19 al final

d. ¿En qué consistía el desfile?
e. ¿Qué piensa finalmente la protagonista de esta fiesta?

Recursos

Sustantivos
- un acontecimiento = un evento: *un événement*
- un vaquero: *un gardien de vaches, un cowboy*

Adjetivos
- alegre: *joyeux(euse)*
- popular

Verbos y expresiones
- conmemorar
- detener (ie) el caballo: *retenir le cheval*
- domar: *dompter, dresser*
- vestir (i) de: *porter un costume de, être habillé(e) en*

expresión oral

A2 La charreada

a. Describe a los personajes.
b. Explica dónde están y qué están haciendo.

Expresión oral

PREPARA EL PROYECTO Elena cuenta a una amiga española cómo era la charreada. Describe cómo vestían los participantes, cómo era el ambiente...

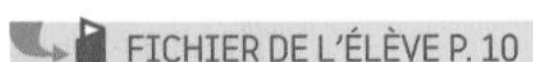
FICHIER DE L'ÉLÈVE P. 10

Recursos

Sustantivos
- amazonas: *(ici) des cavalières*
- faldas con volantes: *des jupes à volants*
- una fusta: *une cravache*
- un sombrero

Adjetivos
- coloreado(a): *bariolé(e)*

Verbos y expresiones
- cabalgar: *monter à cheval*
- ponerse en fila: *se mettre en rang*

Un momento de la charreada mexicana

Lengua activa

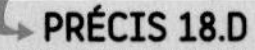
PRÉCIS 18.D

L'imparfait de l'indicatif

- *Elena observ**aba** el murmullo de la gente.*
- *La música y el murmullo ofrec**ían** un aire festivo.*
- *El 20 de noviembre **era** fiesta.*

Conjugue à l'imparfait selon le modèle.
a. El 20 de noviembre (celebrarse) el evento.
b. Muchos participantes (desfilar) y (ser) una fiesta alegre.
c. (Haber) mucho ruido y la gente (estar) muy contenta.

LÉXICO Folclore mexicano

Complète les phrases avec : *amplios sombreros, un evento festivo tradicional en México, los mariachis, faldas de lentejuelas.*
a. La charreada es ... ...
b. ... ... cantan y tocan la guitarra.
c. Las mujeres visten ... ... y los hombres llevan ... .

EXERCICES P. 50-51

Enfoque sobre la noción

Sentimiento de pertenencia

Apoyándote en el texto y en la foto muestra cómo ilustran esta noción.
- La charreada es una fiesta típicamente mexicana: ¿Verdadero o falso? Justifica.
- Explica cómo muestran los mexicanos su afición por esta fiesta.

PANORAMA

Trajes para celebrar

A Trajes de fiesta en la Feria de Abril (España)

Las mujeres van a **la Feria de Abril** de Sevilla, que se celebra dos semanas después de Semana Santa, vestidas de gitanas o flamencas con un vestido de volantes o de amazonas. Este traje es más sobrio, y necesario para montar a caballo. Muchas mujeres tienen un traje para cada día de feria. Los hombres que van a caballo visten de corto. Sus trajes se caracterizan por pantalones ceñidos, chaqueta corta, sombrero y botas.

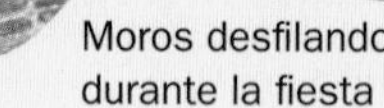

Moros desfilando durante la fiesta

B Trajes medievales en las fiestas de Moros y Cristianos (España)

Las fiestas de **Moros y Cristianos** recrean el enfrentamiento que hubo entre las tropas musulmanas y cristianas durante la Conquista y Reconquista de España [711-1492]. Se inicia la fiesta con un desfile de los dos ejércitos. La ropa de los cristianos se caracteriza por los cascos metálicos, las cotas de malla y la espada grande, pesada y recta que llevan los capitanes. En las filas de los moros destacan los turbantes blancos con adornos dorados, los pantalones bombachos[1] y los sables que llevan.

1. *les pantalons bouffants*

Pareja a caballo durante la Feria de Abril

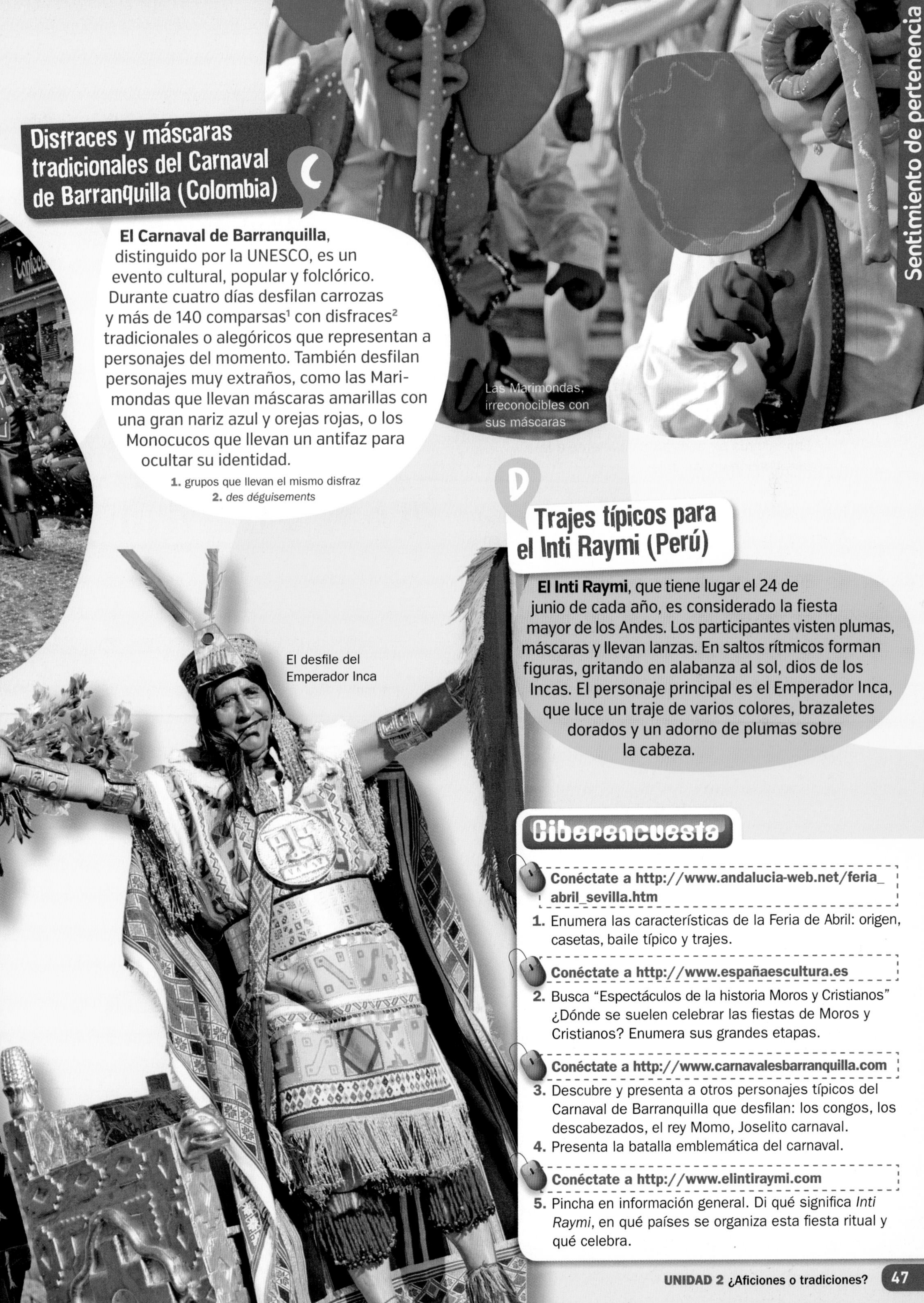

C Disfraces y máscaras tradicionales del Carnaval de Barranquilla (Colombia)

El Carnaval de Barranquilla, distinguido por la UNESCO, es un evento cultural, popular y folclórico. Durante cuatro días desfilan carrozas y más de 140 comparsas[1] con disfraces[2] tradicionales o alegóricos que representan a personajes del momento. También desfilan personajes muy extraños, como las Marimondas que llevan máscaras amarillas con una gran nariz azul y orejas rojas, o los Monocucos que llevan un antifaz para ocultar su identidad.

1. grupos que llevan el mismo disfraz
2. *des déguisements*

Las Marimondas, irreconocibles con sus máscaras

D Trajes típicos para el Inti Raymi (Perú)

El Inti Raymi, que tiene lugar el 24 de junio de cada año, es considerado la fiesta mayor de los Andes. Los participantes visten plumas, máscaras y llevan lanzas. En saltos rítmicos forman figuras, gritando en alabanza al sol, dios de los Incas. El personaje principal es el Emperador Inca, que luce un traje de varios colores, brazaletes dorados y un adorno de plumas sobre la cabeza.

El desfile del Emperador Inca

Ciberencuesta

Conéctate a http://www.andalucia-web.net/feria_abril_sevilla.htm

1. Enumera las características de la Feria de Abril: origen, casetas, baile típico y trajes.

Conéctate a http://www.españaescultura.es

2. Busca “Espectáculos de la historia Moros y Cristianos” ¿Dónde se suelen celebrar las fiestas de Moros y Cristianos? Enumera sus grandes etapas.

Conéctate a http://www.carnavalesbarranquilla.com

3. Descubre y presenta a otros personajes típicos del Carnaval de Barranquilla que desfilan: los congos, los descabezados, el rey Momo, Joselito carnaval.
4. Presenta la batalla emblemática del carnaval.

Conéctate a http://www.elintiraymi.com

5. Pincha en información general. Di qué significa *Inti Raymi*, en qué países se organiza esta fiesta ritual y qué celebra.

comprensión oral  Escucho el testimonio de una fallera

> **OBJECTIF** A2+ : comprendre l'organisation d'une *peña fallera*.

Antes de escuchar

a. Observa la foto. ¿Qué muestra?

Primera escucha

b. Explica lo que es un *casal*.

c. Indica si es verdadero o falso y di por qué.

- Los falleros preparan la fiesta un mes antes de que empiece.
- Los falleros se dedican únicamente a la preparación de las fallas.

Segunda escucha

d. ¿Cómo sabemos que es una planificación regular?

e. Apunta las palabras que evocan el ambiente en el *casal* entre los falleros. *Para los falleros el casal es como...*

Tercera escucha

f. ¿Se puede decir que las fallas son más que una fiesta para los valencianos?

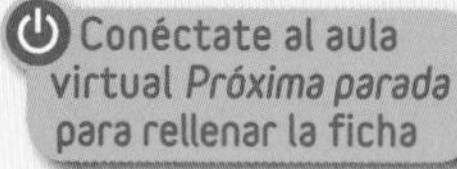
Conéctate al aula virtual *Próxima parada* para rellenar la ficha

Construyendo la falla

Recursos

Sustantivos
- el ambiente = la atmósfera
- un(a) fallero(a) = miembro de un casal fallero

Verbos y expresiones
- dedicarse a: *se consacrer à*
- formar parte de

expresión escrita Pido información para ser miembro de una peña

> **OBJECTIF** A2+ : écrire un message simple pour intégrer une *peña*.

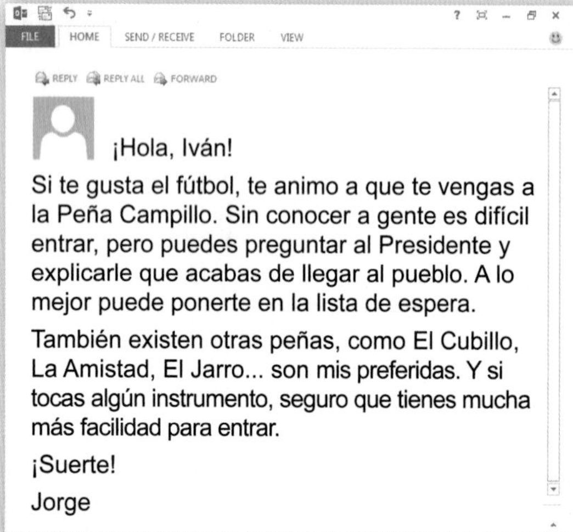

¡Hola, Iván!

Si te gusta el fútbol, te animo a que te vengas a la Peña Campillo. Sin conocer a gente es difícil entrar, pero puedes preguntar al Presidente y explicarle que acabas de llegar al pueblo. A lo mejor puede ponerte en la lista de espera.

También existen otras peñas, como El Cubillo, La Amistad, El Jarro... son mis preferidas. Y si tocas algún instrumento, seguro que tienes mucha más facilidad para entrar.

¡Suerte!

Jorge

Iván quiere apuntarse a una peña de fútbol. Imagina el mail que ha mandado a Jorge para pedirle información.

a. Saluda.

b. Di quién eres y dónde vives.

c. Explica qué tipo de peña buscas y por qué.

d. Pide información sobre las mejores peñas de fútbol de la ciudad y pregunta cómo entrar.

e. Despídete.

Recursos

Sustantivos
- la alegría: *la joie*
- la peña = asociación recreativa o deportiva

Adjetivos
- divertido(a)

Verbos y expresiones
- apuntarse: *s'inscrire*
- encantar: *adorer*
- hacerse amigos
- relacionarse con

Internet TICE Me apunto a una tuna

Conéctate a: http://www.tunadegranada.es

1 Busca información

a. Haz clic en "Nosotros" e "Historia". Explica qué es una tuna.

b. Pincha en "¡Entra en la tuna!" e indica qué instrumentos y qué tipo de música tocan.

c. Presenta las condiciones para formar parte de la tuna: ¿tengo que pagar algo? ¿necesito saber tocar un instrumento o cantar? ¿actúa sólo en España la tuna de Granada?

2 Redacta un mail

d. Decides apuntarte. Prepara el mail que vas a mandar.

- Preséntate: datos personales (nombre, apellido, edad, sexo), domicilio, estudios...
- Explica por qué quieres formar parte de la tuna.
- Pide precisiones sobre los ensayos: dónde, cuándo.
- Despídete.

Recursos

Sustantivos
- un ensayo: *une répétition*
- el traje: *le costume*

Adjetivos
- moderno(a)
- tradicional

Verbos y expresiones
- cantar
- dar la serenata a
- tocar música, un instrumento

Me informo sobre los *castells* de Cataluña

Recursos

Sustantivos
- un castillo: *un château*
- un piso: *un étage*
- una torre: *une tour*
- el valor: *le courage*

Adjetivos
- fuerte
- valiente: *courageux(euse)*

Verbos y expresiones
- entusiasmarse por
- levantar: *dresser*
- no tener (ie) miedo: *ne pas avoir peur*
- trepar: *grimper*
- con motivo de: *à l'occasion de...*

Tradición, afición y solidaridad

Conéctate al aula virtual *Próxima parada* para rellenar la ficha

1 Fíjate

a. Observa el fotograma. ¿De qué trata?

2 Primer fragmento

b. ¿Quiénes son los participantes y cuáles son las cualidades necesarias para participar?

c. Explica cómo reacciona el público.

3 Segundo fragmento

d. ¿Dónde se celebra esta fiesta y con qué motivo?

e. Precisa cuántos pisos tienen los *castells* y cómo se preparan.

4 Resume

f. Redacta lo que has entendido del vídeo.

Gramática activa

LENGUA ACTIVA p. 37
PRÉCIS 20.A.B, 25.B.C

Quiero que + présent du subjonctif

1 Conjugue au présent du subjonctif.

a. Quiero que nosotros (llamar) a tu hermana para saber si viene.
b. Quiero que vosotras (acudir) a la fiesta y no os (perder) la oportunidad.
c. Los padres quieren que los hijos (desfilar).
d. Los hijos quieren que sus padres (aceptar) su afición.
e. Queréis que yo (participar) en la fiesta y (asistir) al espectáculo.
f. Los músicos quieren que todos (bailar) y lo (pasar) bien.

2 Conjugue au présent du subjonctif. Attention aux verbes irréguliers !

a. Mis padres me mandan (mandar: *demander*) que me (vestir) para la fiesta.
b. Te ruego (rogar: *prier*) que (mostrar) la falla de tu barrio.
c. Todos los espectadores quieren que los niños (jugar) y se (divertir).
d. Nosotros pedimos que los toros (salir) al ruedo.
e. Tu hermana te ordena (ordenar: *ordonner*) que tú (volver) inmediatamente.
f. El padre quiere que su hijo (ser) un aficionado como todos los chicos de la familia.

LENGUA ACTIVA p. 39
PRÉCIS 25.C

L'affaiblissement (e → *i*) des verbes comme *pedir*

3 Conjugue ces verbes à affaiblissement au présent de l'indicatif.

a. Yo le (pedir) a mi amigo que venga conmigo.
b. Estos espectáculos (servir) también para conservar una tradición.
c. Tú (repetir) que la mejor falla es la de tu barrio.
d. La barra (medir) casi 10 metros.
e. Esta costumbre (seguir) viva.
f. Los hinchas (pedir) autógrafos.

LENGUA ACTIVA p. 41
PRÉCIS 40.H

Les adverbes

4 Transforme les adjectifs entre parenthèses en adverbes comme dans l'exemple : *preciso* > *precisamente*.

a. Los niños corren (frenético).
b. Es una fiesta (típico) mexicana.
c. Todo el pueblo participaba (activo).
d. Nosotros asistimos a la fiesta (tranquilo).
e. Unos responden (sencillo) a otros.
f. Es una fiesta (absoluto) divertida.

5 Transforme les adjectifs entre parenthèses en adverbes comme dans l'exemple : *particular* > *particularmente*.

a. Son fiestas (local) importantes.
b. Se mantenía (artificial) la estatua.
c. La gente charlaba (amable).
d. Era un espectáculo (cultural) muy interesante.
e. Ella se sentía (cruel) desilusionada.
f. Esta costumbre es (simple) genial.

LENGUA ACTIVA p. 43
PRÉCIS 10

Les démonstratifs *este(os), esta(s), ese(os), esa(s)*

6 Fais l'accord des démonstratifs.

a. Est... falleras son muy bellas.
b. Los hinchas admiran a es... futbolista del Real Madrid.
c. Quedamos en est... bar para comer es... pinchos buenísimos.
d. Me da miedo est... máscara.
e. Antes se apreciaba es... tradición.
f. A es... turistas latinoamericanos les gusta el tapeo español.

LENGUA ACTIVA p. 45
PRÉCIS 18.D

L'imparfait de l'indicatif

7 Conjugue les verbes à l'imparfait.

a. La ciudad (ofrecer) un aire festivo cuando la gente (acudir) a las fiestas.
b. Vosotros (estar) muy contentos cuando los mariachis (cantar).
c. Tú no (saber) qué hacer y (salir) a buscar a tus amigos para no estar solo.
d. Yo (salir) llorando y (volver) a casa porque no me (gustar) el espectáculo.
e. Nosotros (tener) tiempo libre y (querer) venir contigo porque nosotros lo (pasar) bien juntos.
f. Mis amigos (ir) a Valencia para vivir las Fallas y (aprovecharlas) para reunirse con la familia.

8 Conjugue *ser* à l'imparfait.

a. (ser/yo) un aficionado, mientras que tú no lo (ser).
b. (ser/vosotros) los mejores futbolistas.
c. No (ser/tú) capaz de hacer como ellos.
d. (ser/nosotras) las más guapas.
e. Estos hombres (ser) los del barrio.
f. Para nosotros estas tradiciones (ser) alegres.

LÉXICO

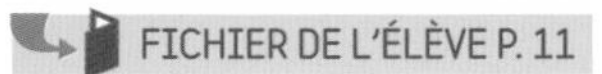

FICHIER DE L'ÉLÈVE P. 11

1. **Con ayuda de las palabras del Léxico, di para qué sirve un evento, por ejemplo en un pueblo, y lo que hacen los participantes. (columna I)**
2. **Explica qué es ser aficionado a los toros. (columna II)**
3. **Precisa qué le permite a la gente compartir emociones. (columnas II, III)**
4. **Cita unos motivos de encuentros y las oportunidades que ofrecen. (columna IV)**

I LO FESTIVO (*ce qui a trait à la fête*)

- el evento = el acontecimiento: *l'événement*
- la música tradicional: *la musique traditionnelle*
- los participantes: *les participants*
- acontecer: *arriver, se passer*
- celebrar: *fêter*
- conmemorar: *commémorer*
- desfilar: *défiler*
- pasarlo bien/divertirse (ie,i): *s'amuser*

II LA CORRIDA (*la corrida*)

- la plaza de toros: *les arènes*
- la suerte: *la série de passes du toréador*
- la tauromaquia: *la tauromachie*
- el torero: *le toréador*
- el toro bravo/de lidia: *le taureau de combat*
- el traje de luces: *l'habit de lumières*
- ser aficionado a los toros: *être amateur de corridas*
- torear: *combattre le taureau*

III EMOCIONES COMPARTIDAS (*émotions partagées*)

- el esfuerzo de un colectivo: *l'effort d'un groupe*
- el valor: *la valeur, le courage*
- apoyarse unos a otros: *s'épauler les uns les autres*
- dar la serenata: *donner une sérénade*
- entusiasmarse por: *s'enthousiasmer pour*
- esperar: *attendre/espérer*
- andar de fiesta: *faire la fête*
- vivir la experiencia fallera: *vivre l'expérience des Fallas*

IV MOTIVOS DE ENCUENTROS (*motifs de rencontres*)

- un entrenamiento: *un entraînement*
- entrar en una tuna: *entrer dans une « tuna »*
- ensayar: *répéter*
- participar en la fiesta: *participer à la fête*
- pertenecer a un grupo: *appartenir à un groupe*
- quedar: *avoir rendez-vous*
- realizar/plantar la falla del barrio: *construire la « falla » du quartier*
- tocar música/un instrumento: *jouer de la musique /d'un instrument*

Enfoque final: noción y documentos

FICHIER DE L'ÉLÈVE P. 12

Las fiestas forman parte de la cultura hispánica

→ Las raíces culturales nutren las costumbres festivas.

- *Fallas de Valencia* p. 40
- *La afición a los toros* p. 42
- *Una fiesta mexicana* p. 44

La afición como vínculo entre vecinos, familias y generaciones

→ ¿Puede lo popular reunir siempre a jóvenes y adultos en España y América Latina?

- *Como el Barcelona y el Madrid* p. 36
- *Fiestas regionales* p. 41
- *La afición a los toros* p. 42
- *Protesta contra las corridas* p. 42

El aspecto social de las relaciones festivas

→ Lugares y formas de relacionarse y de compartir objetivos.

- *El tapeo español* p. 38
- *Bares* p. 39
- *Escucho el testimonio de una fallera* p. 48
- *Me informo sobre los castells de Cataluña* p. 49

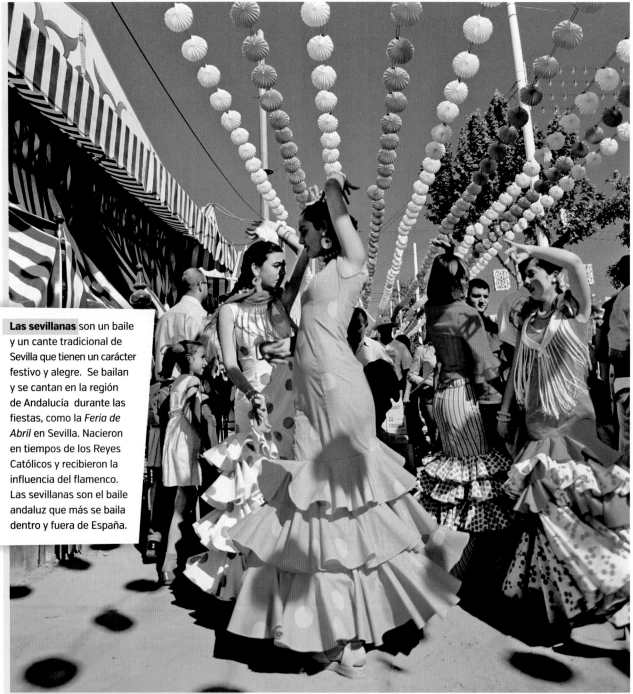

Las sevillanas son un baile y un cante tradicional de Sevilla que tienen un carácter festivo y alegre. Se bailan y se cantan en la región de Andalucía durante las fiestas, como la *Feria de Abril* en Sevilla. Nacieron en tiempos de los Reyes Católicos y recibieron la influencia del flamenco. Las sevillanas son el baile andaluz que más se baila dentro y fuera de España.

Bailando sevillanas durante la Feria de Abril, Sevilla

¿Cómo se bailan las sevillanas? Dilo con lo que sabes...

1. Fíjate en la foto, las sevillanas suelen bailarse: ¿solo o en pareja?
2. Describe la ropa necesaria para bailar sevillanas.
3. Explica por qué parece un baile festivo y alegre.
4. ¿En qué pueden ilustrar las sevillanas un sentimiento de pertenencia?

Recursos

Sustantivos
- un mantón: *un châle*
- pendientes: *des boucles d'oreilles*
- el traje de flamenca / el vestido de gitana
- los volantes

Adjetivos
- ceñido(a): *étroit(e), cintré(e)*
- vivo(a): *vif(ve)*

Para saber más:
http://www.canalsevillanas.com

PROYECTO A Jugad a "Saber y Ganar" sobre las fiestas y tradiciones españolas interacción oral

Con tu equipo tienes que contestar a una batería de preguntas con dos opciones de respuesta sobre los temas de fiestas tradicionales y aficiones en España.

1 Preparad el juego

a. Los equipos preparan 10 preguntas con 2 opciones de respuesta (una verdadera y otra falsa) sobre uno de estos temas: fiestas y celebraciones o aficiones en España.

b. Cada equipo elige a un(a) organizador(a) del juego que explica en qué consiste. *Quiero que preparéis...*

c. Cada grupo elige a un(a) presentador(a) que hace las preguntas con las opciones de respuesta al otro equipo.

2 ¡A jugar!

d. Cada equipo tiene 60 segundos para contestar a un número máximo de preguntas. Contesta cada miembro del grupo por turno.

e. Después de cada respuesta, el/la presentador(a) dice si la respuesta es correcta o no.

f. Gana el equipo que más respuestas acierta.

Páginas web que puedes consultar:
http://fiestas.net
http://www.marca.com

PROYECTO B Relata tu experiencia de aficionado(a) en un periódico local expresión escrita

Has asistido a una fiesta, un partido de fútbol o una corrida. Cuenta tu experiencia en el periódico de tu localidad.

1 Busca información y prepara el guión (*le plan*).

a. Elige el tema del que vas a hablar.

b. Busca información en tu libro y/o en la web: motivo, fecha, lugar, participantes.

2 Redacta tu artículo

c. Elige un título para tu artículo.

d. Di qué acontecimiento era, cuándo y dónde se desarrollaba.

e. Describe cómo era el ambiente y la gente.

f. Expresa tus sentimientos con relación a ese acontecimiento.

EVALUACIÓN

comprensión oral  Pura pasión futbolera

> OBJECTIF A2+ : comprendre l'essentiel d'un reportage sur une passion familiale.

Escucha la grabación y contesta.

A2

a. El documento es…, las 3 personas que intervienen son…

b. ¿Qué pasión quiere transmitir Ramón a Isaac? Explica cómo nació la pasión de Ramón.

c. Apunta 3 ritos que le gusta realizar a Isaac cuando va al estadio con su padre.

A2+

d. El club Cruz Azul es un buen equipo, ¿sí o no? Justifica con elementos de la grabación.

Padre e hijo compartiendo afición

comprensión escrita El rito de las fallas

> OBJECTIF A2 : comprendre un texte court sur les enjeux culturels d'une fête.

Las fallas son grandes y frágiles a la vez. Son grandiosas, festivas, efímeras, igual que las llamas[1] que las consumen. […]

Transgresoras y creativas, las Fallas son, sin embargo, algo muy serio para lo que muchos miles de conciudadanos[2] trabajan a lo largo de todo un año, creando una comunidad de intereses y una solidaridad transversal.

El rito de las Fallas empieza el día en que, del colegio, de la universidad, del trabajo, sales al sol de mediodía y, uniéndote a una riada[3] de personas que caminan en una única dirección, acudes a la plaza, para saludar al sol […].

Las Fallas son, también, un ámbito[4] de cultura con muchas manifestaciones. Lo más importante, la que permite la pervivencia de los rasgos[5] identitarios y cohesivos de todo un pueblo. La lengua valenciana, la música, los oficios artesanos, la gastronomía y, sobre todo, la tradicional y tan árabe hospitalidad, una forma de cortesía sublime y seductora tan propia de los mediterráneos.

Carmen ALBORCH (escritora española), *La ciudad y la vida,* 2009

Lee el texto y contesta.

A2

a. Las Fallas son fiestas breves e impresionantes, ¿sí o no? Justifica con palabras del texto.

b. Muestra con una frase que todos los valencianos se implican en la elaboración de las fallas.

c. Apunta los elementos que muestran que todas las generaciones participan en la fiesta.

d. Enumera los rasgos culturales valencianos y mediterráneos que las Fallas permiten conservar.

1. *les flammes*
2. *citoyens*
3. *un flot/un torrent*
4. espacio, sector
5. *les traits*

expresión oral La corrida, ¿arte o barbarie?

> **OBJECTIF** A2+ : décrire un dessin et décrypter le message transmis.
> Temps de parole : 3 minutes

Ramón (dibujante espanõl), *El País*, 20/02/2013

Observa el cómic y exprésate.

A2 a. Describe la viñeta: los protagonistas, el lugar, el público...

A2+ b. Fíjate en los globos. Precisa qué visión de la corrida tiene cada protagonista.

c. El dibujante está ¿a favor o en contra de la corrida?

carnicero: *boucher*

interacción oral Debate : ¿A favor o en contra de la corrida?

> **OBJECTIF** A2+ : donner son opinion sur une tradition culturelle.
>  En groupes

Por parejas, imaginad la conversación.

A2+

Grupo A: Estáis a favor de la corrida porque creéis que forma parte del patrimonio cultural (tradición antigua, símbolo de la identidad de España). Explicádselo a vuestros compañeros.

Grupo B: Estáis en contra de la corrida. Pensáis que es un espectáculo cruel, una carnicería. Expresad vuestro desacuerdo.

expresión escrita Cuento mi experiencia de una fiesta

> **OBJECTIF** A2+ : décrire brièvement une expérience passée.
> Nombre de mots : 80-100

El verano pasado estabas en una fiesta o acontecimiento español o latinoamericano y quieres contarlo en tu blog. Redacta un texto breve para describir tu experiencia.

A2 a. Di dónde estabas y a qué fiesta asistías.

b. Describe cómo estaba vestida la gente y lo que hacía.

A2+ c. Explica lo que celebraban esas fiestas.

¿Nuevas solidaridades?

1 Manifestación solidaria en Madrid, marzo del 2012

Recursos

Sustantivos
- el compromiso: *l'engagement*
- las pancartas
- una protesta
- una tonelada: *une tonne*
- los víveres: *les vivres*
- un(a) voluntario(a): *un(e) bénévole*

Adjetivos
- entusiasta
- generoso(a)
- pacífico(a) ≠ violento(a)

Verbos y expresiones
- acopiar (amer.) = recolectar: *collecter*
- ayudar: *aider*
- implicarse en
- llevar: *porter*
- manifestarse (ie) contra
- superar: *surmonter*

PROYECTO A **expresión oral** **Realizad un spot de radio para promover una ONG.**

PROYECTO B **expresión escrita** **Redacta un programa de acciones solidarias.**

Outils linguistiques

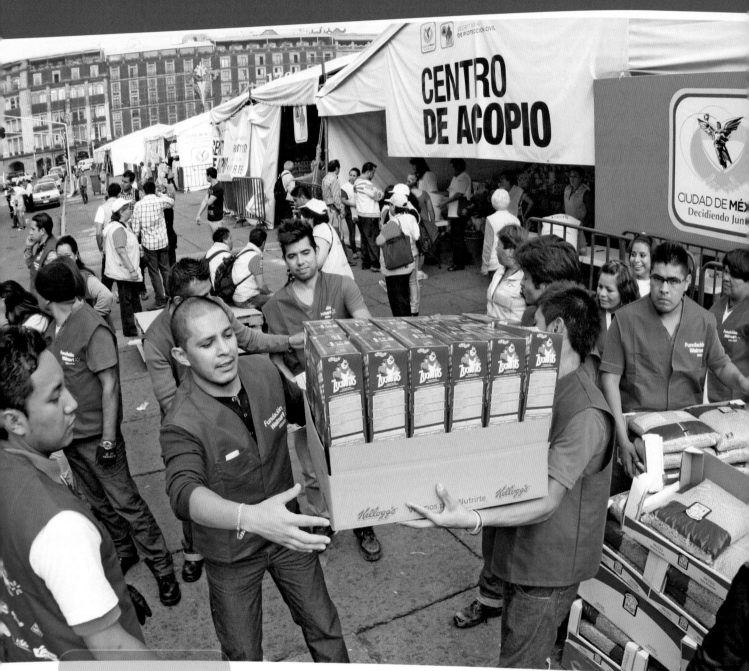

2 Jóvenes voluntarios participando en la ayuda colectiva después del huracán, México 2013

Y tú, ¿cómo lo ves?

1. Describe la primera foto y precisa qué reclaman las personas.
2. Di dónde están y qué están haciendo los voluntarios de la segunda foto.
3. ¿En qué se relacionan estas fotos con la idea de nuevas solidaridades?

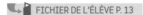

A2 Mario, voluntario en Chile MP3 CD CLASSE

1 Fíjate, escucha y apunta

a. ¿Qué propone este cartel de la asociación Entreculturas?

Primera escucha completa

b. Di quiénes son las personas que hablan y precisa el tema.
c. Apunta las palabras relacionadas con referencias temporales y con lugares.

Segunda escucha

d. Di de dónde viene el entrevistado y por qué ha cambiado su lugar de residencia.
e. Di en qué va a trabajar.

Tercera escucha

f. Apunta expresiones relativas a la remuneración.
g. Lista expresiones que indican que para el entrevistado lo más importante no es el dinero.
h. ¿Cómo podemos contribuir a que el mundo cambie?

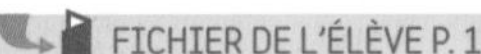
FICHIER DE L'ÉLÈVE P. 13

2 Resume

Redacta todo lo que has entendido de la grabación.

REMUÉVETE
ACTÚA POR LA EDUCACIÓN Y LOS DERECHOS HUMANOS
EDUCACIÓN Y DERECHOS HUMANOS
entreculturas

Cartel de la asociación Entreculturas

Recursos

Sustantivos
- las desigualdades: *les inégalités*
- un esfuerzo: *un effort*
- un granito de arena: *un petit grain de sable*
- el voluntariado: *le bénévolat*

Adjetivos
- capaz: *capable*
- remunerado(a): *rémunéré(e)*

Verbos y expresiones
- por encima de todo: *par dessus tout*
- sentirse (ie) realizado(a)
- tener (ie) ganas de: *avoir envie de*

Fonética

a. **Escucha la grabación y escribe las palabras que oyes.**
b. **Di si estas palabras llevan el sonido "an", "am", "en", "un", "in", "im" u "on".**
c. **Repite estas palabras en voz alta.**

A2+ El Señor ONG

Se lo han dicho:
El Julián es un buen tipo.
Lo observa.
Un buen tipo. [...]
Hace favores. Se enrolla[1]. Oh, sí, se enrolla. Por eso es un buen tipo.
Algunos le llaman el Señor ONG. ¿Un santo en el infierno? Lo duda[2], pero, total, es cuestión de esperar. [...]
El Julián es un buen tipo, aunque trabaje allí, o porque trabaja allí.
Tiene novia, se llama Mariluz. Es un ángel. Inocente y barbie[3], o casi.
Se sabe porque ella va a buscarle a la salida. [...]
Julián nunca se enfada. Tiene paciencia. En sus ojos hay simpatía.
Quizá no tuvo hermanos. Quizá sí, es un ser humano en el purgatorio.
Quizá pueda confiarse en él. Quizá todo sea fachada[4]. [...]
–Trata de integrarte, le dice, aquí es malo aislarse[5].
–¿Por qué trabajas en esto?
Julián le mira sorprendido.
–Me gusta.

Jordi SIERRA I FABRA (escritor español), *Parco*, 2013

1. *(ici) (fam.) Il s'implique*
2. *Il en doute*
3. del nombre de la muñeca
4. apariencia
5. *c'est mauvais de rester à l'écart*

Líneas 1 a 11

a. Apunta las expresiones que indican que Julián es un buen tipo.
b. Di cómo se llama su novia y explica por qué llama la atención.

Líneas 12 al final

c. ¿Se fía totalmente el narrador de Julián? Apunta las frases que permiten dudar de ello.
d. Si el narrador no se fía de Julián, quizá sea porque… o quizá…

Expresión oral

Un(a) amigo(a) piensa en hacerse voluntario(a) de una ONG. Ayúdalo(la) a tomar su decisión insistiendo en los posibles beneficios para él/ella.

Recursos

Sustantivos
- un centro educativo
- un(a) delincuente
- la desconfianza: *la méfiance*

Adjetivos
- bueno(a): *gentil(le)*
- guapo(a): *beau / belle, joli(e)*

Verbos y expresiones
- engañar: *induire en erreur, tromper*
- no fiarse = desconfiar de alguien: *se méfier de quelqu'un*
- no es tan... como parece: *il (elle) n'est pas aussi... qu'il (elle) en a l'air*

Lengua activa

PRÉCIS 41

L'hypothèse avec *quizá(s)*

- ***Quizá** no **tuvo** hermanos.* + indicatif (doute faible)
- ***Quizá pueda** confiarse en él.* + subjonctif (doute important)

Conjugue les verbes à l'indicatif ou au subjonctif.

a. Quizá le ... (gustar) ayudar a los otros.
b. Quizá él se ... (sentir) útil cuando anima a los delincuentes.
c. Quizá tú no ... (comprender) el compromiso de los voluntarios.

LÉXICO El voluntariado

Associe les adjectifs *generoso(a), bueno(a), útil, paciente, simpático(a), comprometido(a),* **avec les substantifs suivants :** *la paciencia – el compromiso – la simpatía – la bondad – la generosidad – la utilidad*

EXERCICES P. 72-73

Enfoque sobre la noción

Sentimiento de pertenencia

Apoyándote en la grabación y en el texto, muestra cómo el hecho de hacerse voluntario ilustra esta noción.

- Da ejemplos de cómo se puede ayudar a la gente.
- ¿Cuáles pueden ser las motivaciones de los jóvenes españoles que se van a América Latina para trabajar de voluntarios en una ONG?

Texto 1

A2 Solidaridad familiar

En un bar, unos amigos comentan la situación de España.

Francisco:

Madres, suegras, nueras, cuñadas[1]. Otro tema. La importancia que sigue teniendo la familia en los países del área mediterránea. Lo repiten ahora los analistas económicos: gracias a la familia no se notan los cinco millones y pico de parados. España resiste la crisis por el auxilio familiar, por la solidaridad entre los miembros del clan, ayudas de padres, abuelos, hermanos, primos, tíos y cuñados. Si no fuera por el plato de macarrones que mamá pone cada día en el centro de la mesa para los cachorros del hijo en paro[2], la violencia se habría apoderado del callejero urbano[3]. El país entero sería una falla en llamas[4], lo que no estaría mal. Volver a empezar.

Rafael CHIRBES (escritor español), *En la orilla*, 2013

1. *belles-mères, belles-filles, belles-sœurs*
2. *(ici) les enfants du fils au chômage*
3. de la calle
4. *(ici) un brasier*

Texto 2

A2 La familia, pilar de la sociedad

El 50% de los jóvenes declaran que son más felices en sus familias que en su vida personal, lo que demuestra que la familia sigue siendo el pilar que sostiene la sociedad actual, el lugar al que volvemos siempre cuando hay un objetivo que no funciona. [...]

No son pocos los casos de mayores que han abierto las puertas de sus casas para acoger a hijos y nietos asfixiados por las hipotecas y la pesadilla[1] del paro. Además de abrir la hucha de sus ahorros[2], son los encargados[3] de ir a llevar y buscar a sus nietos al colegio y hacer de canguros[4] para que los padres puedan ir a trabajar, o a buscar un empleo.

Es más, algunos estudios señalan que la crisis ha devuelto un papel "protagonista" a los abuelos y que al recibir a sus familiares en casa o al pasar a ocuparse de sus nietos, se sienten más útiles por lo que mejoran su sensación de bienestar.

Laura PERAITA (periodista española), *ABC*, 24/06/2013

1. *le cauchemar*
2. *la tirelire de leurs économies*
3. responsables
4. *faire les baby-sitters*

Texto 1

a. Para los analistas económicos, ¿cuál es el papel de la familia en España?
b. ¿Qué pasaría si no fuera por la familia?
c. Para el narrador, si la crisis degenera en violencia... En efecto, piensa que...

Recursos

Sustantivos
- el apoyo: *le soutien*
- la ayuda = el auxilio: *l'aide*
- el desempleo = el paro: *le chômage*
- los mayores: *les personnes âgées*
- la pobreza: *la pauvreté*

Adjetivos
- catastrófico(a)
- pobre

Verbos y expresiones
- hacer llevadero(a): *rendre supportable*
- si no fuera por la familia: *si la famille n'était pas là*

Texto 2

d. Apunta lo que los mayores tienen que seguir haciendo por sus familias.
e. Para los mayores no es un inconveniente tener que ayudar a la familia porque...

Textos 1 y 2

f. La gente piensa que la familia ya no sirve para nada. ¿Verdad o mentira? Justifica tu respuesta.

comprensión oral

 ¿Vivir con los padres o independizarse?  

Primera escucha completa

a. Di de qué tipo de documento se trata y precisa quiénes son las personas interrogadas.

b. Apunta palabras que se repiten y deduce el tema.

Segunda escucha

c. Indica las causas de la dificultad de independizarse para un joven.

Tercera escucha

d. Lista otras razones por las que muchos jóvenes prefieren seguir viviendo en casa de los padres.

 FICHIER DE L'ÉLÈVE P. 14

e. Redacta todo lo que has entendido de la grabación.

Expresión oral

PREPARA EL PROYECTO En un programa de radio un(a) joven explica por qué no puede independizarse y sigue viviendo en casa de sus padres. Imagina sus motivos.

 FICHIER DE L'ÉLÈVE P. 15

Jóvenes que siguen viviendo en casa de los padres

Recursos

Sustantivos
- una afición: *une passion*
- una encuesta callejera: *un micro-trottoir*

Adjetivos
- arregladito(a): *impeccable*

Verbos y expresiones
- elegir (i): *choisir*
- gastarse el dinero: *dépenser son argent*
- independizarse: *devenir indépendant(e)*
- merece la pena: *cela en vaut la peine*

Lengua activa

PRÉCIS 30. A

La forme progressive avec *seguir* + gérondif

- *La importancia que* ***sigue teniendo*** *la familia.*
- *La familia* ***sigue siendo*** *el pilar.*

Imite l'exemple : *tiene → sigue teniendo*

a. Los padres y los abuelos ayudan a los jóvenes.
b. Los españoles sufren la crisis.
c. Muchos jóvenes viven en casa de los padres.

LÉXICO El clan familiar

Complète comme dans l'exemple : *los primos = los hijos de los tíos*

a. los nietos b. los tíos c. la suegra d. la cuñada

EXERCICES P. 72-73

Enfoque sobre la noción

Sentimiento de pertenencia

Apoyándote en los dos documentos, muestra cómo la solidaridad en el seno de la familia ilustra esta noción.

- Da ejemplos de solidaridad en las familias españolas.
- Independizarse de la familia: ¿qué característica tienen en común muchos jóvenes españoles en relación con este tema?
- Si los jóvenes siguen viviendo… es porque…

comprensión escrita

A2 Convivencia entre generaciones

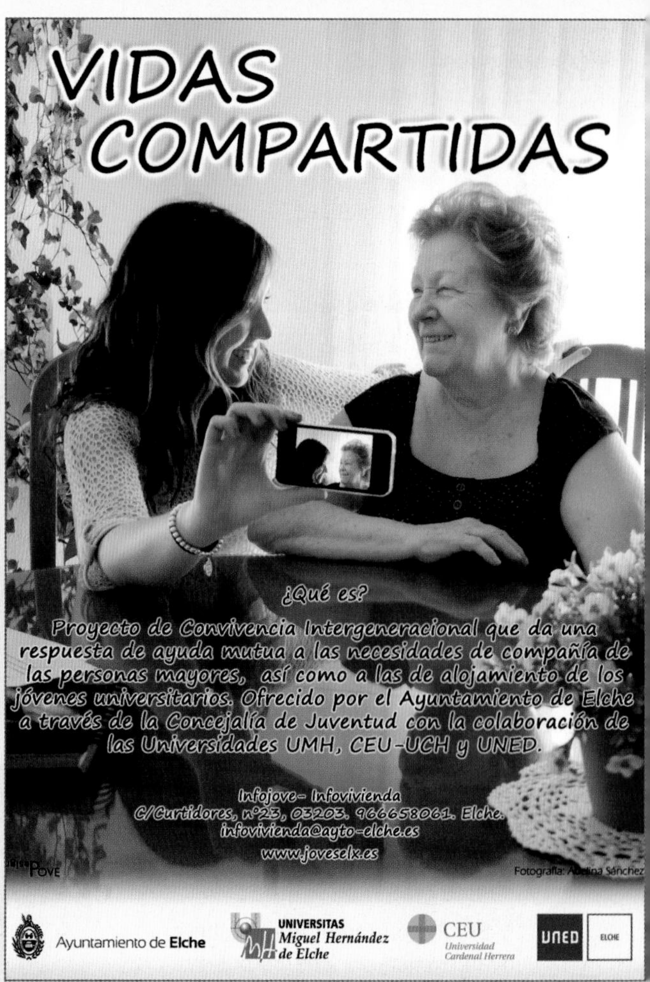

VIDAS COMPARTIDAS
¿Qué es?
Proyecto de Convivencia Intergeneracional que da una respuesta de ayuda mutua a las necesidades de compañía de las personas mayores, así como a las de alojamiento de los jóvenes universitarios. Ofrecido por el Ayuntamiento de Elche a través de la Concejalía de Juventud con la colaboración de las Universidades UMH, CEU-UCH y UNED.
Infojove- Infovivienda
C/Curtidores, nº23, 03203. 966658061. Elche.
infovivienda@ayto-elche.es
www.joveselx.es
Fotografía: Adelina Sánchez
Ayuntamiento de Elche
UNIVERSITAS Miguel Hernández de Elche
CEU Universidad Cardenal Herrera
UNED ELCHE

Desde hace once años, la Obra Social de "Caixa de Cataluña" promueve la convivencia solidaria y no lucrativa entre jóvenes y ancianos con la idea de que la gente joven pueda acercarse a la experiencia acumulada de sus mayores y de que la tercera edad se adapte a las nuevas realidades culturales y sociales. Hace ya seis años que Francisca Jalencas comparte[1] su coqueto piso del centro de Barcelona con estudiantes latinoamericanos [...]. "Primero vino Carlos, un chico mexicano muy agradable y estuvo tres años; luego apareció un compatriota suyo, César, con el que viví veinticuatro meses y ahora la niña, Ruth, con la que espero compartir mi vivienda hasta que termine sus estudios", nos comenta esta dicharachera[2] mujer, por la que no pasan los años.

Francisca comparte su vivienda porque sus cinco hijos están así más tranquilos y recibe una ayuda simbólica de cien euros mensuales por los gastos de luz, agua y gas, mientras que Ruth cobra una beca[3] de 490 euros para la matrícula[4] [...].

Tras decidir formar parte de este proyecto intergeneracional, las dos partes pasan por un psicólogo, que estudiará las afinidades de cada cual, su perfil psicológico y su carácter, para saber qué parejas son compatibles y cuáles no lo son. Los ancianos han de ser independientes y los estudiantes se comprometen a compartir charlas y compañía y a regresar al hogar[5] a las diez de la noche, salvo un día y una noche a la semana, en que tienen fiesta. [...]

Está claro que entre las parejas se genera una relación de amistad, que Francisca ha accedido a ver[6] el fútbol televisivo con la argentina, aunque Ruth no acceda a contemplar los seriales[7] mexicanos; que la anciana ha encontrado una grata[8] y discreta compañía y que Ruth ha hallado, por fin, tranquilidad y una familia.

G. MALDONADO (periodista español), *elreferente.es*, 12/10/2009

1. *partage*
2. *joviale*
3. *touche une bourse*
4. *l'inscription universitaire*
5. *au foyer*
6. ha aceptado ver
7. *séries télé*
8. agradable

Líneas 1 a 19

a. Di qué organismo promueve la convivencia solidaria entre generaciones. Precisa desde cuándo.
b. Explica en qué consiste y cuál es el objetivo de esta forma de convivencia.
c. Di todo lo que sabes sobre Francisca.

Líneas 20 a 26

d. Explica por qué es necesario pasar por un psicólogo.
e. Di cuáles son las obligaciones de cada uno.

Líneas 27 al final

f. Lista las ventajas de compartir piso para la anciana y para la joven.

Recursos

Sustantivos
- el carácter
- la incompatibilidad
- un intercambio: *un échange*
- la vivienda = la casa

Adjetivos
- joven ≠ mayor, anciano(a)
- mutuo(a)
- simpático(a)

Verbos y expresiones
- acercar: *rapprocher*
- alquilar un piso: *louer un appartement*
- atender (ie) a alguien: *s'occuper de quelqu'un*
- compartir: *partager*
- entablar amistad: *se lier d'amitié*
- hacer compañía: *tenir compagnie*

A2+ Convivencia solidaria

Programa de Acercamiento intergeneracional (Junta de Castilla y León)

a. Fíjate en los elementos textuales y gráficos y precisa de qué trata el documento.
b. Identifica y describe a los personajes representados.
c. Precisa dónde están y por qué van a compartir piso.

Expresión escrita

PREPARA EL PROYECTO Has decidido compartir piso con un(a) anciano(a). Redacta un mensaje de presentación en el que explicas por qué te conviene compartir piso con él (ella).

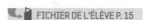

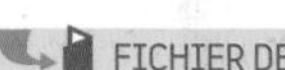
FICHIER DE L'ÉLÈVE P. 15

Recursos

Sustantivos
- el acercamiento: *le rapprochement*
- un bastón: *une canne [pour marcher]*
- una carpeta: *une chemise, un classeur*
- unas siluetas
- el sofá

Verbos y expresiones
- convivir
- en casa de...: *chez...*
- enseñar la casa: *faire visiter la maison*

Lengua activa

PRÉCIS 39.C, 44

La durée avec *hace* (il y a) / *desde hace* (depuis)

- ***Hace*** *seis años que Francisca comparte su piso con estudiantes.*
- ***Desde hace*** *once años, la Obra Social de "Caixa de Cataluña" promueve la convivencia solidaria.*

Complète avec *hace* ou *desde hace*.

a. ... mucho tiempo que la anciana comparte su piso con jóvenes.
b. Esta familia acoge a estudiantes ... dos años.
c. ... un mes que este estudiante se fue.

LÉXICO La convivencia

Forme une phrase avec les expressions suivantes :

a ancianos y a jóvenes - entre generaciones - viviendas - la convivencia - compartir - les permite

EXERCICES P. 72-73

Enfoque sobre la noción

Sentimiento de pertenencia

Apoyándote en los dos documentos, muestra cómo la convivencia entre mayores y jóvenes puede ilustrar esta noción.

- Precisa qué tipo de relaciones se establecen entre generaciones que comparten vivienda.
- Enumera las ventajas del acercamiento intergeneracional para los jóvenes y para los mayores en España.

A2 Mercado de Trueque

MERCADO DE TRUEQUE Y TIENDA GRATIS

¿Te imaginas un espacio donde el dinero no vale?

9 y 10 de marzo de 17 a 20,30h patio Aulario la Bomba UCA. Cádiz
28 de abril de 17 a 20,30h patio Facultad Económicas y Empresariales UCA. Cádiz
16 de mayo de 9 a14,30h Pº Carlos III, Baratillo de Cádiz,frente al parque Genovés

Mesas de experiencias • Teatro social Grupo Ahoj "la rebelión de los productos" • Paneles informativos

Acción Social y Solidaria Universidad de Cádiz ,Área de Participación Social y Voluntariado
Aulario la Bomba, Pº Carlos III nº3 Cádiz • www.uca.es/solidaria. • oficina.voluntariado@uca.es • Teléfono 956 01 5837

Organiza: UCA Universidad de Cádiz Acción Social y Solidaria · GRUPO AHOJ!

Financia:

Instituto Andaluz de la Juventud · CONSEJERÍA PARA LA IGUALDAD Y BIENESTAR SOCIAL

Colabora: UCA Universidad de Cádiz Facultad de Ciencias Económicas y Empresariales

Anuncio de un mercado de trueque en Cádiz

DATOS Culturales

Con la crisis económica que existe en España desde 2007 han aparecido sistemas alternativos de comercio e intercambio como el **trueque** o la proliferación de monedas locales.

Mira y exprésate

a. Di qué anuncia este cartel. Precisa dónde y cuándo tiene lugar el acontecimiento.
b. Fíjate en los ideogramas de la izquierda y explica lo que significan.
c. ¿Se necesita dinero para participar? Justifica tu respuesta.
d. ¿A qué incita este tipo de acontecimiento?

Recursos

Sustantivos
- el despilfarro: *le gaspillage*
- una maceta: *un pot de fleurs*
- una maleta: *une valise*
- una máquina de coser: *une machine à coudre*

Adjetivos
- altruista ≠ egoísta
- prohibido(a): *interdit(e)*

Verbos y expresiones
- dar clases particulares
- despilfarrar: *gaspiller*
- estrechar la mano = dar la mano
- intercambiar: *échanger*
- ponerse de acuerdo
- trocar (ue): *troquer, échanger*

comprensión escrita

A2 Monedas sociales

Un clic y en la pantalla del ordenador aparecen las ofertas y demandas. Clase de astronomía con paseo por el campo: *diez pitas*[1] la hora. Clases prácticas extra para conductores inseguros: *diez pitas* la hora.

Este escaparate[2] de ofertas funciona en alguno de los siete pueblos de la mancomunidad[3] del Bajo Andarax, en Almería, único punto de España donde se puede comprar y vender con *pitas*. [...] Desde que comenzó la crisis, en 2007, se han lanzando una treintena de monedas sociales. La primera, el *zoquito*[1], en Jerez de la Frontera (Cádiz). [...] los *Mercapumas* son eventos que se celebran cada mes en la plaza del Pumarejo de Sevilla, donde los asistentes pueden utilizar *pumas*[1] para comprar distintos productos.

La mayoría de las transacciones en moneda social en los proyectos españoles se efectúa por sistema electrónico [...]. La idea de los sistemas de monedas sociales es que el dinero se quede en el ámbito[4] local. En algunos casos existe la llamada "oxidación", se penaliza al usuario si no gasta tras un cierto tiempo. No hay tanta claridad con respecto a la posibilidad de que alguien se endeude en demasía[5]. El sistema da un aviso y desaconseja los intercambios con el usuario deudor[6], pero no bloquea su cuenta.

Flor GRAGERA DE LEÓN (periodista española), *El País*, 31/03/2013

1. nombres de monedas sociales
2. *(ici) choix*
3. *communauté de communes*
4. el ámbito = *(ici)* la zona
5. demasiado
6. *endetté*

Líneas 1 a 9

a. Di qué pasa en España desde que ha comenzado la crisis. Lista algunas de las monedas locales creadas.

b. Di para qué sirven las monedas locales y dónde se pueden utilizar.

Líneas 10 al final

c. ¿Cómo se efectúan muchas transacciones?

d. ¿Está bien organizado este sistema? Explica por qué sí o por qué no.

Expresión escrita

PREPARA EL PROYECTO Quieres dar una cosa que no te sirve a cambio de otra que necesitas. Redacta un breve anuncio para ponerlo en una web de intercambio como www.truequeweb.com.

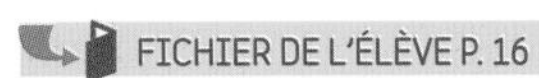

Recursos

Sustantivos
- un abuso
- la confianza ≠ la desconfianza

Verbos y expresiones
- aprovecharse de : *profiter de*
- comprar: *acheter*
- endeudarse: *s'endetter*
- gastar: *dépenser*
- pagar: *payer*

Lengua activa

PRÉCIS 39.F, G

Les prépositions *por* et *para*

- *paseo **por** el campo, transacciones **por** sistema electrónico*
- *clases **para** conductores, "pumas" **para** comprar*

Complète avec *por* ou *para*.

a. Se va generalizando este sistema ... las regiones españolas.

b. El trueque es muy importante ... ciertas personas.

c. Así es posible cambiar un servicio ... otro.

LÉXICO Monedas sociales

Complète les phrases avec : *pitas, comprar, pumas, vender, sistema electrónico.*

a. En Sevilla se puede ... y ... con ... .

b. En Almería se utilizan ... por ... .

EXERCICES P. 72-73

Enfoque sobre la noción

Sentimiento de pertenencia

Apoyándote en el cartel y en el texto, muestra cómo la proliferación de las monedas sociales ilustra esta noción.

- Precisa qué sistemas alternativos de comercio existen en España.
- ¿Cómo pueden el trueque o las monedas sociales ayudar a la sociedad española en tiempo de crisis?
- Muestra que estos sistemas alternativos cambian las relaciones entre la gente.

A2 Nuevos mecenas contemporáneos

El músico Luis Ramiro consiguió en diez días la financiación de 12.000 euros para grabar su nuevo disco y el próximo 9 de marzo lo presentará en la sala Joy Eslava de Madrid. La suya es una más de las cientos de historias reales sobre los éxitos que el *crowdfunding* ha deparado[1] en España en los últimos tiempos desde que las pequeñas donaciones privadas comenzaron a financiar iniciativas culturales por la Red. Pero es que además de grabar su disco, Ramiro ha encontrado a través de esta fórmula un acuerdo muy ventajoso. "Para empezar gano un 90% de las ventas, mientras que en una discográfica[2] te llevas un 8%, un euro por disco más o menos. Segundo: el disco y su producción me pertenecen a mí, no depende de lo que decida un señor metido en un despacho[3]. Y por último, uno[4] se va con la sensación de que la gente ha confiado en él. Y eso es el mejor premio[5]". [...]

A través de *My Major Company* (MMC), líder del *crowdfunding* en Europa, Ramiro ha logrado su sueño. [...] "Cualquier proyecto tiene cabida[6] en el mecenazgo colectivo", comenta Borja Prieto, el director de MMC en España. El proceso consiste en exponer la obra de los creadores a través de una página web y pedir aportaciones a los usuarios interesados. De esta forma los nuevos mecenas financian al artista en un plazo[7] de tiempo determinado. Todo depende de la gente. [...]

"Si se consigue la cantidad pactada, la obra sale adelante[8], si no, el dinero se devuelve y no pasa nada", explica Borja Prieto. "Es un método tan transparente que transmite mucha confianza. Es cierto, recuerda a los mecenas del pasado pero con una proyección de futuro. Nos está dando muchas alegrías". En 3 meses la compañía ha conseguido la financiación de once proyectos y próximamente lanzará su propio sello discográfico[2]. Un nuevo camino alternativo que busca una solución a la crisis de la cultura en nuestros orígenes.

Javier MOLINA (periodista español), *El País*, 01/03/2013

1. ofrecido
2. casa de discos
3. *bureau*
4. *on*
5. recompensa
6. *Tout projet a sa place*
7. *délai*
8. se realiza

Líneas 1 a 12

a. Presenta a Luis Ramiro: di a qué se dedica, qué ha hecho últimamente y cómo lo ha conseguido.

b. Explica en qué consiste el *crowdfunding*.

c. Indica las ventajas del sistema según Luis Ramiro.

Líneas 13 al final

d. Di quién es Borja Prieto y a qué se dedica su empresa.

e. En tu opinión ¿es el *crowdfunding* un sistema con futuro?

Recursos

Sustantivos
- las donaciones: *les dons*
- el éxito: *le succès*
- la recaudación de fondos: *la collecte de fonds*

Adjetivos
- práctico(a), cómodo(a)
- rentable

Verbos y expresiones
- conseguir (i): *réussir (à faire qch.), obtenir* (qqch.)
- correr el riesgo: *courir le risque*
- devolver (ue): *rendre*
- elegir (i): *choisir*
- estar a merced de: *être à la merci de*
- llevar a cabo: *mener à bien*

A2 ¿Quieres ser mecenas?

Colabora con Muerdo: financiación colectiva para *Tocando tierra*, álbum del grupo español Muerdo

- Aquí faltas tú: *Il ne manque que toi*

a. Lee los globos y di qué tienen en común los personajes de las viñetas.
b. Fíjate en sus miradas. ¿A quién van dirigidas?
c. Precisa el objetivo del documento. ¿Qué elementos lo confirman?

Expresión oral

PREPARA EL PROYECTO

Conéctate a http://www.verkami.com/ Haz clic en "Proyecto". Selecciona una categoría y luego un proyecto que te guste. Preséntalo a la clase y justifica tu elección.

FICHIER DE L'ÉLÈVE P. 15

Recursos

Sustantivos
- un globo: *une bulle (de bande dessinée)*

Adjetivos
- feliz
- satisfecho(a)

Verbos y expresiones
- alentar (ie): *encourager*
- contribuir
- recaudar dinero: *collecter de l'argent*
- sentirse (ie) orgulloso(a): *être fier(ère)*

Lengua activa

PRÉCIS 9

Les possessifs

- *Para grabar **su** disco.*
- ***La suya** (su historia) es una más de las cientos de historias reales sobre los éxitos.*
- *Una solución a la crisis de la cultura en **nuestros** orígenes.*

Imite le modèle avec *mío(a), tuyo(a), suyo(a)* :
son mis preocupaciones → son las mías.

a. Quiero grabar mi primer disco.
b. Se conocen tus talentos.
c. Los mecenas ofrecen su dinero.

LÉXICO El mecenazgo

Forme une phrase avec les mots suivants : *les dan – sus obras – a los artistas – oportunidades – que quieren promover – los mecenas*

EXERCICES P. 72-73

Enfoque sobre la noción

Sentimiento de pertenencia

Apoyándote en los dos documentos, muestra cómo el hecho de participar en un proyecto de financiación colectiva ilustra esta noción.

- Lista los motivos por los que los artistas recurren al mecenazgo colectivo.
- A tu parecer, ¿cambia este tipo de financiación las relaciones entre los artistas y su público? Justifica tu opinión.

Vacaciones solidarias

A Dedicar fuerzas para reconstruir un país

El terremoto[1] de **Haití** provocó un impulso de solidaridad a través de todo el mundo. Muchas personas emplearon sus vacaciones para ayudar a la reconstrucción del país. **La Cruz Roja Española**, por ejemplo, con equipos de informáticos voluntarios que estaban de vacaciones, restableció las comunicaciones del país: radio, teléfono...

1. tremblement de terre

Voluntarios restableciendo los medios de comunicación en Haití, tras el terremoto de enero de 2010

vacaciones solidarias
Te proponemos un viaje diferente, donde todo lo que trabajes beneficiará a mucha gente...
Empezando por ti.
LA EXPERIENCIA DE TU VIDA
solidaridad internacional
www.solidaridad.org
902 15 23 23
¡participa, será la experiencia de tu vida!

B Contribuir al desarrollo económico

Asociaciones y ONG como **Solidaridad Internacional** proponen fórmulas de vacaciones para turistas que quieran participar en acciones de cooperación y desarrollo. Son proyectos destinados a luchar contra la pobreza. Por ejemplo, en agosto de 2012, S. I. ha propuesto vacaciones en **Ecuador** para participar en un programa de desarrollo de la actividad... ¡turística! Los participantes han vivido una pequeña aventura al tener que dormir una noche en la selva porque los organizadores no habían calculado bien el itinerario.

Vicerrectorado de Estudiantes e Inserción Laboral
Oficina del Voluntariado
¿TE ATREVES A SER VOLUNTARIO/A?
Cambiar el mundo está en tus manos
ACTIVIDADES
• Reforestación participativa
• Atención a la infancia hospitalizada
• Refuerzo educativo
• Dispositivos sanitarios
• Educación ambiental
• Acompañamiento a personas mayores
• Emergencias y socorros
• Colaboración con estudiantes con discapacidad
• Actividades de ocio y tiempo libre
• Acogida a inmigrantes
• Apoyo emocional
• Centro de día
• Campañas de información y sensibilización
• etc ...
www.ujaen.es/serv/vicest/nuevo/voluntariado
MÁS INFORMACIÓN:
Oficina del Voluntariado de la Universidad de Jaén
Edificio Bachiller Pérez de Moya (C-2)
Teléfono: 953 212 651
ovoluntariado@ujaen.es
Universidad de Jaén

C Voluntariado universitario

Durante sus vacaciones los estudiantes pueden hacerse voluntarios de acciones humanitarias para completar su formación. La **Universidad de León**, por ejemplo, ofrece créditos a estudiantes que participan en programas y actividades de **cooperación**. En la **Universidad Francisco Vitoria** (Madrid) hay asignaturas[1] de Práctica de **acción social**. Se considera como muy formativo que los estudiantes sean conscientes de su propio privilegio y tomen conciencia de sus posibilidades de actuación[2] y responsabilidad social.

1. *des matières scolaires*
2. intervención

Jóvenes voluntarios en Guatemala

D Ayuda a la infancia

La ONG **Coopera Tour** propone estancias[1] en la ciudad de **Antigua** (Guatemala) donde los turistas solidarios podrán participar en un programa de ayuda escolar para niños con dificultades de todo tipo: hiperactividad, dislexia, sordera[2], déficit de atención... Para los profesores, que tienen que atender a una gran cantidad de niños y niñas, el voluntariado es de mucha ayuda. Se trata de un proyecto de gran calidad humana en el que el voluntario se sentirá útil desde el primer momento.

1. *des séjours* 2. *surdité*

Ciberencuesta

Conéctate a http://apadrino.com/vacaciones-solidarias-por-haiti-senegal-nicaragua-bolivia-y-ecuador/

1. Apunta las diferentes vacaciones solidarias propuestas y di cuál de ellas te interesa. Justifica tu elección.

Conéctate a http://www.cooperatour.org/proyectos-de-cooperacion/proyecto-brillo-de-sol-con-ninos-con-problemas-de-integracion-escolar.html

2. Lista las diferentes actividades que pueden hacer los turistas solidarios que participan en este proyecto.

Conéctate a http://www.lanzanos.com/proyectos/brillo-de-sol-en-la-antigua-guatemala/

3. Descubre el proyecto de Sebastián Villanueva que fue a Antigua de turista solidario y desea volver para completar su labor.

comprensión oral

Escucho a un cantante comprometido

CD CLASSE

> **OBJECTIF** A2+ : comprendre le témoignage d'un chanteur engagé.

Fernando Caro en el videoclip de su canción *Desahucio*

Antes de escuchar

a. Fíjate en la foto y di cuál es el tema del videoclip de Fernando Caro.

Primera escucha

b. El entrevistado es… y ha venido para hablar de…
c. Precisa qué va a hacer con los beneficios de su canción.

Segunda escucha

d. Di qué cosas necesitan los desahuciados.
e. Indica lo que hizo Fernando Caro en Navidad.
f. Este artista hace todo esto porque… y porque piensa que…

Recursos

Sustantivos
- el/la abogado(a): *l'avocat(e)*
- la cena: *le dîner*
- la recogida de alimentos: *la collecte alimentaire*

Adjetivos
- desahuciado(a) = expulsado(a)
- solidario(a): *solidaire*

Verbos y expresiones
- manifestarse (ie)
- necesitar: *avoir besoin de*

Conéctate al aula virtual *Próxima parada* para rellenar la ficha

expresión escrita

Redacto una carta de motivación para ser voluntario

> **OBJECTIF** A2+ : rédiger une lettre de motivation pour devenir bénévole dans une ONG.

Contesta a este correo electrónico de la ONG Jóvenes Voluntarios que busca voluntarios.

a. Saluda al destinatario.
b. Preséntate (nombre, apellido, edad, estudios…).
c. Expresa tu interés por esta propuesta y di por qué quieres hacerte voluntario(a).
d. Precisa lo que puedes aportar a Jóvenes Voluntarios.
e. Despídete.

Recursos

Sustantivos
- las ganas: *l'envie*

Adjetivos
- deseoso(a): *désireux(euse)*
- despierto(a): *réactif(ive), éveillé(e)*

Verbos y expresiones
- comprometerse: *s'engager*
- espero que... + subj.
- me interesa...
- reciba un atento saludo de...

JÓVENES VOLUNTARIOS

¡Un compromiso que puede cambiar tu vida!

¿Qué buscamos?
- Fomentar la solidaridad.
- Promover la participación de la juventud de manera positiva y productiva.

Beneficios
- Actividades con valor curricular.
- La oportunidad de vivir una experiencia inolvidable.

Requisitos
- Ser consciente de las necesidades de tu comunidad.
- Que disfrutes de trabajar en equipo.
- Ser responsable y generoso.
- Ser entusiasta y con afán de servicio.

Y tú ¿quieres ser voluntari@? Haz clic aquí y exponnos tus motivaciones.

Roberto Giménez, Presidente de Jóvenes Voluntarios

Internet TICE Me informo sobre las actividades que se ofrecen a los voluntarios

Conéctate a: http://www.cruzrojajuventud.org

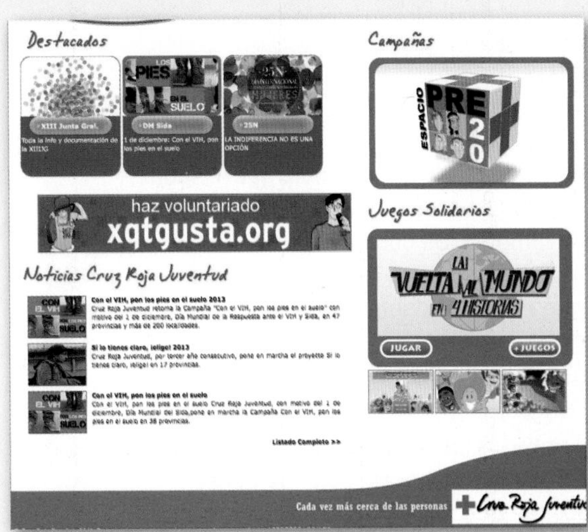

1 Busca información

a. Haz clic en "Haz voluntariado xqtgusta.org". Di en qué radica la fuerza de Cruz Roja Española y cuál es el objetivo de sus voluntarios.

b. Haz clic en "¿Cómo puedo ayudar? ¡Más información aquí!", luego en "¿Aún no eres voluntario?" y por último en "¿Qué es necesario para ser voluntario de Cruz Roja?". Indica la edad mínima para hacerse voluntario(a). ¿Qué puedes hacer si no tienes la edad mínima?

c. Lista las principales etapas del proceso para incorporarse. Precisa cuánto tiempo dura.

d. Haz clic en "¿Qué actividades desarrolla un voluntario de Cruz Roja?" y da ejemplos de sus actividades.

2 Haz una presentación oral

e. Basándote en tus apuntes, haz una presentación oral de la Cruz Roja Española. Di cómo puedes ayudar en esta ONG y si es fácil incorporarse a ella (*en faire partie*).

Recursos

Sustantivos
- el apoyo escolar: *le soutien scolaire*
- la entrevista: *l'entretien*
- un rescate: *un sauvetage*

Verbos y expresiones
- acordar [ue] = concertar [ie] = decidir
- actuar: *agir*
- atender [ie]: *(ici) soigner*

Vídeo Descubro el recorrido de voluntarios latinoamericanos

Vídeo institucional TECHO, 2012

Manuel Numérique PREMIUM

Voluntario de la ONG *Techo* en Perú

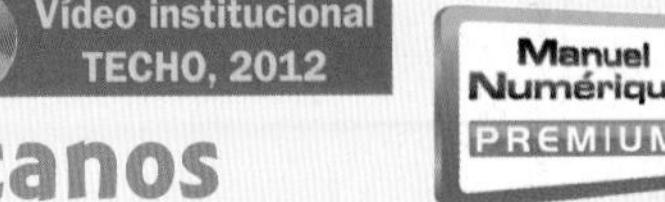

Recursos

Sustantivos
- un derecho: *un droit*
- la igualdad: *l'égalité*
- un techo: *un toit*

Adjetivos
- justo(a)
- prioritario(a)
- utópico(a)

Verbos y expresiones
- beneficiar
- erradicar = suprimir
- opinar: *donner un avis*
- resolver [ue]: *résoudre*
- superar: *surmonter*

1 Fíjate

a. Observa el fotograma, identifica a la persona y precisa el lugar.

2 Primer fragmento

b. Indica la actividad principal de estos voluntarios.

c. Apunta expresiones que indican sus objetivos.

3 Segundo fragmento

d. Además de… los voluntarios también se dedican a…

e. Los voluntarios deciden todo lo que hay que hacer. ¿Verdadero o falso? Justifica tu respuesta.

f. Di qué se puede lograr gracias a la acción de todos.

4 Resume

g. Redacta todo lo que has entendido del vídeo.

Gramática activa

L'hypothèse avec *quizá(s)* + indicatif ou subjonctif

LENGUA ACTIVA p. 59
PRÉCIS 41

1 Remplace *quizá* par *es posible que* + subj.

a. Quizá eres generosa.
b. Quizá cambien las cosas y termine la crisis.
c. Quizá tiene trabajo tu hermano en Perú.
d. Quizá no sabéis vosotros qué hacer.
e. Quizá siga viviendo yo en casa de los abuelos.
f. Quizá haga de voluntario este verano.

2 Remplace *es posible que* par *quizá* et choisis entre l'indicatif ou le subjonctif, selon le sens.

a. Es posible que logres tu sueño.
b. Es posible que los jóvenes prefieran vivir en casa de los padres.
c. Es posible que nosotros decidamos salir al extranjero.
d. Es posible que yo comparta un piso con otro estudiante.
e. Es posible que el trueque permita intercambiar productos de calidad.
f. Es posible que las acciones solidarias solucionen problemas.

La forme progressive avec *seguir* + gérondif

LENGUA ACTIVA p. 61
PRÉCIS 30. A

3 Mets les verbes à la forme progressive.

a. El chico observa los comportamientos de los delincuentes.
b. La pensión del abuelo es indispensable para la familia.
c. Yo estudio y por eso vivo con mis padres.
d. Compartes tu piso con esta chica que es tu mejor amiga.
e. Los mecenas promueven las creaciones artísticas.
f. Muchas personas utilizan sus vacaciones para ayudar a los otros.

La durée avec *hace* (il y a) / *desde hace* (depuis)

LENGUA ACTIVA p. 63
PRÉCIS 39. C, 44

4 Complète avec *hace* ou *desde hace*.

a. ... diez años que esta ONG existe.
b. El joven forma parte de este grupo de voluntarios ... tres meses.
c. Este artista logra vender sus obras ... poco tiempo.
d. ... un año que esta empresa desarrolla una forma de mecenazgo.
e. ... poco tiempo el abuelo ayuda a sus nietos.
f. ... tres años que van circulando las monedas sociales en esta ciudad.

5 Complète avec *hay* ou *hace*.

a. ... mucha gente en esta casa.
b. ... mucho tiempo que ayudas a estos jóvenes aunque ... muchas dificultades.
c. ... diez años que existe esta ONG en la que ... voluntarios de varios países.
d. Si a tu hermano le interesa, ... una empresa que ofrece trabajo.
e. ... tres días que esperas esta llamada pero ...también otra persona que la está esperando.
f. En este país ... mucha pobreza desde el terremoto que ocurrió ... dos años.

Les prépositions *por* et *para*

LENGUA ACTIVA p. 65
PRÉCIS 39. F, G

6 Emploie *por* ou *para* comme il convient.

a. Has venido aquí movido ... un voluntariado en una ONG.
b. Es un centro ... delincuentes.
c. España resiste la crisis ... la solidaridad intergeneracional.
d. ... los españoles es indispensable el clan familiar.
e. Los artistas necesitan mecenas ... promover sus obras.
f. ... mí es indispensable la solidaridad.

Les possessifs

LENGUA ACTIVA p. 67
PRÉCIS 9

7 Mets l'adjectif possessif correspondant au pronom.

a. Es ... voluntad de él luchar contra las desigualdades.
b. El mundo puede cambiar si nosotros ponemos ... granito de arena.
c. ... abuelos me ayudan a mí.
d. ... piso permite acogeros.
e. A ellos les gusta ... tranquilidad.
f. Favorecemos los intercambios con ... sitios.

8 Remplace ce qui est entre parenthèses par *mío*, *tuyo*, *suyo*, *nuestro*, *vuestro*, *suyo*. Fais l'accord si nécessaire.

a. Este compromiso es (de él).
b. Estas acciones son (de nosotros).
c. Este sistema de trueque es (de ellos).
d. La gente se ha apoderado de estas monedas porque son (de ella).
e. Este proyecto es (de ti).
f. Estas dificultades son (de vosotros) pero intentamos ayudaros.

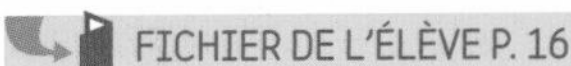

FICHIER DE L'ÉLÈVE P. 16

1. **Con ayuda de las palabras del Léxico, di en qué consiste la convivencia y qué cualidades requiere (columna I).**
2. **Precisa qué tipo de acciones puede hacer una persona comprometida (columna II).**
3. **Explica por qué es tan importante la solidaridad familiar en tiempos de crisis (columna III).**
4. **Di para qué sirve el mecenazgo (columna IV).**

I LA CONVIVENCIA *(le vivre ensemble)*

- la benevolencia → benévolo(a): *la bienveillance → de bonne volonté*
- la comprensión → comprensivo(a): *la compréhension → compréhensif(ive)*
- adaptarse: *s'adapter*
- compartir piso: *partager un appartement*
- favorecer los intercambios: *favoriser les échanges*
- hacer un favor: *rendre service*
- ser atento(a): *être attentionné(e)*
- vivir juntos: *vivre ensemble*

II LOS COMPROMISOS *(les actions engagées)*

- la ayuda humanitaria: *l'aide humanitaire*
- la red de voluntarios: *le réseau de bénévoles*
- el voluntariado: *le bénévolat*
- afrontar la miseria: *affronter la misère*
- dedicarse a: *se consacrer à*
- entregarse: *se dévouer*
- luchar en contra de las desigualdades: *lutter contre les inégalités*
- participar en una acción solidaria: *participer à une action solidaire*

III LA SOLIDARIDAD FAMILIAR *(la solidarité familiale)*

- la ayuda: *l'aide*
- el apoyo: *l'appui, le soutien*
- el auxilio intergeneracional: *l'aide entre les générations*
- acoger a los hijos parados: *accueillir les enfants au chômage*
- cuidar de los nietos: *garder les petits-enfants*
- echar una mano: *donner un coup de main*
- hacerse cargo de: *prendre en charge*
- salir adelante: *s'en sortir*

IV EL MECENAZGO *(le mécénat)*

- la filantropía: *la philanthropie*
- el mecenas: *le mécène*
- la obra de un(a) desconocido(a): *l'œuvre d'un(e) inconnu(e)*
- financiar: *financer*
- fomentar las artes: *soutenir, encourager les arts*
- llevar a cabo un proyecto: *mener à terme un projet*
- promover [ue] acciones: *promouvoir des actions*
- ser agradecido(a): *être reconnaissant(e)*

Enfoque final: noción y documentos

FICHIER DE L'ÉLÈVE P. 17

El voluntariado, un compromiso a favor de los otros
→ **Los voluntarios aportan una ayuda a los que la necesitan.**

La familia como pilar de una sociedad en crisis
→ **¿Tienen la libertad de independizarse todos los jóvenes españoles hoy día?**

Soluciones para remediar las dificultades económicas
→ **El trueque, el mecenazgo y lo colectivo pueden aportar soluciones.**

Pepe Noja nace en Aracena (Huelva) en 1938. Estudia primero pintura en Andalucía y después de estudiar en la *Arts School of California*, realiza numerosas exposiciones en el mundo entero. En el ámbito de la escultura desarrolla un lenguaje propio a partir de una forma básica, el cilindro, y la utilización del acero inoxidable. También es conocido por su labor como promotor de museos de escultura al aire libre.

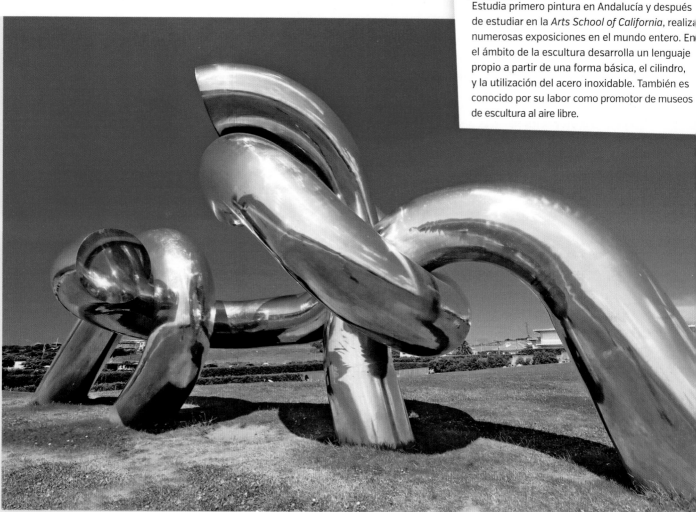

Solidaridad (1999), escultura de Pepe NOJA (Gijón)

¿Qué representa esta obra de arte?
Dilo con lo que sabes...

1. Indica el título de la obra y di dónde está expuesta.
2. Precisa lo que representa y la materia utilizada.
3. Explica en qué medida expresa esta escultura la idea de solidaridad.

Para saber más:
http://www.herreracasado.com/2006/09/08/pepe-noj/

Recursos

Sustantivos
- el acero inoxidable: *l'acier inoxydable*
- una cadena: *une chaîne*
- un eslabón: *un maillon*
- el reflejo: *le reflet*

Adjetivos
- abierto(a)
- brillante
- entrelazados = unidos
- hincado(a): *planté(e)*

Verbos y expresiones
- reflejar(se): *(se) refléter*

PROYECTO A Realizad un spot de radio para promover una ONG

expresión oral

Los alumnos de vuestro instituto participan en un concurso de una emisora de radio. Se trata de realizar unos spots para promover actividades de ONG hispanas.

1 Buscad información

a. Formad grupos. Cada grupo va a elaborar un spot sobre una ONG.
b. Elegid una ONG y buscad información sobre sus actividades, las cualidades requeridas y los beneficios para sus voluntarios.

2 Escribid el guión del spot

c. Redactad el guión indicando:
- el nombre de la ONG,
- desde cuándo existe,
- a qué tipo de actividad se dedica, los requisitos para participar, etc.

d. Concluid con un eslogan impactante que incite a la gente a contribuir con dinero o haciéndose voluntaria para que esta ONG pueda seguir ayudando a la gente.
e. Grabad el spot. Podéis añadir efectos sonoros y musicales.

Página web que puedes consultar:
http://www.guiaongs.org/

PROYECTO B Redacta un programa de acciones solidarias

expresión escrita

Para la Jornada de la Solidaridad, vas a elaborar un programa de acciones solidarias concretas destinado a ser publicado en la revista de tu instituto.

1 Busca ejemplos e imagina soluciones

a. En el libro o en Internet busca ejemplos de situaciones que se pueden mejorar con acciones solidarias.
b. Imagina una o varias soluciones para cada tipo de situación.

2 Redacta propuestas concretas

c. Presenta la situación: identifica a los afectados, di cuál es el problema, precisa desde cuándo existe, etc.
d. Di lo que ya se ha hecho: *Quizá sea poco/insuficiente en el ámbito de..., Quizá hay que seguir ahorrando...*
e. Expón tus ideas.

EVALUACIÓN

comprensión oral  Lo que aporta el voluntariado

> OBJECTIF A2+ : comprendre le témoignage d'un engagement bénévole.

Escucha la grabación y contesta las preguntas.

A2
- a. Identifica a la persona y di de qué habla.
- b. Apunta palabras relacionadas con el voluntariado.
- c. ¿Qué palabra resume lo que es el voluntariado para esta persona?
- d. Lista todo lo que puede aportar ser voluntario(a).

A2+
- e. Determina qué tipo de acción interesa más a Miriam.
- f. Enumera los motivos de este interés.

Jóvenes voluntarios de Telefónica

comprensión escrita Eres muy generosa

> OBJECTIF A2 : comprendre un dialogue sur le bénévolat.

Los protagonistas son Antonio y Elena. Están en la ciudad de México.

–¿Has estado en Perú?
–Sí, hace un par de años.
–¿Por tu trabajo o de vacaciones?
–Pues... las dos cosas. Fue un trabajo extra durante las vacaciones, aunque no era remunerado.
–¿Acostumbras a trabajar sin sueldo?
–A veces...
–Te invito a un pulque[1] mientras me cuentas tu experiencia en Perú.
–No es demasiado interesante, trabajé como maestra.
–¿Y por qué no te pagaban?
–Porque lo hacía como cooperante en una misión católica para huérfanos[2], en Cuzco.
–No conocía esa faceta de ti. Eres muy generosa. [...]
Visitaron después los lugares más emblemáticos y bellos de la ciudad, recorriendo la Plaza Mayor, el Zócalo...

María GUERRERO (escritora española), *El árbol de la diana*, 2010

Lee el texto y contesta.

A2
- a. Determina quién ha estado en Perú y precisa cuánto tiempo hace.
- b. Di si ha ido a Perú para trabajar o de vacaciones.
- c. ¿Era un trabajo bien pagado? Justifica con elementos del texto.

A2+
- d. Imagina por qué ha aceptado Elena este trabajo.

1. *(amér.) Je t'offre un verre*
2. *orphelins*

expresión oral Mercadillo del trueque

> **OBJECTIF** A2+ : décrire une affiche et interpréter le message.
>
> Temps de parole : 3 minutes

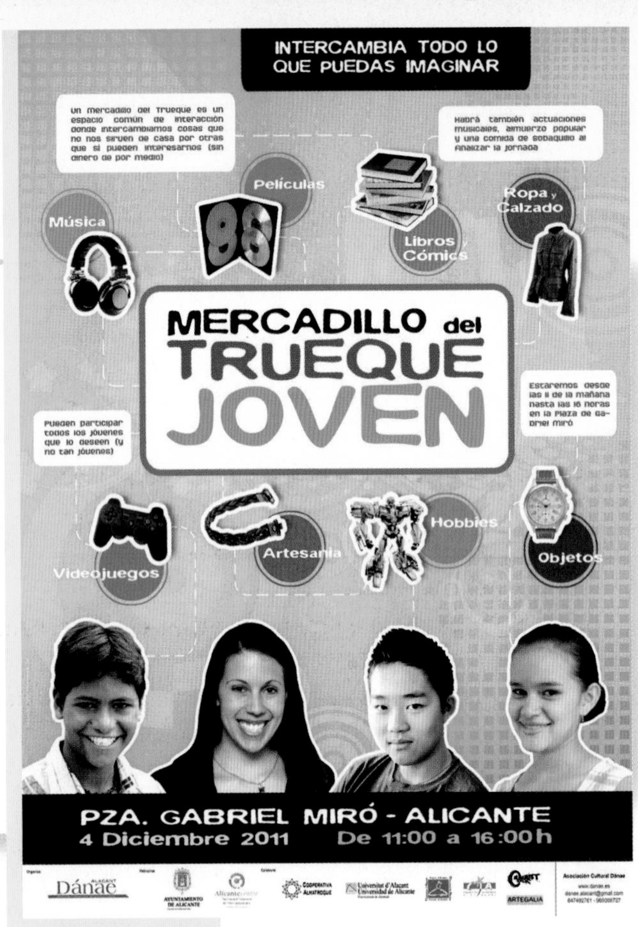

Observa el cartel y exprésate.

A2
- a. Describe el cartel y precisa el tema.

A2+
- b. Lista los elementos que pueden intercambiarse los jóvenes.
- c. Indica dónde aparece el lema y explícalo. ¿Cómo puede este tipo de comercio luchar contra el despilfarro?

interacción oral ¿Por qué independizarse?

> **OBJECTIF** A2+ : exposer les raisons d'une décision de quitter le giron familial.
>
> Temps de parole : 3 minutes
>
> En binôme

Por parejas, imaginad la conversación.

A2+

Alumno(a) A: Has decidido independizarte e irte de tu casa. Expones tu proyecto a tus padres.

Alumno(a) B: Eres el padre o la madre. Le preguntas dónde va a vivir, los detalles y le dices lo que piensas de su elección.

expresión escrita Una experiencia como voluntario(a)

> **OBJECTIF** A2+ : raconter une expérience en tant que bénévole dans un organisme humanitaire.
>
> Nombre de mots : ± 100

Redactas unas líneas para la web de tu organismo humanitario en las que cuentas tu experiencia como voluntario(a).

A2
- a. Preséntate (nombre, apellido, edad, residencia, estado civil…) e indica el nombre de tu organismo.
- b. Di en qué tipo de actividad solidaria estás implicado(a), precisa desde cuánto tiempo.

A2+
- c. Cuenta las circunstancias o motivos que te han llevado a ser voluntario(a) y qué te aporta esta actividad.

Memoria
Herencias y rupturas

UNIDAD 4

El legado andalusí

a. ¿Por qué el legado andalusí atrae cada vez más, tanto a turistas como a artistas?
b. ¿Cómo se manifiesta la pervivencia de las culturas musulmana, judía y cristiana que convivieron en tiempos de al-Ándalus?
c. ¿Cuáles son los elementos arquitectónicos y urbanísticos que dan un aspecto particular a los pueblos y ciudades de Andalucía?

UNIDAD 5

Lo precolombino sigue atrayendo

a. ¿Cómo se ven hoy día las civilizaciones precolombinas?

b. ¿Cuáles son las consecuencias de la atracción que suscitan los sitios precolombinos?

c. ¿Por qué lo precolombino no remite únicamente al pasado?

UNIDAD 6

Ciudades latinoamericanas con pasado

a. ¿Qué simbolizan las estatuas de Cristóbal Colón que se ven en muchas ciudades latinoamericanas?

b. ¿En qué las ciudades latinoamericanas no son ni españolas ni indígenas?

c. ¿Qué evidencia el caso particular de la ciudad de Cuzco?

UNIDAD 4 El legado andalusí

1 Visitando el salón de Felipe II en el Alcázar de Sevilla

Recursos

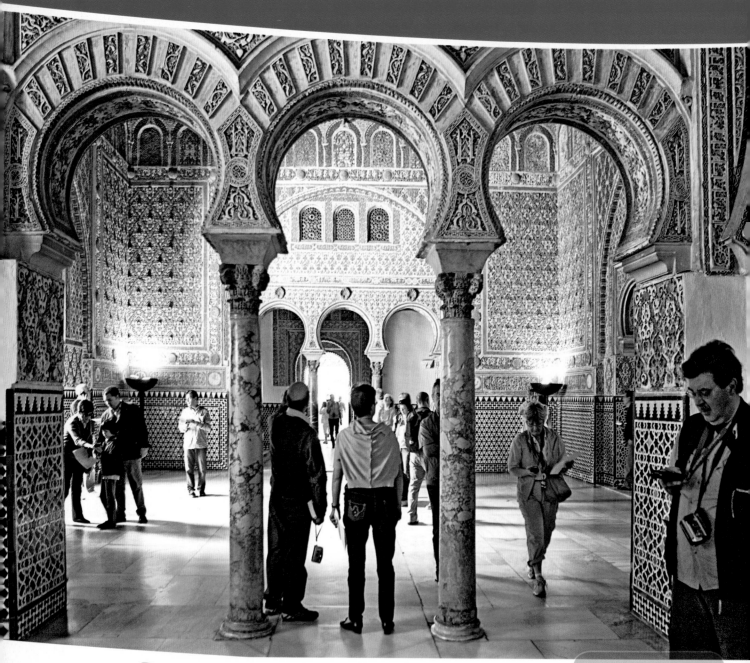

Sustantivos
- un alcázar= un palacio musulmán
- un arco de herradura: *un arc en fer à cheval*
- los azulejos: *les carreaux de faïence*
- una columna
- un(a) guía: *un(e) guide*
- los motivos vegetales

Adjetivos
- cubierto(a)
- emocionado(a): *ému(e)*

Verbos y expresiones
- limpiar: *nettoyer*
- maravillarse
- participar en
- los hay que: *il y en a qui*

expresión oral **Cuenta los recuerdos de un viaje por Andalucía.**

PROYECTO B **expresión escrita** **Redacta la ficha de una ciudad emblemática de al-Ándalus para una guía turística.**

Outils linguistiques

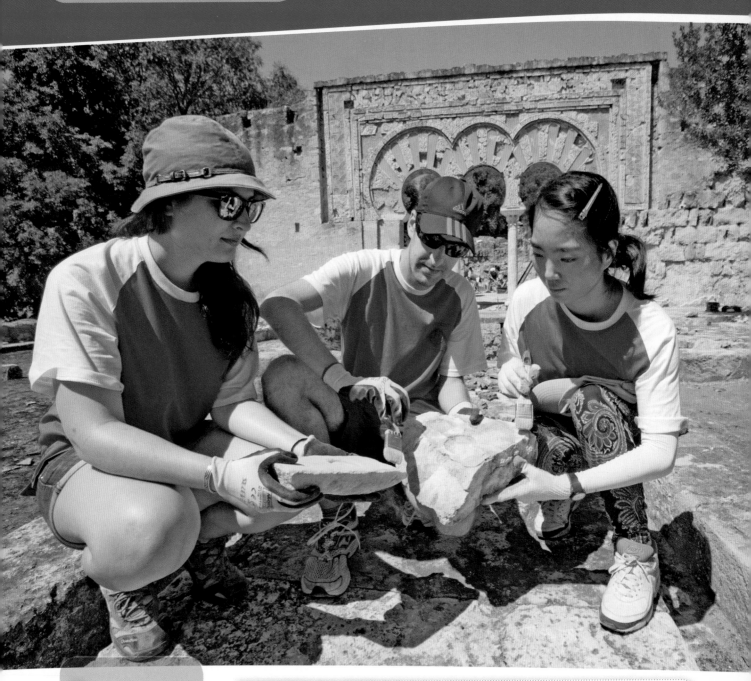

2 Jóvenes restaurando la ciudad árabe de Medina Azahara, Córdoba

Y tú, ¿cómo lo ves?

1. Describe el lugar donde fue sacada la primera foto y lo que hacen los visitantes.
2. Di en qué proyecto participan los jóvenes de la foto 2 y explica por qué lo hacen.
3. Indica lo que puede sentir la gente cuando descubre semejantes lugares. Justifica tu respuesta.

A2+ La rendición de Granada

Animation interactive

Francisco PRADILLA Y ORTIZ (pintor español), *La rendición de Granada*, 1882, Palacio del Senado de España

Mira y exprésate

a. Indica qué escena histórica representa el cuadro y describe su composición (primer plano/trasfondo, izquierda/derecha).
b. Compara la representación de los vencedores con la de los vencidos.
c. Fijándote en las actitudes de los protagonistas, explica lo que debieron de sentir unos y otros en aquel momento.

Recursos

Sustantivos
- el cetro: *le sceptre*
- la derrota ≠ la victoria = el triunfo
- el ejército: *l'armée*
- la estatura
- el número: *le nombre*
- el tamaño: *la taille*
- el jinete: *le cavalier*
- las llaves: *les clefs*
- el séquito: *la suite, l'entourage du roi*

Adjetivos
- glorioso(a)
- mayor: *plus grand*
- orgulloso(a): *fier(ère)*
- solemne: *solennel(elle)*
- todopoderoso(a)
- vencido(a) = derrotado(a)
- victorioso(a)

Verbos y expresiones
- ensalzar: *vanter*
- entregar: *remettre*
- formar parte de = pertenecer a
- recordar (ue) ≠ olvidar
- remontarse a (la época)

DATOS Culturales

Francisco Pradilla y Ortiz (1848-1921) tuvo que pintar en 1882, por encargo del Senado español, el cuadro titulado *La rendición de Granada*, que consolidó su reputación como pintor de Historia. Representa el momento en que el rey musulmán Boabdil el Chico entrega las llaves de la ciudad a los Reyes Católicos, Isabel y Fernando, el 2 de enero de 1492.

comprensión escrita

B1 Hablando de la Reconquista

–Y los hay que[1] todavía sueñan con recuperar al-Ándalus de manos cristianas, como si la toma de Granada no hubiese sido[2] hace ya más de cinco siglos, sino hace cinco días. [...]

–Ay, papá –protestó Sara simulando un enfado[3] que no sentía. [...] –Te prometo que esta noche seguimos hablando de la guerra santa, de la Reconquista y todas las conspiraciones maquiavélicas que hagan falta. [...]

Estaba feliz con su trabajo en la escuela de idiomas. Aparte del español, Sara dominaba el inglés, el francés, el italiano y el alemán.

Cuando sus ojos se detuvieron en un anuncio en el que se requería profesor cualificado para ocupar una plaza en una escuela de idiomas en el centro de Madrid, tuvo una corazonada[4] y aquel presentimiento no la traicionó: un simple vistazo a su currículo bastó[5] para convencer a la directora, doña Marga, a quien le pareció que Sara encajaba[6] a la perfección con las necesidades del centro:

–No sabes lo bien que nos vienes. Cada día tenemos más alumnos musulmanes que vienen a aprender o a perfeccionar el español. Aprenden enseguida.

Reyes MONFORTE (escritora española), *La infiel*, 2011

1. *il y en a qui*
2. *n'avait pas eu lieu*
3. una cólera
4. *un coup de cœur*
5. *suffit*
6. *correspondait*

Líneas 1 a 7

a. Identifica a los que están hablando y precisa qué pasado histórico evocan.

b. Apunta las palabras que evidencian que los protagonistas no están de acuerdo y di por qué.

Líneas 8 al final

c. Di dónde empezó a trabajar Sara y si le gustaba su trabajo.

d. Explica cómo encontró Sara este trabajo y precisa si le costó conseguirlo.

e. Demuestra que estaba capacitada para hacerlo.

Búsqueda en internet

PREPARA EL PROYECTO

Busca fotos de los monumentos históricos más famosos de la ciudad de Granada, precisa cuándo se construyeron y con qué cultura se relacionan.

FICHIER DE L'ÉLÈVE P. 21

Recursos

Sustantivos
- la amplitud de miras: *l'ouverture d'esprit*
- un prejuicio: *un préjugé*

Adjetivos
- (estar) equivocado(a): *se tromper*
- (ser) intolerante

Verbos y expresiones
- conseguir (i) = obtener (ie)
- costarle (ue) (a uno) hacer algo = ser difícil (para uno) hacer algo
- estar capacitado(a) para: *être qualifié(e) pour*
- evidenciar = demostrar (ue)
- valorar = apreciar

Lengua activa

PRÉCIS 18.E, CONJ. P.244-245

Le passé simple des verbes réguliers

- *Ay, papá –protest**ó** Sara simulando un enfado.*
- *Aquel presentimiento no la traicion**ó**.*
- *A la directora le pareci**ó** que Sara encajaba a la perfección.*

Conjugue les verbes au passé simple.

a. La joven (simular) un enfado que no sentía.

b. Ella le (prometer) seguir hablando.

c. El padre le (hablar) y ella le (responder).

LÉXICO Las religiones

Associe ces noms : *los cristianos, los judíos, los musulmanes*, **et ces lieux sacrés :** *la sinagoga, la mezquita, la iglesia*, **aux religions suivantes :**

a. la religión católica → ...

b. la religión musulmana → ...

c. la religión judía → ...

EXERCICES P. 96-97

Enfoque sobre la noción

Memoria

Apoyándote en el texto y en el cuadro, muestra que la Reconquista de la Península Ibérica por los cristianos es un tema recurrente en la pintura y en la literatura.

- Explica lo que puede implicar que a finales del siglo XIX se sigan representando escenas que se remontan al pasado.
- Explica a qué puso fin la conquista de Granada en la Península Ibérica.

A2 Visita nocturna a la Alhambra  

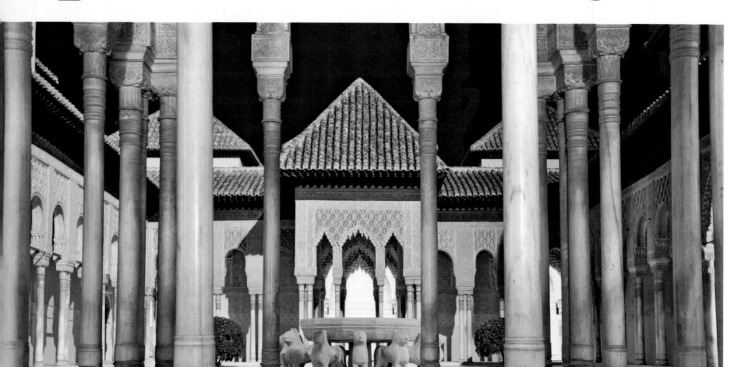

El Patio de los Leones en el palacio de la Alhambra (Granada)

1 Fíjate, escucha y apunta

a. Di lo que representa la foto, destacando los elementos arquitectónicos más impactantes y precisando en qué parte de España se encuentra el monumento.

Primera escucha completa

b. Di qué tipo de "escapada nocturna" nos propone hacer el periodista. ¿Por qué es interesante según él?

Segunda escucha

c. Precisa quién es el señor al que entrevista.

d. "De noche, se puede ver todo el sitio en una sola visita". Di si es verdad o mentira citando tres frases del reportaje.

Tercera escucha

e. Apunta cuáles son las diferentes partes que incluye la visita del palacio nazarí y di para qué servían.

f. Enumera las condiciones necesarias a la hora de visitar los jardines del Generalife.

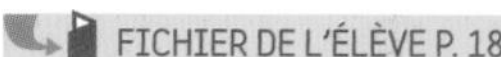
FICHIER DE L'ÉLÈVE P. 18

2 Resume

Redacta todo lo que has entendido del reportaje.

Recursos

Sustantivos
- la fuente: *la fontaine*
- el patrimonio
- los soportales: *les arcades*
- un testimonio: *un témoignage*

Adjetivos
- arquitectónico(a): *architectural(e)*
- conservado(a)

Verbos y expresiones
- acercarse a
- hacer falta = ser necesario(a)
- permitir
- proteger
- en primer término = en primer plano
- detrás: *derrière*

Fonética  

a. Escucha las palabras o expresiones y di si llevan una "b" o una "v".

b. Repite estas palabras en voz alta.

comprensión escrita

B1 La Alhambra y el cine

Bonus vídeo *Isabel*

El monumento nazarí es un codiciado[1] plató de cine desde 1916. La primera película que se rodó[2] fue *La vida de Cristóbal Colón*.

"La Alhambra es un hallazgo[3] de los cineastas extranjeros. Fueron ellos los que nos descubrieron el monumento a los españoles" desvela Carlos Martín, historiador que durante tres años (2006-2008) realizó la *Memoria audiovisual de la Alhambra*. En este trabajo de arqueología cinematográfica se han hallado más de 50 cintas[4], entre documentales y películas, en las que la ciudad sirve como decorado natural. [...] La última producción fue el documental *Morente[5] sueña la Alhambra*. Durante un año las cámaras convivieron con los turistas. "Era rodar a un monumento vivo", recuerda su director para quien la filmación fue muy complicada [...]. Quien [también] ha fijado la cámara en la ciudad palatina es el equipo de la serie de televisión *Isabel*[6], que recrea la vida de la reina Isabel la Católica.

María CENTENO (periodista española), *El País*, 30/3/2013

1. *convoité*
2. *a été tourné*
3. *une découverte*
4. películas
5. Enrique Morente, célebre cantaor (de flamenco) andaluz
6. serie de 2012-2013 producida por Televisión española

a. Enumera los rodajes que aparecen en el artículo precisando su fecha, de qué tipo eran y de qué trataban.
b. Busca en el texto lo que puede confirmar que el palacio de la Alhambra es un verdadero plató de cine.
c. Cita la frase que nos permite comprender la afirmación de Carlos Martín, "La Alhambra es un hallazgo de los cineastas extranjeros". ¿Qué actitud tenían los españoles antes de su llegada?
d. Completa la frase: *La Alhambra es a la vez un ... y un ...* Entonces, ¿cuáles son las dos cosas que tienen que convivir allí muchas veces?

Expresión oral

PREPARA EL PROYECTO Eres director de cine y explicas entusiasmado a tu equipo por qué has elegido la Alhambra como lugar ideal de rodaje. *El monumento que más me ha gustado es... Fue... la que...*

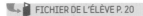

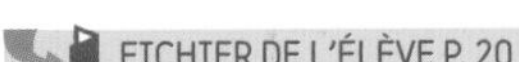
FICHIER DE L'ÉLÈVE P. 20

Recursos

Sustantivos
- el conjunto: *l'ensemble*
- la falta de: *le manque de*
- un ignorante
- el interés
- un rodaje: *un tournage*

Adjetivos
- increíble
- inmenso[a]
- transportado[a]

Verbos y expresiones
- convivir = coexistir
- desconocer : *méconnaître*
- a la vez = al mismo tiempo

Lengua activa

PRÉCIS 45

La forme d'insistance « c'est ... que »

- ***Fueron*** *ellos* ***los que*** *nos descubr****ieron****.*

Fais correspondre le temps des deux verbes dans la forme d'insistance.

a. (Ser) la visita de la Alhambra la que nos gustó.
b. Fue el presidente de la asociación el que nos (hablar) de la historia del lugar.
c. (Ser) estas visitas las que más me interesaron.

LÉXICO Palacios de la Alhambra

Associe chaque mot avec un autre lui correspondant :

a. la Alhambra – b. un hallazgo – c. el trono – d. los jardines – e. el patio
1. el rey – 2. la fuente – 3. un descubrimiento – 4. un conjunto palaciego – 5. el Generalife

EXERCICES P. 96-97

Enfoque sobre la noción

Memoria

La Alhambra es un testimonio de la grandeza de la civilización árabe y un sitio turístico muy famoso. Muestra cómo la grabación y el texto lo ilustran.

- Di lo que ofrece y permite la Alhambra para que los españoles disfruten de su patrimonio cultural.
- Determina por qué muchos cineastas extranjeros se interesaron y siguen interesándose por la Alhambra.

comprensión escrita

DATOS *Culturales*

La **Reconquista** (siglo VIII - s. XV) designa la guerra que emprendieron los reinos cristianos para recuperar el territorio ocupado por los musulmanes en la península. El estado musulmán terminó con la toma de Granada por los Reyes Católicos.

Texto 1

B1 Corriendo van por la vega

Corriendo van por la vega[1]
a las puertas de Granada
hasta cuarenta gomeles[2]
y el capitán que los manda.
Al entrar en la ciudad,
parando su yegua[3] blanca,
le dijo éste a una mujer
que entre sus brazos lloraba:
"Enjuga el llanto[4], cristiana
no me atormentes así,
que tengo yo, mi sultana,
un nuevo Edén para ti.
Tengo un palacio en Granada,
tengo jardines y flores,
tengo una fuente dorada
con más de cien surtidores[5],
[...]
ni en Córdoba ni en Sevilla
hay un parque como el mío."
"¿Qué me valen tus riquezas
–respondióle la cristiana–[...].
Vuélveme[6], vuélveme, moro
a mi padre y a mi patria,
que mis torres de León
valen más que tu Granada."

José ZORRILLA (escritor y poeta español), "Poema oriental" en *Obras poéticas*, 1847

1. *plaine fertile* 2. soldados bereberes 3. *sa jument* 4. *Sèche tes larmes* 5. *jets d'eau* 6. *Rends-moi*

Texto 1

Versos 1 a 19

a. Precisa dónde transcurre la escena e identifica a los protagonistas. ¿Qué le pasa a la mujer?

b. Di si se compadece de ella el capitán. ¿Qué elementos lo confirman?

c. Di por qué compara el capitán Granada con un "nuevo Edén".

Versos 20 al final

d. ¿A qué se debe la pena de la mujer y di qué rechaza? Cita los versos que lo justifican.

Texto 2

B1 La vega de Granada

La vega de Granada se hallaba compuesta por multitud de alquerías[1] al oeste de la ciudad. Se trataba de una zona llana[2] y fértil, debido a que contaba con un ordenado y complejo sistema de distribución de agua a través de acequias[3] construidas en época romana, que luego fue desarrollado y perfeccionado por los musulmanes. Tras la rendición de Granada ante los Reyes Católicos, la [...] distribución de la tierra en huertos[4] y pequeñas parcelas pasó a tomar la forma de los cortijos: grandes extensiones de cultivos, propiedad de nobles, principales cristianos y órdenes religiosas...

Ildefonso FALCONES (escritor español), *La mano de Fátima*, 2009

1. *fermes* 2. *une plaine* 3. *canaux* 4. *jardins potagers*

Texto 2

Líneas 1 a 6

e. Describe la vega de Granada y di por qué era una zona fértil. ¿Quiénes fueron los que desarrollaron el sistema de distribución de agua?

Líneas 6 al final

f. Di cómo se distribuía la tierra antes de la llegada de los Reyes Católicos. ¿Qué cambios ocurrieron después?

Textos 1 y 2

g. Apunta los elementos que muestran que el legado hispanomusulmán marca el paisaje de Granada (ciudad y alrededores).

Recursos

Sustantivos
- los alrededores: *les alentours*
- la belleza
- el paraíso

Adjetivos
- hispanomusulmán(ana)
- varios(as): *plusieurs*

Verbos y expresiones
- compadecerse de: *avoir pitié de*
- ya no: *ne... plus*

A2+ Música y poesía con historia

a. Enumera las informaciones que nos da el cartel.
b. Fíjate en las fechas y explica lo que quieren poner de relieve.
c. Describe la imagen diferenciando lo que ves en primer término de lo que ves en el trasfondo. ¿Qué relaciones y puntos comunes existen entre las dos partes?

Búsqueda en internet

PREPARA EL PROYECTO Cita otros aportes e inventos de los árabes en tiempos de al-Ándalus. Precisa qué permitieron mejorar y desarrollar.

FICHIER DE L'ÉLÈVE P. 21

Recursos

Sustantivos
- un cajón
- las cifras
- una espada: *une épée*
- "el kanun"= instrumento que se toca poniéndolo encima de las rodillas
- un laúd: *un luth (instrument)*
- el tablero de ajedrez: *l'échiquier*
- un turbante

Verbos y expresiones
- dar palmas: *taper des mains*
- desprenderse (un ambiente): *se dégager*

Lengua activa

PRÉCIS 21

Les impératifs d'ordre et de défense

- ***Enjuga*** *el llanto, cristiana.*
- ***Vuélveme****, moro, a mi padre.*
- ***No me atormentes*** *así.*

Conjugue les verbes à l'impératif.
a. ¡(Adornar/tú) tu salón con esta alfombra!
b. ¡(Cubrir/tú) tu cabello con este velo!
c. ¡No (llorar/tú)!

LÉXICO La agricultura en al-Ándalus

Choisis les mots qui correspondent aux définitions : *las acequias, cultivos, las alquerías, la fuente, vega.*
a. La … es una tierra fértil.
b. El agua mana de … .
c. En … viven los campesinos.
d. La distribución del agua se hace gracias a … .
e. El agua permite una gran variedad de … .

EXERCICES P. 96-97

Enfoque sobre la noción

Memoria

Apoyándote en los textos y en la foto, muestra que los aportes de la civilización árabe fueron considerables.
- Enumera todos los monumentos que recuerdas construidos por los árabes en Granada.
- Da cuatro ejemplos para poner de relieve que la civilización árabe era desarrollada.

A2 Las torres de Teruel, Patrimonio de la Humanidad

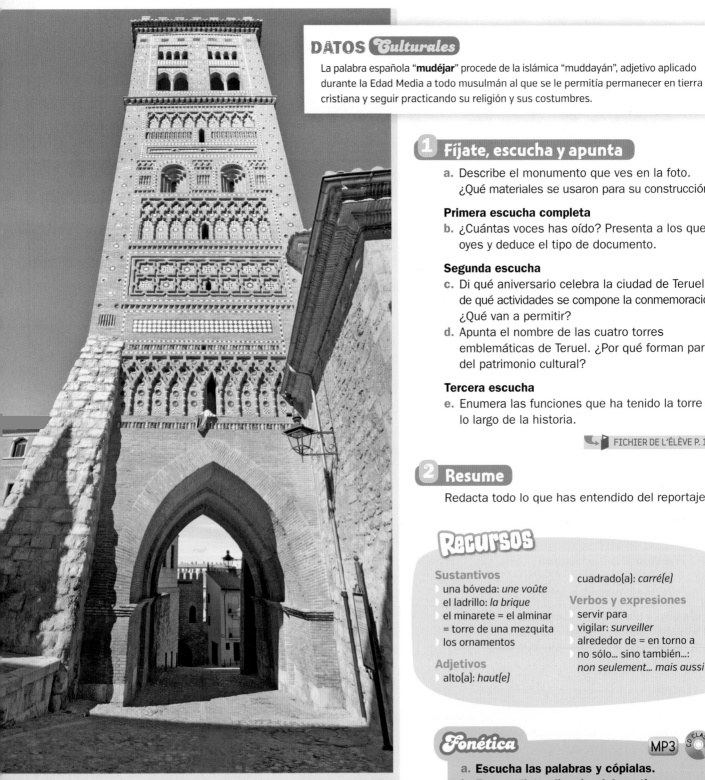

MP3 CD CLASSE

Torre de San Martín (Teruel), erigida en 1313, estilo mudéjar

DATOS Culturales

La palabra española "**mudéjar**" procede de la islámica "muddayán", adjetivo aplicado durante la Edad Media a todo musulmán al que se le permitía permanecer en tierra cristiana y seguir practicando su religión y sus costumbres.

1 Fíjate, escucha y apunta

a. Describe el monumento que ves en la foto. ¿Qué materiales se usaron para su construcción?

Primera escucha completa

b. ¿Cuántas voces has oído? Presenta a los que oyes y deduce el tipo de documento.

Segunda escucha

c. Di qué aniversario celebra la ciudad de Teruel y de qué actividades se compone la conmemoración. ¿Qué van a permitir?

d. Apunta el nombre de las cuatro torres emblemáticas de Teruel. ¿Por qué forman parte del patrimonio cultural?

Tercera escucha

e. Enumera las funciones que ha tenido la torre a lo largo de la historia.

FICHIER DE L'ÉLÈVE P. 19

2 Resume

Redacta todo lo que has entendido del reportaje.

Recursos

Sustantivos
- una bóveda: *une voûte*
- el ladrillo: *la brique*
- el minarete = el alminar = torre de una mezquita
- los ornamentos

Adjetivos
- alto(a): *haut(e)*
- cuadrado(a): *carré(e)*

Verbos y expresiones
- servir para
- vigilar: *surveiller*
- alrededor de = en torno a
- no sólo... sino también...: *non seulement... mais aussi*

a. **Escucha las palabras y cópialas.**

b. **En esta lista, di qué palabras tienen diptongo (unión de dos vocales).**

c. **Repite estas palabras en voz alta.**

A2+ Huellas del arte mudéjar en Sevilla

Empieza el Mudéjar en Sevilla en 1248 cuando la ciudad es conquistada a los almohades[1] por los ejércitos cristianos de Fernando III y se prolonga en el tiempo hasta el presente, de muy diversas maneras. [...]
En la conquista cristiana [...] hubo vencedores, los españoles cristianos, y vencidos: los españoles musulmanes, pero también se produjo un curioso fenómeno que supuso una paradójica[2] inversión de tales roles. En aspectos relacionados con el arte y las artesanías, fueron los supuestos vencidos los que finalmente hicieron prevalecer su cultura. Términos como albañil[3], azulejo, acequia, alberca[4] y varios miles de palabras de la lengua española, son de origen islámico. La pervivencia de edificios islámicos después de ser conquistadas las ciudades, la falta de artesanos entre los repobladores cristianos y el innegable[5] atractivo estético de sus construcciones y de sus brillantes ornamentaciones, hicieron que los vencedores asumieran como algo propio la estética de los supuestamente vencidos.

Sevilla Mudéjar, Turismo Sevilla, 2013

1. pueblos del norte de África
2. *paradoxale*
3. *maçon*
4. *bassin*
5. *indéniable*

Líneas 1 a 5

a. Apunta lo que se produjo en Sevilla en 1248.
b. Di quiénes fueron "los vencidos y los vencedores" después de la conquista cristiana.

Líneas 5 al final

c. Busca todo lo que permite afirmar que los vencidos pudieron mantener su cultura tanto a nivel arquitectónico, como técnico y lingüístico después de la Reconquista. ¿Cómo explicarlo?

Expresión oral

PREPARA EL PROYECTO Eres guía en Sevilla. Explicas la riqueza de la cultura hispanomusulmana a un grupo de turistas dando ejemplos de su impronta en la ciudad, en la lengua española y en la vida cotidiana.

FICHIER DE L'ÉLÈVE P. 20

Recursos

Sustantivos
- el artesano: *l'artisan*
- la incapacidad
- la maestría: *la maîtrise*
- el origen

Adjetivos
- equiparable = comparable

Verbos y expresiones
- no atreverse a: *ne pas oser*
- influir en
- pasar a ser: *[fig.]* devenir

Lengua activa

PRÉCIS 18.E, CONJ. P.246-247

Le passé simple des verbes irréguliers

- *En la conquista cristiana* ***hubo*** *vencedores.*
- ***Se produjo*** *un curioso fenómeno que* ***supuso*** *una inversión de roles.*
- ***Fueron*** *los supuestos vencidos los que* ***hicieron*** *prevalecer su cultura.*

Conjugue les verbes au passé simple.

a. La presencia árabe (producir) muchas palabras.
b. (Haber) vencidos y vencedores.
c. Los árabes (ser) grandes arquitectos.

LÉXICO Palabras de origen islámico

Repère les mots d'origine arabe.

a. En los alcázares construidos por los albañiles se ven surtidores en las albercas y azulejos en los muros.
b. Cuando se fueron los almohades apareció el arte mudéjar.
c. Las acequias permiten irrigar los campos.

EXERCICES P. 96-97

Enfoque sobre la noción

Memoria

Apoyándote en la grabación y en el texto, muestra que la cultura árabe sigue presente en la España de hoy.

- Di qué puntos comunes tienen Teruel y Sevilla.
- Da ejemplos de la grandeza de la civilización árabe y di lo que queda de ella a pesar del tiempo.

comprensión escrita

Texto 1

A2 En la iglesia de San Miguel

Durante varios años acompañé a mi madre al mercado y a la salida hacíamos escala en la iglesia de San Miguel. La iglesia de San Miguel está edificada sobre la primera mezquita que hallaron[1] las tropas cristianas del rey Jaume I al entrar en la ciudad de Palma de Mallorca [...]. Era el día 31 de diciembre de 1229. [...] Es un templo abierto donde la gente entra y sale y se mueve[2] casi como se mueve en el mercado, la cesta cargada[3], un cirio[4] entre las manos o paseando entre los bancos como se pasea por un jardín. San Miguel tiene aire de sinagoga, de mezquita, de capilla de rito bizantino, de iglesia católica [...].

José Carlos LLOP (escritor español), *En la ciudad sumergida*, 2010

1. encontraron 2. se desplaza 3. *le panier rempli* 4. *un cierge*

Texto 1

Líneas 1 a 5

a. Precisa en qué circunstancias solía entrar el narrador en la iglesia.
b. Di en qué ciudad está la iglesia de San Miguel y precisa sobre qué otro monumento está edificada.
c. Deduce por qué se construyó la iglesia.

Líneas 5 al final

d. Apunta las comparaciones sorprendentes que hace el narrador y di cómo las justifica.

Texto 2

A2+ La mezquita catedral de Córdoba

Mezquita catedral de Córdoba

Hernando elevó la mirada al techo de la catedral. [...] La mezquita de Córdoba se mostraba como un prodigio de la arquitectura musulmana, el resultado de un audaz ejercicio constructivo [...]. Al contrario de lo que sucedía con las construcciones cristianas, en la mezquita, la base firme, el peso, se hallaba por encima de las esbeltas columnas en notorio y público desafío a las leyes de la gravedad[1].[...]
¿Por qué no habrían derruido[2] los cristianos todo vestigio de aquella religión? [...] Podían haber proyectado la construcción de una gran catedral como las de Granada o Sevilla y, sin embargo, habían permitido que la memoria musulmana perviviese [...]. "Mágica unión la que se respira en el interior de este edificio", suspiró.

Ildefonso FALCONES (escritor español), *La mano de Fátima*, 2009

1. *défi aux lois de la gravité* 2. destruido

Texto 2

Líneas 1 a 7

e. Apunta dónde se encontraba Hernando y qué estaba mirando.
f. Describe los sentimientos e impresiones que despertó en él el lugar.

Líneas 8 al final

g. Aclara la expresión "mágica unión" y explica qué experimentó Hernando.

Textos 1 y 2

h. Compara el comportamiento que tuvieron los cristianos en Córdoba con el que tuvieron en Sevilla, Granada y Palma.

Recursos

Sustantivos
- la admiración
- la fascinación
- el ambiente: *l'atmosphère*
- la sorpresa
- el techo: *le plafond*

Adjetivos
- boquiabierto(a): *bouche bée*
- impresionado(a)

Verbos y expresiones
- preferir (ie,i)
- quedarse: *rester*
- soler (ue): *avoir l'habitude de*
- en vez de = en lugar de

A2+ Mezquita catedral de Córdoba

Mezquita de Córdoba, Ernest DESCALS (pintor español), 2012

Recursos

Sustantivos
- un arco
- un espejismo: *un mirage*
- el espejo: *le miroir*
- un laberinto
- un lienzo = un cuadro
- el origen

Adjetivos
- celestial: *céleste*
- difuso(a)
- sobrenatural

Verbos y expresiones
- parecerse a: *ressembler à*
- reflejarse
- se diría que: *on dirait que*

a. Identifica el monumento representado. Según Descals ¿de qué religión es emblemático?
b. Describe la parte superior del monumento fijándote en la arquitectura y en la luz.
c. Fíjate en el título de la obra y deduce la intención del pintor.
d. Detalla las impresiones que se tienen al observar el suelo del monumento.

Expresión escrita

PREPARA EL PROYECTO Redactas una página de presentación de la mezquita de Córdoba para la oficina de turismo. Presentas su situación geográfica, el legado que transmite, los sentimientos y sensaciones que despierta.

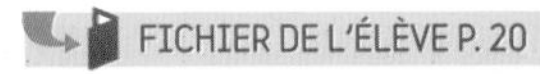
FICHIER DE L'ÉLÈVE P. 20

Lengua activa

PRÉCIS 42

Se: un équivalent de « on »

- *Como* ***se pasea*** *por un jardín.*
- *Mágica unión la que* ***se respira*** *en el interior.*

Imite le modèle : *Como la gente pasea por un jardín.* → *Como se pasea por un jardín.*

a. La gente entraba y salía de la iglesia.
b. La gente puede seguir admirando aquel prodigio constructivo.
c. Hoy día la gente visita tanto los alcázares como la catedral.

LÉXICO Legado del pasado musulmán

Forme une phrase avec les mots suivants :
una catedral – una arquitectura musulmana prodigiosa – construyeron – y así – los cristianos – sobre la mezquita – en Córdoba – se conservó

EXERCICES P. 96-97

Enfoque sobre la noción

Memoria

Apoyándote en el texto y en el cuadro, muestra cómo ilustran que en tiempos de al-Ándalus coexistieron culturas diferentes.

- Enumera las características propias del arte hispanomusulmán que has descubierto.
- Recuerda los elementos que indican que existió una convivencia entre las religiones musulmana y católica. ¿Cómo se traduce en la mezquita catedral de Córdoba, por ejemplo?

PANORAMA

Las rutas de al-Ándalus

A El territorio de al-Ándalus: una realidad cambiante

Pasearse por España implica tarde o temprano recorrer las Rutas de al-Ándalus, unas rutas que permiten descubrir el patrimonio cultural relacionado con el periodo hispanomusulmán. **Al-Ándalus** era el nombre de la zona ocupada por el estado musulmán en la Península Ibérica. Llegó a comprender gran parte del territorio español. La ocupación se inició en **711**, cuando desembarcó en Gibraltar, un ejército de 9. 000 hombres procedentes del norte de África, y duró hasta **1492** cuando tomaron el reino de Granada los Reyes Católicos, Isabel de Castilla y Fernando de Aragón. Su extensión varió a medida que los hispanomusulmanes avanzaban o retrocedían, conquistando o perdiendo territorio frente a los cristianos.

Evolución de la frontera entre al-Ándalus y los reinos cristianos

Arcos del atrio de la iglesia de San Miguel de Escalada (siglo X), Léon

B Rutas del arte hispanomusulmán

Después de instalarse los árabes en la Península Ibérica nació un arte islámico que pudo tomar distintas formas: **arte califal** (mezquita de Córdoba), **arte mudéjar** (Torre de Teruel), **arte mozárabe** (San Miguel de la Escalada). La palabra "mudéjares", designaba a los musulmanes que, viviendo en tierras reconquistadas por los cristianos, seguían conservando su religión, sus costumbres e incluso sus jefes, bajo la autoridad suprema del monarca cristiano. A la inversa, los mozárabes eran los cristianos que habitaban en territorio musulmán.

Pueblo de Olvera, provincia de Cádiz

La ruta de los Pueblos blancos

C

En Andalucía, la Ruta de los **pueblos blancos** creada por la Junta permite descubrir otro legado del periodo hispanomusulmán: la arquitectura popular. Los pueblos se caracterizan por sus casas encaladas[1], cubiertas de teja rojiza y con sus patios con pozos, en los hermosos paisajes de las sierras[2]. Potencian la oferta de turismo de Andalucía: han contribuido a desarrollar el sector servicios (hostelería, ocio, transportes) y han fomentado la creación de puestos de trabajo.

1. blancas **2.** montañas

Vista parcial de las treinta y dos pilastras de la sinagoga Santa María la Blanca, Toledo

D

Las huellas judías en las ciudades de al-Ándalus

En tiempos de al-Ándalus también era numerosa la comunidad judía en la Península. Se concentraba en las juderías o barrios judíos. Se dio pues una coexistencia e interrelación de "tres culturas" en una clara confusión entre cultura y religión, siendo **Toledo** un testimonio vivo de esta convivencia. La ciudad llegó a contar diez sinagogas, de las que sólo dos quedan hoy en pie: el Tránsito y Santa María la Blanca. Ésta se destinó al culto cristiano en 1411, momento en que se expulsó a los judíos.

Ciberencuesta

Conéctate a http://fr.slideshare.net/profeshispanica/etapas-bsicas-en-la-historia-de-al-Ándalus

1. Enumera cronológicamente las diferentes fases de la historia de al-Ándalus, destacando cuándo se produjo el apogeo y qué pasó en torno al año 1031.

Conéctate a http://www.hispanoarabe.org/al_andalus.htm

2. Describe las huellas que ha dejado en la decoración y en la arquitectura el arte hispanomusulmán.

Conéctate a http://www.andalucia.org/es/rutas/tipos/rutas-culturales/rutas-de-arquitectura-popular/

3. Cita los elementos que les confieren cierta uniformidad a los pueblos blancos. Elige una ruta y describe su itinerario.

Conéctate a http://www.abc.es/viajar/

4. Entra "juderías" en el buscador y abre el artículo sobre las "Doce juderías". Da el nombre de cinco ciudades que poseían una judería (*un quartier juif*). ¿Qué construcciones atestiguan hoy todavía la importante presencia judía en su casco histórico?

comprensión oral  Escucho una canción dedicada a al-Ándalus

Canción *Al-Ándalus*, David Bisbal

> **OBJECTIF** A2+ : comprendre l'histoire d'une région à travers une chanson d'amour.

Antes de escuchar

a. Describe rápidamente lo que ves en el cartel.

Primera escucha

b. ¿A qué tipo de música recuerda la melodía?

c. Enumera las palabras relacionadas con la geografía andaluza. ¿A qué corresponden?

Segunda escucha

d. ¿A quién llama "al-Ándalus" el cantante? Justifica con las palabras que has oído.

e. Apunta todas las palabras que permiten hacer un retrato de al-Ándalus.

Tercera escucha

f. Muestra que al-Ándalus tiene muchos pretendientes y que hasta el cantante está enamorado de ella.

Recursos

Sustantivos
- un(a) bailarín(ina): *un(e) danseur(euse)*
- un traje oriental

Verbos y expresiones
- personificar: *personnifier*

Conéctate al aula virtual *Próxima parada* para rellenar la ficha

Cultura hispanomusulmana

expresión escrita Imagino un producto inspirado por al-Ándalus

> **OBJECTIF** B1 : rédiger un publi-reportage pour promouvoir un produit.

Imagina un nuevo producto de inspiración andalusí y redacta un publirreportaje para promoverlo imitando el modelo.

a. Selecciona un producto (artículo de decoración, vestido, perfume...) y dale un nombre.

b. Establece y describe los vínculos (*les liens*) claros (diseño, colores...) que existen entre el producto, su diseño y un lugar emblemático de al-Ándalus.

Recursos

Sustantivos
- un objeto de arte
- el refinamiento = la elegancia

Adjetivos
- atractivo(a): *attrayant(e)*
- prestigioso(a)

Verbos y expresiones
- dar ganas de: *donner envie de*

Publirreportaje

Edición especial del perfume Aire de Loewe

Las combinaciones geométricas coloristas, alegres y sensuales que adornan los monumentos emblemáticos de la arquitectura andalusí han sido fuente de inspiración en Loewe desde su fundación. El ilustrador Carlos Buendía ha diseñado una colección donde las creaciones olfativas se mimetizan con el arte y la rica cultura andalusí. Los incondicionales de la mítica fragancia *Aire* descubrirán arte y color en un estuche[1] que encierra su perfume habitual.

1. *coffret*

Internet TICE Imagino un recorrido en tren para descubrir al-Ándalus

Conéctate a: http://www.turismoentren.com/

1 Busca información

a. Haz clic en "Tren al-Ándalus". Describe el tren y precisa en qué condiciones permite viajar.

b. Haz clic en "Ver itinerarios, salidas, precios". Fíjate en el itinerario al-Ándalus y pincha en "Ver itinerarios y precios". Describe las etapas del recorrido que se propone a los pasajeros. ¿Qué incluye el viaje? ¿En función de qué puede variar el precio del viaje?

c. Vuelve a la página inicial. Haz clic en el vídeo "Tren al-Ándalus.mov". Haz un balance de los puntos positivos y negativos del trayecto. Da cinco ejemplos.

2 Redacta un programa de visitas

d. A partir de tus notas, explica qué es el tren al-Ándalus poniendo de relieve las ventajas de la fórmula.

e. Siguiendo el itinerario, redacta un programa de visitas para 7 días.

Recursos

Sustantivos
- los pasajeros = los viajeros
- un recorrido = un itinerario, una ruta

Adjetivos
- lujoso(a): *luxueux(euse)*

Verbos y expresiones
- descansar: *se reposer*
- disfrutar de: *profiter de*
- pasando por

Vídeo Descubro la fuente de inspiración que es la Alhambra

Manuel Numérique PREMIUM

Conéctate al aula virtual *Próxima parada* para rellenar la ficha

DVD *Morente sueña la Alhambra*, reportaje TVE, 2005

La cantante Estrella Morente durante el rodaje de *Morente sueña la Alhambra*

1 Fíjate

a. Describe y sitúa la escena del fotograma. ¿Qué elementos decorativos y arquitectónicos reconoces?

b. Di cuál es el tema del reportaje y presenta a las tres personas entrevistadas.

2 Primer fragmento

c. Apunta las frases o palabras que evidencian que la Alhambra es un sitio maravilloso.

d. Determina qué tipo de película es *Morente sueña la Alhambra*. Justifica tu respuesta.

e. La periodista dice que para Morente esta película significó un encuentro mágico y de fusión. ¿Por qué?

3 Segundo fragmento

f. Explica cómo llegaron algunos artistas famosos a acompañar a Morente en su proyecto.

4 Resume

g. Redacta lo que has entendido del vídeo.

Recursos

Sustantivos
- un(a) bailaor(a) = que baila flamenco
- un cantaor = un cantante de flamenco
- un documental: *un film documentaire*
- un homenaje

Verbos y expresiones
- representar (un papel): *jouer (un rôle)*
- seguir (i): *suivre*
- en torno a: *autour de*

Memoria

Gramática activa

Le passé simple des verbes réguliers

LENGUA ACTIVA p. 83
PRÉCIS 18.E

1 Conjugue ces verbes au passé simple.

a. Los árabes (aportar) conocimientos científicos.
b. En al-Ándalus, musulmanes, cristianos y judíos (convivir) durante siglos.
c. Boabdil, el último rey musulmán, (perder) Granada.
d. Los Reyes Católicos (reconquistar) los territorios perdidos.
e. La catedral (quedar) edificada sobre la mezquita.
f. El año pasado nosotros (hablar) del legado andalusí.

La forme d'insistance « c'est ... que »

LENGUA ACTIVA p. 85
PRÉCIS 45

2 Conjugue *ser* au temps qui convient.

a. (Ser) Granada la que nos encanta.
b. (Ser) los árabes los que edificaron aquel palacio.
c. (Ser) aquellas ruinas las que nos fascinaban.
d. (Ser) esta película la que nos habla de los Reyes Católicos.
e. (Ser) en la Alhambra donde se rodó el documental.
f. (Ser) antes de la Reconquista cuando convivían musulmanes, judíos y cristianos.

3 Emploie comme il convient *el/los que, la/las que*.

a. Es esta chica ... cuenta la historia de los reyes musulmanes.
b. Fue el padre ... habló de la Reconquista.
c. Fueron los monumentos ... más se visitaron este año.
d. Son las visitas nocturnas ... les gustan a los turistas.
e. Eran los jardines del Generalife ... se iluminaban.
f. Es esta historia ... más nos gusta.

Les impératifs d'ordre et de défense

LENGUA ACTIVA p. 87
PRÉCIS 21

4 Mets les verbes à l'impératif (ordre ou défense).

a. ¡(Hablar/nosotros) de aquellos monumentos!
b. ¡No (prometer/tú) que vas a venir y (avisarme)!
c. ¡(Trabajar/tú) en Medina Azahara este año y no (perderte) la oportunidad!
d. ¡(Escribir/usted) lo que quiera y no (tener) miedo!
e. ¡No (soñar/vosotros) con aquella historia y (dormir)!
f. ¡(Visitar/vosotros) el palacio y la mezquita y no (abandonar) la ciudad antes!

Le passé simple des verbes irréguliers

LENGUA ACTIVA p. 89
PRÉCIS 18.E

5 Conjugue ces verbes au passé simple.

a. (Nosotros/tener) la oportunidad de visitar Andalucía y (estar) encantados.
b. La catedral de Córdoba (ser) primero una mezquita que los cristianos no (querer) destruir.
c. Los arquitectos (construir) muchos monumentos que (ser) símbolos de dominación.
d. (Yo/estar) maravillado delante de aquel prodigio y vosotros también (estar) estupefactos.
e. Los maestros (dar) clases de filosofía y (saber) transmitir sus conocimientos.
f. (Tú/querer) contemplar la Alhambra desde la colina mientras tus amigos (seguir) al guía.

6 Mets les verbes conjugués au passé simple.

a. Me voy a Córdoba a visitar la mezquita.
b. En la parte más alta de la ciudad, está el observatorio.
c. En la escuela de idiomas leemos y hablamos francés.
d. Lo que más me gusta es aquel monumento.
e. Vosotros descubrís las influencias cuando veis la película.
f. Digo a tus amigos que haces de guía en Sevilla.

Se: un équivalent de « on »

LENGUA ACTIVA p. 91
PRÉCIS 42

7 Remplace le verbe à la 1re personne par *se*. Attention aux temps !

a. Con estas explicaciones, disfruto de la visita.
b. En la Alhambra, aprecio el saber de los artesanos.
c. Gracias a esta película pude conocer la vida de Isabel la Católica.
d. Es posible que yo haga un reportaje sobre este sitio.
e. En Córdoba veo una catedral que fue mezquita.
f. Doy clases de francés a los que quieren aprenderlo.

8 Remplace le verbe à la 1re personne du pluriel par *se*. Attention aux temps ! Ces deux formes (1re personne du pluriel et *se*) sont des équivalents de « on »: en quoi sont-elles différentes?

a. Íbamos al mercado por este camino.
b. Podemos ver este cuadro en el museo de la ciudad.
c. Observamos el cielo desde el observatorio.
d. Seguimos la ruta del califato gracias a este mapa.
e. El año pasado proyectamos en casa un viaje a Andalucía.
f. Conocemos la historia gracias a aquellos libros y monumentos.

LÉXICO

FICHIER DE L'ÉLÈVE P. 21

1. **Con ayuda de las palabras del léxico, di quiénes fueron los que convivieron en la España de las tres culturas y cómo. (columna I)**
2. **Explica cómo se organizaba la vida social en al-Ándalus. (columna II)**
3. **Di en qué consistió la Reconquista y lo que implicó para los ex territorios moros. (columna III)**
4. **Da ejemplos de lo que aportaron los árabes de al-Ándalus a la agricultura o la arquitectura. (columna IV)**

I LA ESPAÑA DE LAS TRES CULTURAS *(L'Espagne des trois cultures)*

- la convivencia: *la vie en commun*
- el cristiano: *le chrétien*
- el judío: *le juif*
- el musulmán: *le musulman*
- la tolerancia: *la tolérance*
- convivir: *vivre ensemble*
- en armonía: *en harmonie*
- tolerante: *tolérant(e)*

II ORGANIZACIÓN SOCIAL EN AL-ÁNDALUS *(Organisation sociale du temps d'al-Ándalus)*

- los artesanos: *les artisans*
- los campesinos: *les paysans*
- los hombres de ciencia: *les érudits*
- los huertos: *les champs*
- la madrasa: *l'école*
- la medina: *la partie ancienne de la ville*
- los palacios: *les palais*
- los pudientes: *les hommes de pouvoir*

III LA RECONQUISTA *(La Reconquête)*

- la fe católica: *la foi catholique*
- la reina, el rey: *la reine, le roi*
- los Reyes Católicos (Isabel y Fernando): *les Rois Catholiques*
- convertirse (ie,i) a la religion católica: *se convertir à la religion catholique*
- entregar las llaves de la ciudad: *remettre les clefs de la ville*
- imponer una ley, una fe, un rey: *imposer une loi, une foi, un roi*
- pasar a ser: *devenir*
- reconquistar: *reconquérir*

IV LO QUE QUEDA DE AL-ÁNDALUS *(Ce qu'il reste d'al-Ándalus)*

- la acequia: *le canal d'irrigation*
- el alcázar = el palacio: *l'alcazar = le palais*
- los azulejos: *les carreaux de faïence*
- las casas encaladas: *les maisons blanchies à la chaux*
- los diseños geométricos: *les motifs géométriques*
- la noria (para irrigar): *la noria (pour irriguer)*
- el patio: *le patio*
- el yeso: *le plâtre*

Enfoque final: noción y documentos

FICHIER DE L'ÉLÈVE P. 22

Al-Ándalus: un patrimonio atractivo

→ **Las huellas de al-Ándalus en España son muy atractivas.**

- *Visita nocturna a la Alhambra* p. 84
- *La Alhambra y el cine* p. 85
- *La mezquita catedral de Córdoba* p. 90-91

Huellas de al-Ándalus en España

→ **Para los españoles, lo árabe sigue vivo.**

- *Hablando de la Reconquista* p. 83
- *La vega de Granada* p. 86
- *Huellas del arte mudéjar en Sevilla* p. 89
- *En la iglesia de San Miguel* p. 90
- *La mezquita catedral de Córdoba* p. 90-91

La España de las tres culturas: un ejemplo de tolerancia

→ **Musulmanes, cristianos y judíos convivieron en España durante siglos.**

- *Corriendo van por la vega* p. 86
- *La vega de Granada* p. 86
- *Huellas del arte mudéjar en Sevilla* p. 89

Bellas Artes

Construida por los sultanes nazaríes (siglo XIII), **la Alhambra** era un lugar de residencia y de recreo donde se disfrutaba de una vida de lujo y placeres. Las paredes del palacio están cubiertas con azulejos y caracteres caligráficos. Los azulejos se reservan principalmente a las zonas inferiores de las paredes y son de diseño sobre todo geométrico. Los caracteres caligráficos, que se confunden con motivos vegetales, son versos procedentes del Corán o poemas que ensalzan al gobernante, a la misma Alhambra o la hermosura de la naturaleza.

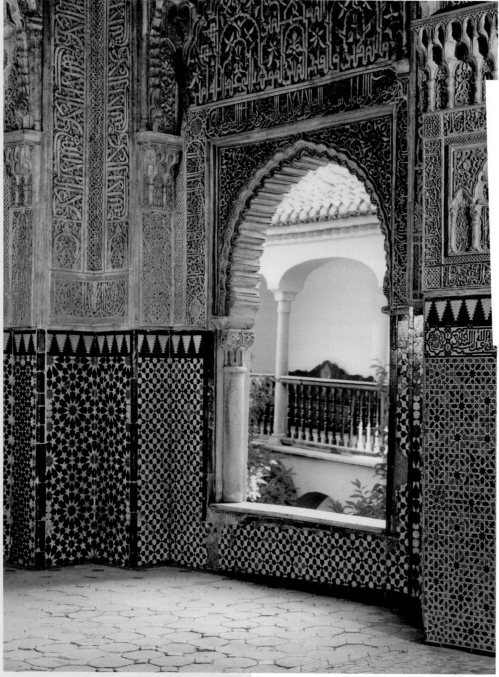

Mirador de Lindaraja, palacio de la Alhambra, Granada

El arte del azulejo y la belleza de la caligrafía. Dilo con lo que sabes...

a. Di lo que representa la foto precisando lo que se ve por la ventana. ¿Qué apreciaban los que vivían allí?
b. Enumera los elementos característicos de la arquitectura árabe que reconoces insistiendo en lo impresionante del trabajo del artesano.
c. Muestra que el palacio de la Alhambra es una herencia valiosa para los españoles.

Recursos

Sustantivos
- un arco polilobulado: *un arc polylobé*
- el encaje: *la dentelle*
- los naranjos: *les orangers*
- las losetas: *les petites dalles, les tomettes*
- la pared: *le mur*

Adjetivos
- embaldosado(a): *carrelé(e)*
- minucioso(a): *minutieux(euse)*
- valioso(a): *de valeur*

Verbos y expresiones
- dar a: *donner sur*

Para saber más: **http://www.fotoaleph.com/Colecciones/Alhambra/Alhambra-texto.html#Alhambra**

Memoria

PROYECTO A

Cuenta los recuerdos de un viaje por Andalucía

expresión oral

Para animar a tus amigos a emprender un viaje por Andalucía, les cuentas los recuerdos del viaje que hiciste el año pasado.

1 Prepara y estructura tu intervención

a. Piensa en un itinerario que se compone de varias etapas y precisa el tipo de turismo que implica, el transporte utilizado, los diferentes tipos de alojamiento.

b. Lista lo que sabes de las ciudades visitadas: pasado histórico, paisaje urbano, transformaciones a lo largo del tiempo...

c. Precisa cuándo hiciste el viaje, cuánto duró la estancia y cuánto tiempo te quedaste en cada ciudad.

2 Relata el viaje

d. Empieza con una presentación global de la estancia.

e. Describe las ciudades que visitaste, insistiendo en lo que representan desde un punto de vista cultural.

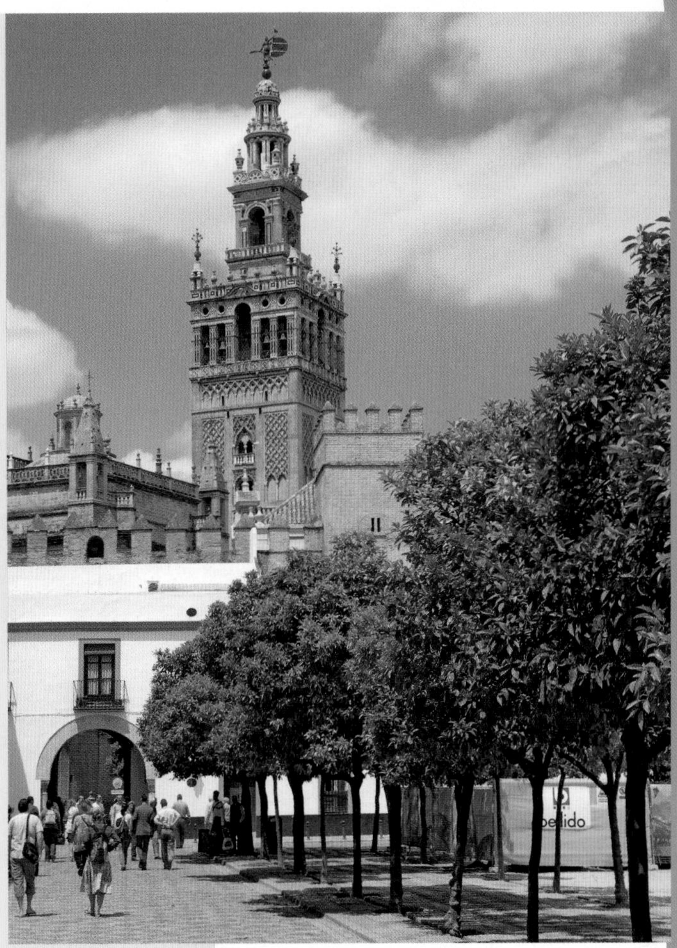

La Giralda de Sevilla

PROYECTO B

Redacta la ficha de una ciudad emblemática de al-Ándalus para una guía turística

expresión escrita

Debes presentar una ciudad emblemática de al-Ándalus para una guía turística española. Redactas una ficha práctica con consejos y recomendaciones para facilitar la visita.

1 Prepárate

a. Escoge la ciudad de al-Ándalus más bella para ti y reúne por escrito las informaciones necesarias: pasado histórico, monumentos que quedan hoy, legado cultural...

b. En Internet completa la información y busca una o dos fotos ilustrativas.

2 Redacta la ficha práctica

c. Redacta la ficha con un título atractivo y pega la(s) foto(s) de la ciudad escogida.

d. Enumera los consejos y recomendaciones que les permitirán a los turistas hacer el recorrido más bonito, disfrutando de los monumentos más señalados.

Páginas web que puedes consultar:
http://www.andalucia.org/es/turismo-cultural/
http://www.visitasevilla.es/es/que-ver

comprensión oral  La ruta del califato

> OBJECTIF A2+ : comprendre un reportage sur un circuit touristique lié à l'histoire d'un pays.

Escucha la grabación y contesta.

A2

- **a.** Presenta a los que hablan y di de qué trata el reportaje.
- **b.** Di lo que propone la Fundación Legado Andalusí.
- **c.** Apunta el nombre y las características de las ciudades que une la Ruta del Califato.

A2+

- **d.** Precisa cuáles eran las dos principales funciones que tenía esta ruta en la Edad Media completando las frases siguientes:
  La ruta fue el camino más transitado por...
  La ruta fue un camino del...

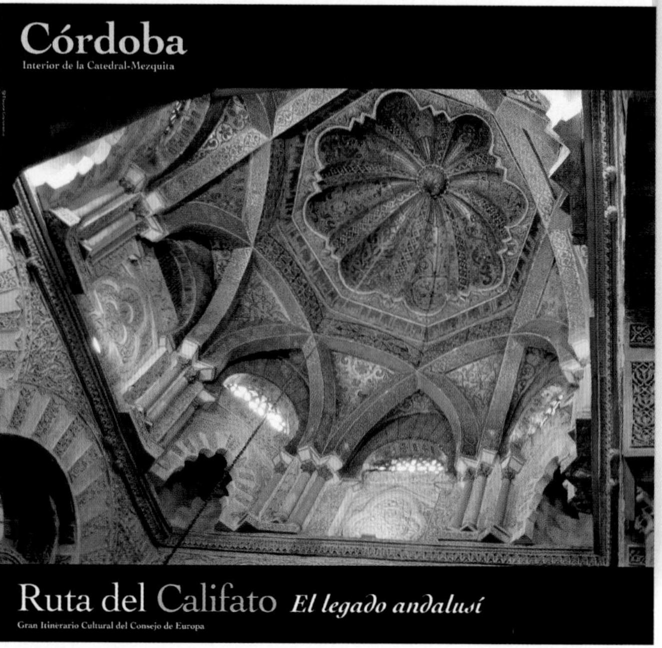

Córdoba
Interior de la Catedral-Mezquita
Ruta del Califato *El legado andalusí*
Gran Itinerario Cultural del Consejo de Europa

comprensión escrita Segovia descubre su legado andalusí

> OBJECTIF A2+ : comprendre un texte sur le patrimoine culturel d'une ville.

"La impronta[1] del legado islámico es indiscutible." Gema Martín Muñoz, directora general de la Casa Árabe en España, aplaudió ayer la iniciativa del Ayuntamiento de Segovia para recuperar esa parcela de la memoria histórica de la ciudad mediante[2] la Semana de la Cultura Árabe, un ciclo de conferencias y visitas guiadas. [...]
Antonio Ruiz Hernando, primer ponente[3] del ciclo con su conferencia sobre *La huella islámica en Segovia,* abordó el periodo "de las iglesias con torres de ladrillo que todo el mundo llama mudéjar y el siglo de las armaduras y techos de madera[4], por ejemplo, de San Antonio el Real y del Alcázar[5] que realizaron carpinteros[6] musulmanes". [...]

Gema Martín resaltó la importancia de contribuir al conocimiento de la cultura árabe con jornadas como las programadas por el Ayuntamiento, pues "España fue islámica" durante ocho siglos de al-Ándalus, y el peso de esa cultura de mil años en la que coexistieron tres religiones, cristiana, musulmana y judía "ha calado en[7] la personalidad hispana".

El Norte de Castilla.es, 14 de octubre de 2010

Lee el texto y contesta.

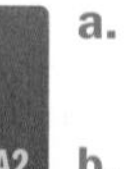

A2

- **a.** Di quién es Gema Martín y de qué se alegra.
- **b.** Segovia formó parte de al-Ándalus, ¿sí o no? Justifica tu respuesta.

A2+

- **c.** Busca en el texto lo que indica por qué y para qué es importante contribuir al conocimiento de lo que fue al-Ándalus.

1. la huella
2. gracias a
3. orador
4. *en bois*
5. convento y castillo de Segovia
6. *des menuisiers charpentiers*
7. ha marcado

expresión oral

¿Visitar la Alhambra es salir de la rutina?

> **OBJECTIF** A2+ : décrire une publicité touristique.
> Temps de parole : 5 minutes

Observa el cartel y contesta.

A2
- a. Di dónde está y qué está haciendo la pareja que aparece en esta publicidad.
- b. Enumera los elementos arquitectónicos que puedes reconocer. ¿A qué arte pertenecen?

A2+
- c. Indica los objetivos de esta publicidad. Justifica tu respuesta con elementos iconográficos y textuales.

Necesitas huir de la rutina
y vivir planes apasionantes.
NECESITAS VACACIONES
NECESITAS Andalucía

Cuéntanos qué necesitas y te recomendaremos lo mejor para tus vacaciones.
Además, podrás ganar regalos exclusivos.
Entra en www.necesitasandalucia.com

Andalucía
TE QUIERE

Andalucía se mueve con Europa

www.andalucia.org

Jardines del Generalife, campaña de turismo "Andalucía te quiere"

interacción oral Intercambiar recuerdos de viaje

> **OBJECTIF** A2+ : décrire des villes au riche patrimoine historique et culturel.

Después de las vacaciones, hablas con un(a) amigo(a) e intercambiáis sobre lo visto durante un viaje por Andalucía. Cada uno justifica su punto de vista con cuatro argumentos relacionados con la historia del lugar, la arquitectura, la decoración y el ambiente. Por parejas, imaginad la conversación.

A2+
- Alumno(a) A: Para él/ella, fue Granada la ciudad más bonita del viaje...
- Alumno(a) B: Le gustaron más Córdoba y Sevilla...

expresión escrita Historia de al-Ándalus

> **OBJECTIF** A2+ : rédiger un bref article historique. Nombre de mots : 120

Eres historiador(a) y redactas un artículo para un número especial sobre al-Ándalus.

A2+
- a. Presenta brevemente la historia de al-Ándalus refiriéndote a la conquista musulmana y a la reconquista cristiana.
- b. Cita y describe varias ciudades españolas que no están en Andalucía con monumentos que recuerdan la presencia y la cultura árabes y explica por qué no hay que reducir al-Ándalus a Andalucía.

UNIDAD 5 Lo precolombino sigue atrayendo

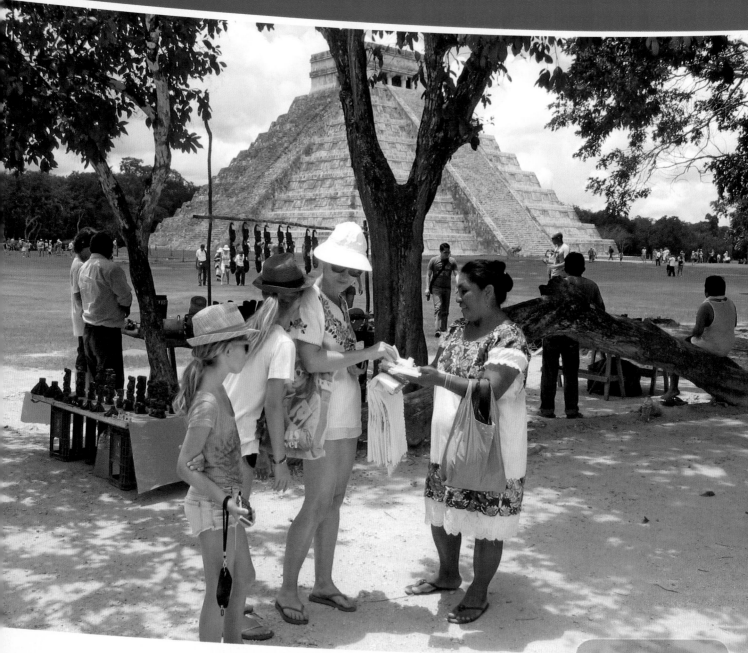

1 Turistas en el sitio maya de Chichén Itzá, México

Recursos

Sustantivos
- un friso: *une frise*
- un(a) indio(a): *un(e) Indien(ne)*
- una pirámide: *une pyramide*
- los vestigios: *les vestiges*

Adjetivos
- alto(a): *haut(e)*
- imponente: *imposant(e)*

Verbos y expresiones
- atraer: *attirer*
- visitar: *visiter*
- limpiar cuidadosamente: *nettoyer soigneusement*
- recién descubierto: *récemment découvert*

PROYECTO A **interacción oral** **Haz de guía en un sitio precolombino.**

PROYECTO B **expresión escrita** **Redacta un folleto turístico para promover un sitio precolombino.**

Outils linguistiques

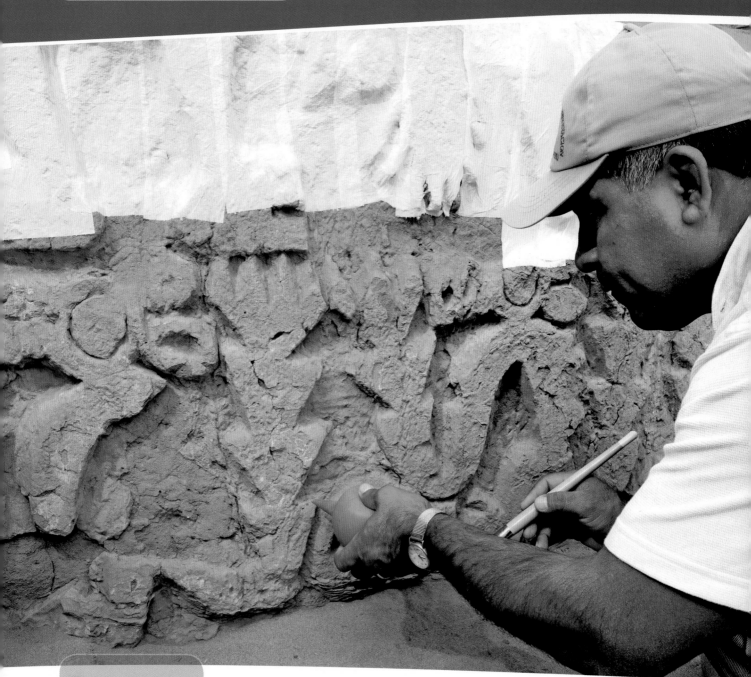

2 Friso precolombino en Huaca Gloria, Perú

Y tú, ¿cómo lo ves?

1. Di qué representa la foto 1 y cuáles son los elementos que la componen.
2. Explica qué está haciendo el arqueólogo de la foto 2.
3. En tu opinión, ¿en qué aspectos ilustran las dos fotos el título de la unidad?

A2 El paraíso es para siempre

RIVIERA MAYA
el paraíso es para siempre

RIVIERA MAYA
www.rivieramaya.com
MÉXICO
www.visitmexico.com

Compaginar cultura y sol

Mira y exprésate

a. Di cuáles son los diferentes elementos que componen el documento.
b. Califica la visión que el documento quiere dar. ¿Te parece justificada? ¿Por qué?
c. ¿Qué quieren sugerir la foto y el lema? Justifica tu respuesta.

Recursos

Sustantivos
- el mar: *la mer*
- un sitio turístico
- una vegetación tropical

Adjetivos
- atractivo(a): *attirant(e)*
- paradisiaco(a)

Verbos y expresiones
- compaginar: *réunir, combiner*
- lo cultural: *ce qui est culturel*

DATOS Culturales

La **Riviera Maya**, donde antes se asentaron pueblos de pescadores, es hoy una importante zona turística que se extiende a lo largo de la costa del Caribe, en la parte oriental de la península de Yucatán (México). Playa del Carmen y Tulum son algunos de sus muchos atractivos.

B1 Mundo maya y televisión

El director del Louvre está ofreciendo una expedición a Nicole, conservadora del mismo museo.

–La verdad es que no quiero que piense que lo que voy a ofrecerle lo hago de forma egoísta. [...] Ya sabe usted que los gastos[1] de la expedición actual en México y norte de Guatemala corren a cargo de[2] una importante empresa, pero ese contrato de colaboración era por ocho meses y se halla próximo a su fin. De hecho finaliza este mes. Parece claro que los recientes descubrimientos imponen nuevas investigaciones, y de forma urgente, pero el problema es que se trata de expediciones muy caras[3]. Hemos hablado con la multinacional y nos han contestado que estarían dispuestos a firmar un nuevo convenio[4]. Pero imponen una condición.

Un ligero fruncimiento asomó en la frente de Nicole. "*Do ut des*[5]" –pensó– "Y aquí intervengo yo."

–Ellos quieren que usted forme parte de la expedición y que desde México o Guatemala vaya enviando con regularidad, vía satélite, un resumen televisado. Se pretende que usted vaya informando de los progresos de la expedición y, al mismo tiempo, dando una imagen de lo que fue el mundo maya. [...]

Nicole quiso decir varias cosas a la vez y no le salió ninguna.

Finalmente asintió[6] con la cabeza.

Juan MARTORELL (escritor español), *La máscara maya*, 2007

1. *les dépenses*
2. *sont supportées par*
3. *coûteuses*
4. *signer un nouveau partenariat*
5. *(expression latine) Donnant donnant*
6. *elle acquiesça*

Lengua activa

PRÉCIS 17

Usted(es)

- ***Sabe usted** que los gastos corren a cargo de una empresa.*
- *Ellos quieren que **usted forme parte** de la expedición.*

Conjugue les verbes au présent.

a. El director le dice a Nicole: "Usted (tener) que aceptar".
b. La conservadora le pregunta al director: "¿Usted (estar) de acuerdo?".
c. Señores empresarios, ustedes (querer) un resumen televisado porque (pensar) que va a interesar a la gente.

LÉXICO Promocionar

Complète les phrases avec les mots suivants : *una colaboración, las grandes empresas, una ayuda financiera, enormes gastos.*

Una expedición representa ... ... y por eso necesita ... ... que solo ... ... pueden aportar. Así, tanto el museo como las empresas se benefician de ... .

EXERCICES P. 118-119

Líneas 1 a 10

a. Precisa quiénes son los protagonistas y di por qué hablan de "una importante empresa".
b. Explica por qué el museo necesita la colaboración de grandes empresas.

Líneas 11 al final

c. ¿Cuál es la condición impuesta por la empresa para aportar una ayuda financiera al museo? ¿Puede el museo rechazar esta condición? ¿Por qué?
d. Detalla en qué va a consistir el resumen televisado.

Expresión escrita

PREPARA EL PROYECTO Un museo mexicano lanza una campaña para recaudar fondos y financiar nuevas excavaciones. Imagina lemas para esta campaña.

FICHIER DE L'ÉLÈVE P. 24

Recursos

Sustantivos
- excavaciones: *des fouilles*
- los hallazgos: *les découvertes, les trouvailles*
- el mecenazgo: *le mécénat*

Adjetivos
- comprensivo(a): *compréhensif(ive)*

Verbos y expresiones
- costar (ue) mucho dinero: *coûter cher*
- financiar: *financer*
- necesitar: *avoir besoin de*
- obedecer: *obéir*
- rechazar: *refuser*

Enfoque sobre la noción

Memoria

Los descubrimientos arqueológicos y las investigaciones necesitan publicidad y dinero. Apoyándote en la publicidad y el texto, muestra cómo ilustran esta noción.

- Muestra cómo los medios modernos ayudan a promover culturas antiguas.
- Explica qué implica dar a conocer las culturas prehispánicas.

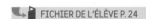

B1 El fin del mundo en 2012

Mario está en el hotel La Pirámide en México

El terreno se deslizaba hacia[1] el mar en un declive apenas perceptible. Con las lluvias, el agua arrastraba[2] la tierra aflojada por la tala[3] de los árboles. [...]

–¡Es el verdadero apocalipsis maya! –el esfuerzo le hizo toser. Varias veces me había hablado del tema. Los mayas calculaban que el mundo terminaría en 2012. Con infalible exactitud, previeron una alineación de planetas que se repite cada veintiséis mil años. A partir de esa fecha límite, organizaron su tiempo atrás[4]. Lo que más le cautivaba a mi amigo era la organización del tiempo en reversa[4]. [...] Mario descartaba[5] que los antiguos moradores de la zona pensaran en un auténtico fin del mundo. Según él, se trataba de hacer borrón y cuenta nueva[6], un examen de conciencia bajo los planetas formados en fila. Por lo demás, los mayas clásicos habían desaparecido antes de la Conquista, sin dejar una nota de suicidio.

Los nuevos mayas tenían una extraña visión de sus antepasados. Los meseros, los guardias, los afanadores, los camareros, los plomeros, los electricistas, los barrenderos[7] y jardineros de La Pirámide creían que sus ancestros habían sido extraterrestres. Solo así se explicaban su grandeza, la refinada crestería de sus pirámides, su impenetrable escritura, su precisión astronómica.

Juan VILLORO (escritor mexicano), *Arrecife*, 2012

Piedra del sol, Museo de Antropología e Historia, México

1. *descendait vers*
2. *emportait*
3. *l'abattage*
4. *compte à rebours*
5. *(ici)* no pensaba
6. *repartir à zéro*
7. *Les serveurs, les gardiens, les hommes à tout faire, les garçons de café, les plombiers, les électriciens, les balayeurs*

Líneas 1 a 10

a. Precisa quién habla, dónde está y di por qué menciona el apocalipsis.

b. Cita la frase que explica por qué se suele relacionar a los mayas con el apocalipsis.

Líneas 10 a 19

c. Explica lo que más le cautivaba a Mario. Deduce por qué y da ejemplos.

d. ¿Por qué hoy día solo hacemos suposiciones sobre la visión del tiempo de los mayas clásicos?

Líneas 20 al final

e. Di cómo explican los mayas de hoy día los conocimientos de sus antepasados. Relaciónalo con el tipo de empleos que se mencionan.

Recursos

Sustantivos
- los antepasados = los ancestros
- la astrología: *l'astrologie*
- la astronomía: *l'astronomie*
- una civilización adelantada: *une civilisation avancée*
- tantos conocimientos: *autant de connaissances*

Adjetivos
- extraño(a): *étrange*
- misterioso(a)

Verbos y expresiones
- ser capaz(ces) de: *être capable(s) de*

B1 Calendario maya

Y... ¿POR QUÉ TERMINA EN EL 2012?
YA NO CABÍA NADA MÁS EN LA ROCA
EL MISTERIO DEL CALENDARIO MAYA POR FIN REVELADO...

- ya no cabía nada más: *il n'y avait plus de place*
- la roca = (*ici*) la piedra

a. Precisa quiénes son los dos personajes y a qué corresponde "la roca".
b. El calendario del cómic termina en 2012 porque... ¿Qué habían imaginado los antiguos mayas?
c. Comenta el humor del dibujante y deduce de quiénes se burla.

Expresión oral

PREPARA EL PROYECTO Le explicas a un(a) compañero(a) lo que representa el año 2012 en las creencias mayas.

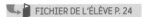

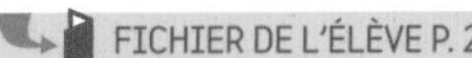
FICHIER DE L'ÉLÈVE P. 24

Recursos

Sustantivos
- la credulidad: *la crédulité*
- la ingenuidad: *la naïveté*
- la profecía: *la prophétie*
- un suceso: *un événement*

Adjetivos
- burlón(ona): *moqueur(euse)*
- ingenuo(a): *naïf(ve)*

Verbos y expresiones
- aprovecharse de: *profiter de*
- burlarse de: *se moquer de*
- creer en: *croire à*
- desaparecer: *disparaître*

Lengua activa

PRÉCIS 18. F

Le plus-que-parfait: *haber* (à l'imparfait) + participe passé

- *Me **había hablado** del tema.*
- *Creían que sus ancestros **habían sido** extraterrestres.*

Conjugue les verbes au plus-que-parfait.
a. Las lluvias (arrastrar) la tierra.
b. Mucha gente (viajar) a México.
c. Pensaban que el fin del mundo (ser) anunciado por el calendario maya.

LÉXICO Ciencias y creencias

Associe les mots aux définitions : *la astronomía, la astrología , la superstición.*
a. Pretende predecir los sucesos por los movimientos de los planetas. Es la ...
b. Es la creencia relativa a causas o efectos sobrenaturales. Es la ...
c. Se refiere a cómo funcionan los planetas. Es la ...

EXERCICES P. 118-119

Enfoque sobre la noción

Memoria

La cultura maya sigue siendo fuerte en América Central. Apoyándote en los documentos, destaca los argumentos más relevantes que lo confirman.

- Da ejemplos de la grandeza de los mayas clásicos.
- Muestra cómo los mayas contemporáneos han entendido la importancia de perpetuar creencias y tradiciones de sus antepasados.
- Explica por qué se sienten orgullosos los mayas de hoy del legado clásico maya en el ámbito de las artes, de la astronomía o de la escritura.

comprensión escrita

Texto 1

B1 Tanta demanda de arte precolombino

El rey Pakal,
Museo Nacional de Antropología de México

En los años cuarenta, artistas europeos se encuentran en México.

Paalen es un entusiasta del arte totémico y quiere saberlo todo del México anterior a la conquista. [...] Benjamín Péret se siente mal en México, vive con la cabeza vuelta hacia atrás, le apasiona *El libro del Chilam Balam*[1], la lectura del *Popol Vuh*[1] lo exalta, consulta códices y manuscritos. [...]

Cada vez que se abre una carretera salen a la luz piezas precortesianas[2], sólo hay que ir detrás de los bulldozers para recogerlos. Hasta en los cementerios aparecen jícaras y vasijas[3]; saltan a la vista como palomitas de maíz[4]. A Paalen le exaltan los objetos rotos y las flechas de obsidiana enterradas en torno a las pirámides de Teotihuacán. [...]

En Tlatilco apareció un cementerio de piezas prehispánicas y Péret, en general sombrío, se entusiasma. ¡Cuánta sofisticación, cuánto misterio! Algunas máscaras son deslumbrantes[5]. [...]

Péret nunca imaginó que el arte precolombino tendría tanta demanda. Escribe a Nueva York y a París para ofrecerlo y, a vuelta de correo, le llueven pedidos[6].

Elena PONIATOWSKA (escritora mexicana), *Leonora*, 2011

1. escritos prehispánicos 2. antes de la conquista de México por Cortés 3. *poteries* 4. *du pop-corn* 5. extraordinarias 6. *des commandes pleuvent*

Texto 1

Líneas 1 a 5

a. ¿Quiénes son los dos protagonistas? ¿Dónde se encuentran? ¿Qué les apasiona?

Líneas 6 al final

b. Lista los objetos que suelen aparecer en el subsuelo mexicano cuando se abre una carretera o en torno a las pirámides.

c. ¿Cuáles son los sentimientos de los dos hombres frente a piezas precolombinas? ¿Son sentimientos compartidos por los museos? Justifica tu respuesta.

Recursos

Sustantivos
- las huellas: *les empreintes, les traces*

Adjetivos
- elaborado(a): *élaboré(e)*

Verbos y expresiones
- experimentar admiración: *éprouver de l'admiration*
- huir de: *fuir*

Texto 2

A2 Visitando el Museo

CD CLASSE

Elena accedió al fin al Museo Nacional de Antropología, en cuyas cercanías[1] admiró la gran mole[2] de piedra maciza que simbolizaba la figura del dios de la lluvia, Tlaloc. [...]

–Hola, señorita Peralta –dijo una voz masculina a su espalda cuando contemplaba, en la sala dedicada a la cultura mexica , el monolito de Coatlicue y las esculturas de los dioses aztecas. [...] ¿Ha visitado ya la sala dedicada a los mayas?

–No, aún no.

Elena siguió visitando otras dependencias, deteniéndose ante las vitrinas y observando las excelentes piezas de alfarería[3] policromadas, urnas, estelas y joyas[4] labradas en oro.

Mercedes GUERRERO (escritora española), *El árbol de la diana*, 2010

1. *dans les environs duquel* 2. *masse* 3. *poteries* 4. *des urnes, des stèles et des bijoux*

Texto 2

d. Di dónde está la protagonista y lo que quiere hacer. ¿Qué le causó admiración antes de llegar?

e. Lista las piezas prehispánicas que está contemplando Elena y explica a qué civilizaciones pertenecen.

Textos 1 y 2

f. Explica los sentimientos que experimentan los que admiran piezas prehispánicas.

expresión oral

B1 Dios azteca

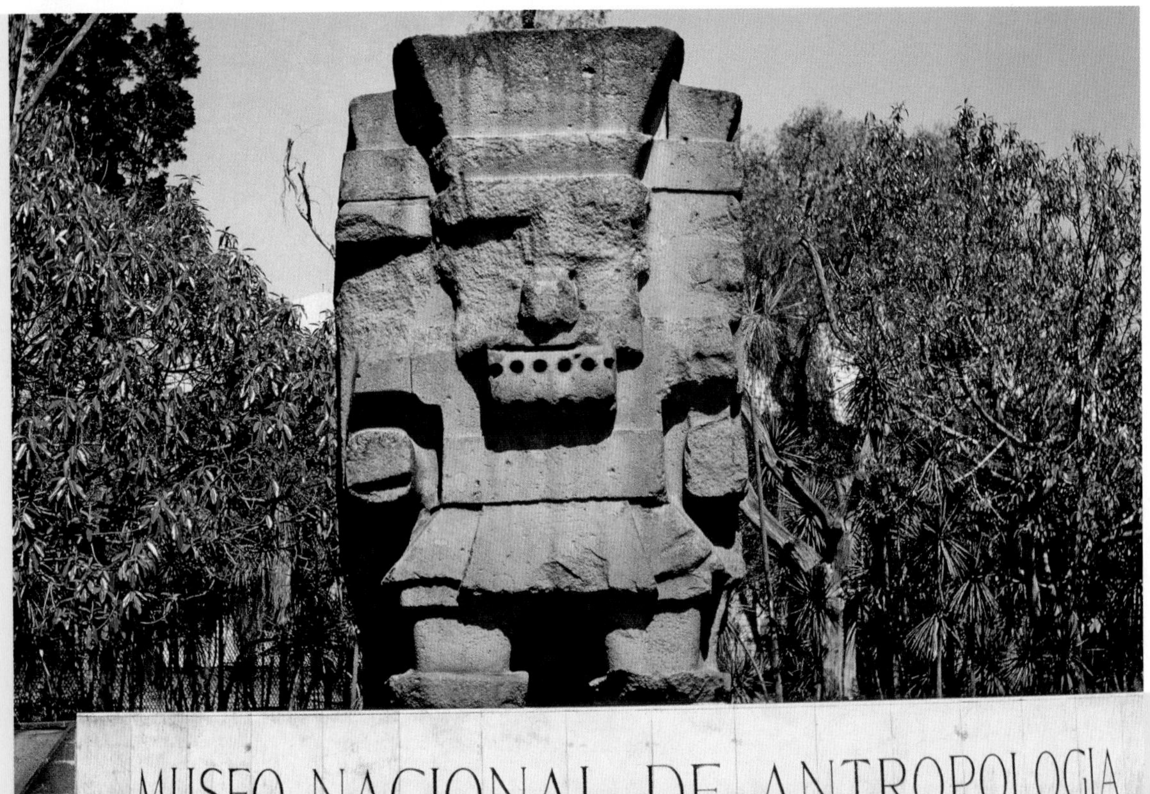

Monumento dedicado a Tlaloc, dios azteca de la lluvia, Museo Nacional de Antropología de México

a. Di lo que representa la estatua y dónde está situada.
b. ¿Qué impresión da esta estatua? Justifica tu respuesta.
c. Deduce por qué era Tlaloc un dios importante para los aztecas.

PREPARA EL PROYECTO **Busca en internet** precisiones sobre Tlaloc y explica la potencia del dios.

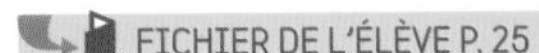
FICHIER DE L'ÉLÈVE P. 25

Recursos

Sustantivos
- las cosechas: *les récoltes*
- los dientes: *les dents*
- un dios: *un dieu*
- la fuerza: *la force*
- la lluvia: *la pluie*
- el tamaño: *les dimensions*

Adjetivos
- macizo(a): *massif(ive)*
- potente: *puissant(e)*

Verbos y expresiones
- cerca de: *près de*
- desprenderse: *se dégager*

Lengua activa

PRÉCIS 31

L'enclise

- *Hay que ir detrás de los bulldozers para recoger**los**.*
- *Siguió visitando, deten**iéndose** ante las vitrinas.*

Fais l'enclise. Attention à l'accent au gérondif.
a. No quiere (se/sentir) mal.
b. Cuando veía aquellas piezas, estaba (se/entusiasmando).
c. Nuevas estatuas seguían (se/descubriendo).

LÉXICO Piezas prehispánicas

Associe les mots suivants selon leur sens :
a. un manuscrito b. una escultura c. la alfarería
1. un códice 2. una vasija 3. una estela

EXERCICES P. 118-119

Enfoque sobre la noción

Memoria

El arte prehispánico seduce a muchas personas. Apoyándote en los tres documentos, destaca los argumentos que lo confirman.

- Lista las palabras y expresiones que evocan el entusiasmo de los que descubren el arte prehispánico.
- ¿Qué revelan de las antiguas civilizaciones las magníficas piezas que realizaron?
- Explica la importancia de los museos para dar a conocer civilizaciones pasadas.

A2 El Camino del Inca  

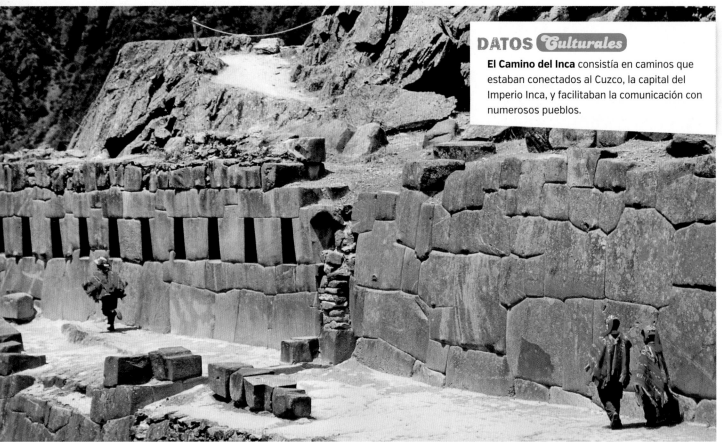

DATOS Culturales

El Camino del Inca consistía en caminos que estaban conectados al Cuzco, la capital del Imperio Inca, y facilitaban la comunicación con numerosos pueblos.

El Camino del Inca sigue utilizándose, Perú

1 Fíjate, escucha y apunta

a. Observa la foto y di qué representa.
b. ¿Qué enseña este camino empedrado de las capacidades de los incas?

Primera escucha completa

c. ¿Cuántas voces has oído? Identifícalas y deduce si la grabación es una entrevista o un reportaje.
d. Apunta el nombre del museo evocado, ¿qué presenta?

Segunda escucha

e. Antes de la civilización inca existían caminos: ¿sí o no? Justifica apuntando palabras que lo demuestran.
f. Cita dos cosas que hicieron los incas para aprovechar la red de caminos.

Tercera escucha

g. Los incas fundaron el Camino del Inca para…
h. Di qué visión tuvieron. ¿Por qué?

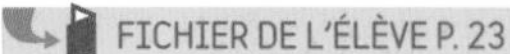
FICHIER DE L'ÉLÈVE P. 23

2 Resume

Redacta todo lo que has entendido de la grabación.

Recursos

Sustantivos
- un albergue: *un refuge*
- el auge: *l'essor*
- bloques de piedra
- una red: *un réseau*

Adjetivos
- empedrado(a): *pavé(e)*

Verbos y expresiones
- amontonar: *empiler*
- ampliar: *élargir*
- edificar: *édifier, construire*
- intercambiar: *échanger*

Fonética  

a. **Escucha las palabras y di si llevan el sonido "r" de arena o "rr" de guitarra.**
b. **Repite estas palabras en voz alta.**

B1 Visiones prehispánicas

Cuando uno cierra los ojos y piensa en los Andes a la distancia, la primera imagen que suele acudir a la mente[1] es la de un paisaje deshumanizado, de cordilleras de cumbres enhiestas y nevadas[2], abismos vertiginosos y vastas soledades[3] donde planea a veces un solitario cóndor, o profundos valles donde asoman, con sus grandes ojos asustados[4], los rebaños[5] de llamas, los guanacos, y las delicadas vicuñas[6] organizadas en grupos familiares en los que a cada macho[7] rodean siempre sus tres o cuatro concubinas. Y, la segunda, la de un territorio histórico, prehispánico, dominado por las ruinas de las civilizaciones y culturas extinguidas, cuyos templos, fortalezas, caminos, ciudades, dioses, hay que tratar de reconstruir con la imaginación, a partir de los restos arqueológicos que de ellas han sobrevivido a la usura del tiempo.

Mario VARGAS LLOSA (escritor hispanoperuano), *Diccionario del amante de América Latina*, 2006

1. *qui vient habituellement à l'esprit*
2. *avec de hauts sommets enneigés*
3. lugares desiertos
4. *craintifs*
5. *les troupeaux*
6. animales parecidos a las llamas
7. *mâle*

Líneas 1 a 8

a. Di cuál es la primera imagen que suele tener el narrador cuando piensa en los Andes.
b. Precisa cuáles son los animales emblemáticos de los Andes.

Lineas 8 al final

c. Explica en qué consiste la segunda imagen que suele acudir a la mente del escritor.
d. El narrador habla de pueblos cuyas civilizaciones y culturas están extinguidas. ¿Estás de acuerdo con esta visión? Justifica tu respuesta.

Expresión escrita

PREPARA EL PROYECTO Has visto un reportaje sobre los Andes y le escribes a un(a) compañero(a) para decirle cómo son los paisajes y animales emblemáticos andinos.

FICHIER DE L'ÉLÈVE P. 24

Recursos

Sustantivos
- las creencias: *les croyances*
- un lugar: *un lieu*

Adjetivos
- inmejorable: *incomparable*
- vivo(a): *vivant(e)*

Verbos y expresiones
- testimoniar: *témoigner de*
- como si no hubiera descendientes: *comme s'il n'y avait pas de descendants*
- no ... más que: *ne ... que*
- ya no: *ne ... plus*

Lengua activa

PRÉCIS 16. C

Cuyo(a): un équivalent de « dont »

Civilizaciones extinguidas, ***cuyos*** *templ**os** hay que tratar de reconstruir.*

Imite l'exemple : *Las cumbres de las cordilleras... → Las cordilleras cuyas cumbres ...* **et termine les phrases.**

a. Las ruinas de las civilizaciones... →
b. Los descendientes de aquellas civilizaciones... →
c. Las creencias de los indígenas... →

LÉXICO Obras precolombinas

Complète les phrases avec les expressions correspondantes : *intercambiar bienes, adorar a los dioses, protegerse.*

a. El Camino del Inca permitía...
b. Las fortalezas servían para...
c. Se usaban los templos para...

EXERCICES P. 118-119

Enfoque sobre la noción

Memoria

Apoyándote en los dos documentos, muestra que hoy día en los Andes quedan testimonios de la grandeza de las civilizaciones prehispánicas.

- Di para qué servía y sigue sirviendo el Camino del Inca.
- Explica qué enseñan de aquellas civilizaciones los caminos, templos y fortalezas cuyos restos arqueológicos son inmejorables.

B1 Machu Picchu, una maravilla

María, joven española, realiza su sueño.

No podía analizar cuáles eran sus sentimientos al penetrar, al fin, en Machu Picchu. Durante años, su solo nombre le había traído extraños[1] significados, y era la representación de lo maravilloso y lejano[2]; un sueño perdido en las montañas de un país remoto[3]; la concreción palpable[4] de todas sus fantasías, y por lo tanto no quiso saber nada de los guías oficiales que se ofrecieron a enseñarle la ciudad, porque en sus sueños de niña, en sus sueños de mujer, siempre se había visto sola, caminando por entre las ruinas, tocando los viejos muros que le hablarían de seres que allí tuvieron una existencia tan distinta a la suya, que allí adoraron a Dios, allí se odiaron y allí también llegaron a amarse.

Y así marchó sola, y subió por increíbles escaleras talladas en la roca, adentrándose en estrechos pasadizos[5]. [...]

Y una plaza inmensa se abrió ante ella, de hierba crecida, y en su centro un monolito al que tal vez adoraron. Era la plaza del Sol, del Inti-Pampa, donde en sus sueños, podía ver a los guerreros vestidos de relucientes uniformes y a las vestales con cien colores en sus ropas, rindiendo tributo a un poderoso Inca que era todo oro, del cetro a las sandalias.

Subió. Había muchos –muchos más de los que recordaba en su imaginación– muchos más peldaños[6], y en la cima [...] se enfrentó a un bloque de granito blanco: el Inti-Huantana, en el que decían que morían las víctimas sacrificadas al Sol.

No le había mostrado nunca sin embargo su imaginación semejante portento[7], la maravilla del Templo de las Tres Ventanas que abría sus huecos a tres puntos distintos: tres panoramas únicos sobre el cañón del Urubamba o a la cima de Huayna-Picchu, y permaneció allí durante largo rato, tal vez una hora.

Alberto VÁZQUEZ-FIGUEROA (escritor español), *Olvidar Machu Picchu*, 1998

DATOS Culturales

Desde 1983 **Machu Picchu** está en la Lista del Patrimonio de la Unesco, bajo la denominación Santuario histórico de Machu Picchu. El 7 de julio de 2007, Machu Picchu fue declarado como una de las nuevas siete maravillas del mundo moderno en una ceremonia realizada en Lisboa (Portugal), que contó con la participación de cien millones de votantes en el mundo entero.

1. *étranges*
2. *ce qui était merveilleux et lointain*
3. *lointain*
4. la concretización
5. *par d'étroits passages*
6. *davantage de marches*
7. una cosa tan extraordinaria

Líneas 1 a 2

a. Precisa quién es la narradora, dónde está y cuál es su estado de ánimo (*état d'esprit*).

Líneas 2 a 12

b. ¿Qué representa Machu Picchu para la protagonista? Explica por qué.

c. Di cómo vive concretamente su sueño en Machu Picchu la narradora y lo que está imaginando.

Líneas 13 al final

d. ¿Corresponde la realidad al sueño de la narradora? Argumenta y cita un lugar que la impresionó.

Recursos

Sustantivos
- la belleza: *la beauté*
- un entorno: *un environnement*
- una maravilla: *une merveille*

Adjetivos
- conmovido(a) = emocionado(a): *ému(e)*
- emocionante = impresionante
- fascinante

Verbos y expresiones
- aún más: *encore plus*
- ni siquiera haber imaginado: *n'avoir même pas imaginé*
- quedar impresionado(a): *être impressionné(e)*

B1 Una obra de arte

Machu Picchu, Yuji Nukui (fotógrafo japonés), 2012

a. Precisa lo que representa la foto y quién la sacó.
b. Lista los diferentes elementos que componen esta foto y valora los efectos de luz y sombra.
c. Valora lo original de esta foto.

Expresión oral

PREPARA EL PROYECTO

Explica por qué se puede considerar Machu Picchu como un santuario histórico.

FICHIER DE L'ÉLÈVE P. 24

Recursos

Sustantivos
- el arco iris: *l'arc-en-ciel*
- la ciudadela: *la citadelle*
- la luz/las luces: *la/les lumière(s)*
- las nubes: *les nuages*
- la sombra: *l'ombre*

Adjetivos
- fantasmagórico(a): *fantasmagorique*
- feérico(a) = mágico(a)
- irreal: *irréel(le)*

Verbos y expresiones
- dominar: *dominer*
- valerse de: *utiliser, se servir de*

Lengua activa

PRÉCIS 6. D

Lo + adjectif : « ce qui est ... », « le caractère »

*Era la representación de **lo maravilloso y lejano**.*

Imite l'exemple : *Lo que es extraño me gusta. → Lo extraño me gusta.*
a. Lo que es feérico es descubrir Machu Picchu al final del día.
b. Lo que es increíble son estos pasadizos disimulados.
c. Lo que es fascinante está en aquel santuario histórico.

LÉXICO El relieve

Recherche dans le texte des synonymes aux mots suivants :
a. el monte b. la piedra c. el desfiladero d. la cumbre

EXERCICES P. 118-119

Enfoque sobre la noción

Memoria

La ciudadela inca de Machu Picchu merece ser una de las maravillas del mundo. Apoyándote en los dos documentos, destaca los argumentos que lo confirman.

- Da ejemplos de la fascinación que sigue ejerciendo Machu Picchu tanto sobre turistas como sobre artistas.
- ¿En qué fascina Machu Picchu a los hombres cuando descubren la antigua ciudadela?
- ¿Qué permite imaginar Machu Picchu?

Patrimonio precolombino con éxito

Pirámide Kukulcán-El Castillo en Chichén Itzá, México

A Chichén Itzá: los mágicos equinoccios

Cuando llegan los equinoccios de primavera y de otoño, a **Chichén Itzá**, la ciudad maya más importante de **Yucatán**, acuden miles y miles de visitantes de todo el mundo, atraídos por el **descenso de la serpiente** en la pirámide de Kukulcán. Durante unas cinco horas, la perfecta alineación de la pirámide con el sol produce un juego de luces y sombras que permite ver cómo el cuerpo de una serpiente repta desde la cima de la pirámide hasta la cabeza de la serpiente emplumada que se encuentra en la base.

B Teotihuacán: volar en globo y descubrir las pirámides

Gracias a la altura y la velocidad del globo, además de su silencioso movimiento, éste se está convirtiendo en el vehículo ideal para apreciar las proporciones de los vestigios y la relación con el paisaje de **Teotihuacán**. Para ello, existe un globopuerto de donde pueden despegar[1] hasta 25 globos. Desde el cielo, la **Pirámide de la Luna**, por ejemplo, parece imitar la silueta del Cerro Gordo, a sus espaldas. También se ve claramente la estrecha proximidad de los poblados[2] que rodean la zona arqueológica, en muchos casos construidos sobre sus ruinas.

1. *décoller* 2. pueblos

Teotihuacán desde un globo, México

Turismo en Machu Picchu, Perú

Machu Picchu: ¿demasiado éxito?

C

Las famosas ruinas de **Machu Picchu** que el explorador Hiram Bingham descubrió en 1911 fueron declaradas una de las nuevas maravillas del mundo en 2007.

Machu Picchu se ha convertido en un fenómeno turístico mundial que atrae a miles de turistas que suelen llegar por tren, ingresan por la misma entrada y congestionan el sitio. Para solucionar esta situación, se podría aumentar el número de puertas para que la gente entienda que existen otros sitios atractivos como las montañas Huayna Picchu y Machu Picchu, el Puente Inca e Intipunku –que es la puerta de ingreso a la ciudadela para los visitantes que llegan a través del **Camino del Inca**.

D

El lago Titicaca: turismo y vida tradicional

El **lago Titicaca** es sin duda uno de los mayores patrimonios naturales con que cuenta la Humanidad. La importancia del lago para la **cultura andina** es inmensa. Situado a 3. 809 metros de altura, el lago Titicaca es frontera natural entre Perú y Bolivia. En el lago están las fascinantes **islas flotantes** donde habita una tribu llamada los Uros. Para ellos, la conservación del uso tradicional de la **totora** (embarcaciones) pasa por el reconocimiento y la protección de esta práctica ancestral viva. Viven de la pesca y, recientemente, de la venta de recuerdos a los turistas.

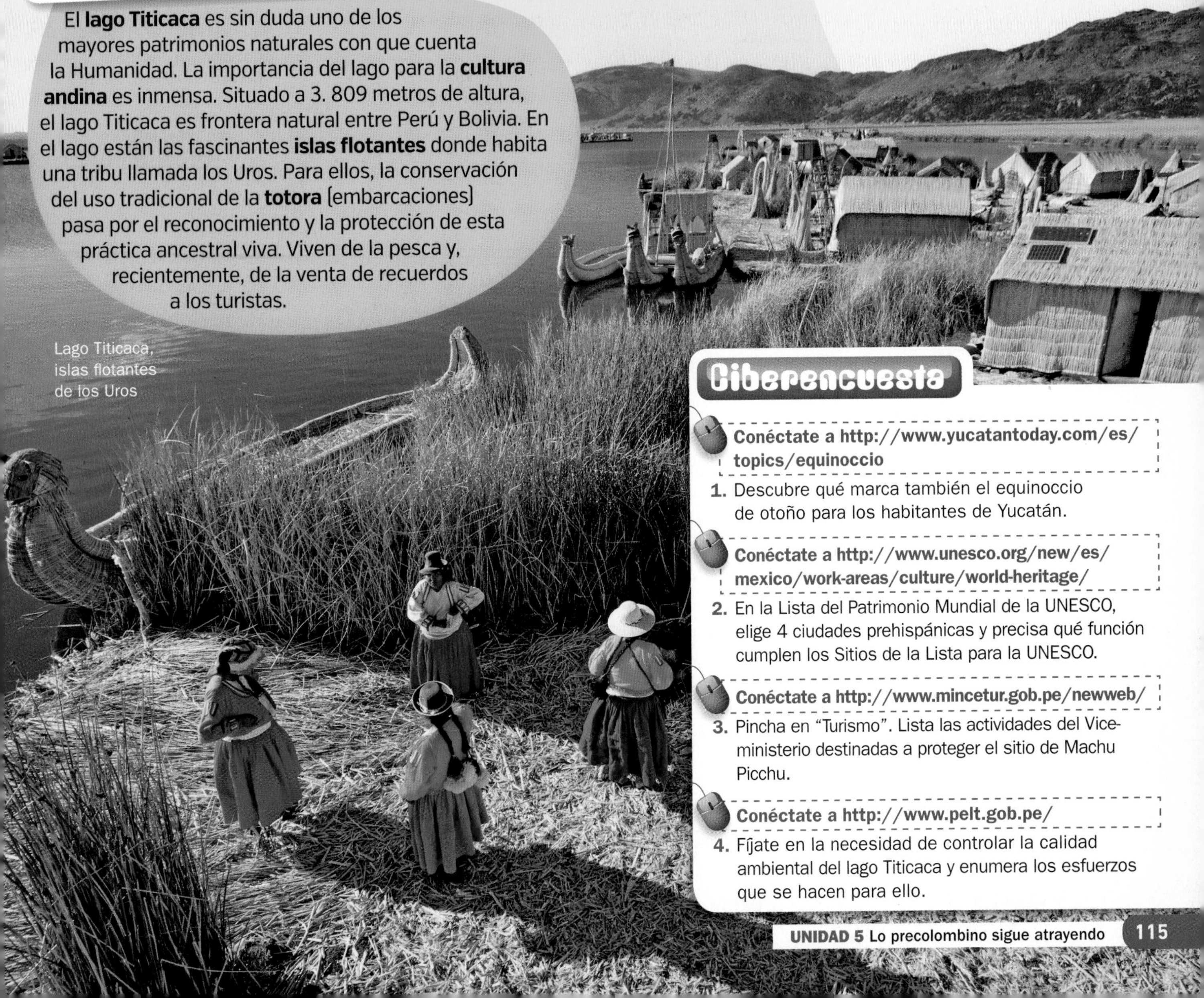

Lago Titicaca, islas flotantes de los Uros

Ciberencuesta

Conéctate a http://www.yucatantoday.com/es/topics/equinoccio

1. Descubre qué marca también el equinoccio de otoño para los habitantes de Yucatán.

Conéctate a http://www.unesco.org/new/es/mexico/work-areas/culture/world-heritage/

2. En la Lista del Patrimonio Mundial de la UNESCO, elige 4 ciudades prehispánicas y precisa qué función cumplen los Sitios de la Lista para la UNESCO.

Conéctate a http://www.mincetur.gob.pe/newweb/

3. Pincha en "Turismo". Lista las actividades del Viceministerio destinadas a proteger el sitio de Machu Picchu.

Conéctate a http://www.pelt.gob.pe/

4. Fíjate en la necesidad de controlar la calidad ambiental del lago Titicaca y enumera los esfuerzos que se hacen para ello.

comprensión oral

Escucho un reportaje sobre moda de inspiración precolombina

> **OBJECTIF B1** : comprendre un reportage sur la mode d'inspiration précolombienne.

Antes de escuchar

a. Observa la foto. ¿Qué representa?

Primera escucha

b. ¿Cuáles son los países y las ciudades que se mencionan?

c. Explica con qué motivo se habla de arte y de tradición.

Segunda escucha

d. Apunta las palabras que corresponden a lo artístico y las que corresponden a lo tradicional.

e. Precisa quiénes son los que tejen las piezas de la colección con algodón y lana de oveja.

Tercera escucha

f. Para las diseñadoras, ¿qué significa "reinventar sus raíces"?

Recursos

Sustantivos
- el algodón: *le coton*
- el diseño: *(ici) la création (vêtement)*
- la lana de oveja: *la laine de mouton*
- las pasarelas: *les défilés de mode*
- las raíces: *les racines*

Adjetivos
- indígena: *indigène*

Verbos y expresiones
- influir en: *influencer*
- mezclar: *mélanger*
- tejer: *tisser*

Colección de Pineda Covalín en México, 2013

Conéctate al aula virtual *Próxima parada* para rellenar la ficha

expresión escrita

Redacto el testimonio de un(a) diseñador(a)

> **OBJECTIF B1+** : témoigner de la richesse des cultures précolombiennes.
> Nombre de mots : 150

Inspirándote en lo que cuenta Mónica Weber-Butler, redacta el testimonio de otro(a) diseñador(a) como Adriana Santa Cruz, Francesca Miranda o Pineda Covalín, fascinado(a) por piezas prehispánicas.

Su pasión por la cultura prehispánica forma parte de su proceso creativo. "Me enamoré profundamente de la cultura azteca, de los mayas. Ha sido un resurgimiento increíble. Me llama la atención lo exquisito de los diseños que hacían con técnicas rudimentarias; la simpleza del diseño en contraste con el impacto que causa y la elegancia que transmite. En México tenemos una riqueza cultural extraordinaria, somos muy afortunados por la gran variedad de artesanías que tenemos".

Mónica Weber-Butler, joyera mexicana

Recursos

Sustantivos
- una cultura viva: *une culture vivante*
- una herencia: *un héritage*
- un símbolo: *un symbole*

Adjetivos
- impactante = impresionante

Verbos y expresiones
- hacer compartir: *faire partager*
- sentir (ie,i) admiración: *ressentir de l'admiration*
- tan maravilloso(a) como: *aussi merveilleux(euse) que*

Internet TICE Hablo del arte precolombino chileno

Conéctate a: http://www.chileprecolombino.cl/

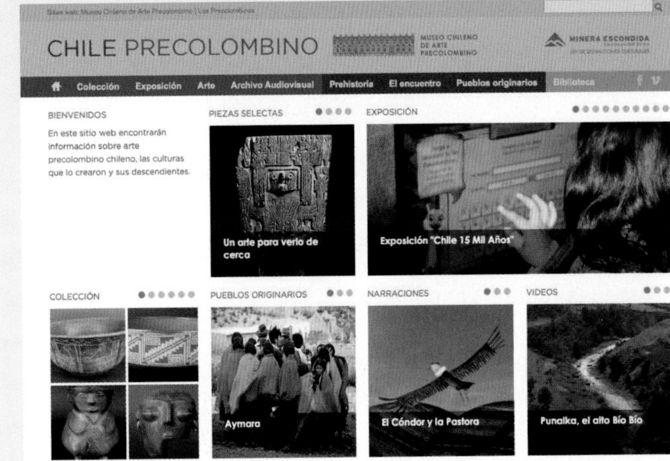

1 Busca información

a. Haz clic en "Colección", "Norte semiárido", "Diaguita". Mira unas piezas y busca:
–cuál es el material de estas piezas;
–a qué corresponde la palabra "diaguita";
–a qué periodo corresponden estas piezas diaguitas.

b. Pincha en "Jarro polícromo zoomorfo" y explica qué es una pieza "zoomorfa".

c. Precisa por qué se han conservado muchas de estas piezas enteras.

2 Haz una presentación oral

d. A partir de tus notas, haz de guía y presenta piezas de la sala Norte semiárido del Museo chileno de arte precolombino. Describe la época, el material utilizado, los colores, los motivos, etc.

Recursos

Sustantivos
- un alfarero: *un potier*
- un cántaro: *une cruche*
- una escudilla: *une écuelle*
- un jarro: *un pichet*

Adjetivos
- geométrico(a): *géométrique*
- polícromo(a)
- rojo(a), ocre, negro(a): *rouge, ocre, noir(e)*

Verbos y expresiones
- antes/después de Cristo: *avant/après Jésus-Christ*

vídeo Me entero de técnicas ancestrales

DVD *Ccusi Inka*, reportaje, 2011

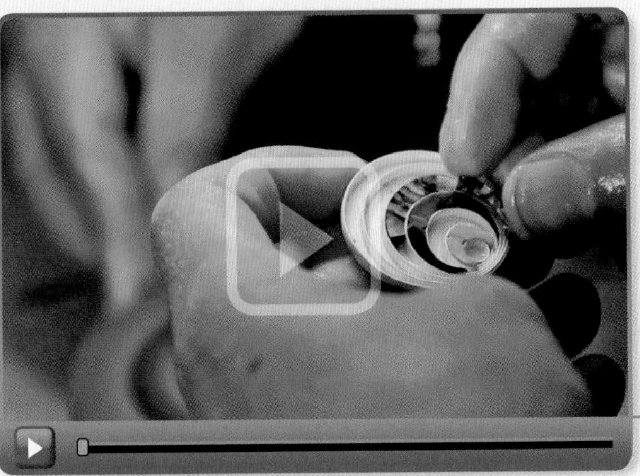

Confección a mano de una joya

Recursos

Sustantivos
- un(a) artesano(a): *un artisan*
- los herederos: *les héritiers*
- una joya: *un bijou*
- la minuciosidad: *la minutie*
- la plata: *l'argent*

Adjetivos
- ancestral: *ancestral(e)*
- paciente: *patient(e)*
- peruano(a): *péruvien(ne)*

Verbos y expresiones
- confeccionado(a) a mano: *fait main*

Conéctate al aula virtual *Próxima parada* para rellenar la ficha

1 Fíjate

a. Observa el fotograma. ¿Qué está confeccionando el artesano?

2 Primer fragmento

b. Di qué ciudad descubres y precisa por qué sirve de telón de fondo leyendo el lema que aparece.

c. ¿Cómo se confeccionan las joyas y con qué metal?

3 Segundo fragmento

d. ¿Cuáles son las cualidades necesarias para realizar estas piezas?

e. Di de quiénes son herederos los artesanos que confeccionan a mano las joyas.

4 Resume

f. Redacta todo lo que has entendido del vídeo.

Gramática activa

Usted(es)

LENGUA ACTIVA p. 105
PRÉCIS 17

1 Conjugue les verbes au présent.

a. Usted (ser) un famoso investigador.
b. Usted (soñar) con un gran descubrimiento.
c. Ustedes no (poder) ir a Machu Picchu este año.
d. Ustedes (querer) enseñarnos lo que (saber).
e. Su amigo y usted (conocer) muy bien aquellas civilizaciones y (hablar) muy bien de ellas.
f. Nosotros visitamos el monumento mientras que ustedes (sacar) fotos.

2 Accorde les formes verbales pour remplacer le sujet par *usted* ou *ustedes*.

a. Has quedado fascinado por tanta belleza.
b. Teníamos interés en descubrir aquella maravilla.
c. Habéis sacado muchas fotografías.
d. Aceptó hacer un reportaje.
e. El año pasado, viajamos a Perú.
f. Seguís caminando.

Le plus-que-parfait: *haber* (à l'imparfait) + participe passé

LENGUA ACTIVA p. 107
PRÉCIS 18. F

3 Conjugue les verbes au plus-que-parfait.

a. La estatua (aparecer) durante las excavaciones.
b. Nosotros (ver) la exposición de arte precolombino antes que ellos.
c. Yo (hablar) con el jefe de la expedición.
d. Vosotras (descubrir) aquel pueblo precioso.
e. Ustedes (decidir) ir al museo.
f. Antes de llegar a la ciudadela de Machu Picchu, los turistas (esperar) muchas horas.

4 Mets les verbes qui sont au présent au plus-que-parfait.

a. La expedición corre a cargo de esta gran empresa.
b. Somos capaces de reconocer las diferentes culturas precolombinas.
c. Estoy emocionado por lo que descubro.
d. Los indios viven aquí, en aquellas montañas.
e. Leéis artículos sobre la necesidad de proteger este patrimonio.
f. Los viajeros quieren descansar antes de continuar.

L'enclise

LENGUA ACTIVA p. 109
PRÉCIS 31

5 Fais l'enclise. Attention à l'accent !

a. Los turistas no quieren (se/perder) la visita.
b. Las tradiciones siguen (se/manteniendo).
c. Estamos (nos/preocupando) por la condición de los descendientes de los mayas.
d. Escuchas lo que se dice para (lo/contar) después a tus compañeros.
e. Queríais (os/acercar) a los animales andinos.
f. Los indios siguen (les/ofreciendo) estatuas a los turistas.

6 Imite l'exemple.

Los turistas se maravillan. → Los turistas están maravillándose.

a. Las investigaciones se desarrollan en aquellas regiones.
b. Nos enseñan las piezas más bellas del museo.
c. Los estudiantes se familiarizan con esas culturas.
d. Te conformas con estas tradiciones.
e. Las autoridades se dan cuenta de la necesidad de controlar el flujo turístico.
f. Los directores de los museos se esfuerzan en obtener piezas extraordinarias.

Cuyo(a): un équivalent de « dont »

LENGUA ACTIVA p. 111
PRÉCIS 16. C

7 Forme des phrases avec les mots suivants.

a. es gratuita / cuya entrada / visitamos el museo
b. cuyas actividades / ha recibido un premio / están realizándose en Perú / la organización
c. se valoran / los científicos / reciben el apoyo del gobierno / cuyos descubrimientos
d. es muy conocida / cuyas emisiones / la cadena de televisión / enseñan el patrimonio precolombino
e. eran de oro / soñaba con / cuyos vestidos / los incas
f. cuyas cumbres / desde lejos / son las que rodean la ciudadela / las montañas / se ven

Lo + adjectif : « ce qui est ... », « le caractère »

LENGUA ACTIVA p. 113
PRÉCIS 6. D

8 Traduis les phrases en introduisant *lo* + adjectif.

a. Ce qui est intéressant c'est ce que dit le guide.
b. Il nous avait raconté ce qui était indispensable.
c. Cette émission montre ce qui est permis.
d. La photographie utilise le caractère féerique de ce lieu.
e. L'excursion privilégiait l'aspect archéologique.
f. Le caractère magique de cette cité attire les touristes.

FICHIER DE L'ÉLÈVE P. 25

Con ayuda de las palabras siguientes:

1. **Explica simplemente la noción de patrimonio. (columna I)**
2. **Define el adjetivo "precolombino" y cita 3 grandes civilizaciones precolombinas, precisando los países de origen. (columna II)**
3. **Da ejemplos de arte prehispánico. (columna III)**
4. **Cita una ciudadela declarada "nueva maravilla del mundo" y di por qué se merece obtener tal distinción. (columna IV)**

I EL PATRIMONIO HISTÓRICO *(le patrimoine historique)*

- los antepasados: *les ancêtres*
- la cultura andina (de los Andes): *la culture andine (des Andes)*
- las huellas del pasado: *les traces du passé*
- las improntas: *les empreintes*
- los museos: *les musées*
- los vestigios: *les vestiges*
- conservar: *conserver*
- heredar: *hériter*

II LAS CIVILIZACIONES PRECOLOMBINAS *(les civilisations précolombiennes)*

- anterior a Colón: *antérieur à Colomb*
- antes de la llegada de los españoles: *avant l'arrivée des Espagnols*
- los aztecas (México): *les Aztèques (Mexique)*
- el Imperio inca: *l'Empire inca*
- los incas (países andinos): *les Incas (pays andins)*
- los mayas (Yucatán, América central): *les Mayas (Yucatán, Amérique centrale)*
- adelantado(a): *avancé(e)*
- remoto(a): *lointain(e)*

III EL ARTE PREHISPÁNICO *(l'art préhispanique)*

- el calendario maya: *le calendrier maya*
- los códices (antiguos manuscritos): *les codex (vieux manuscrits)*
- las estatuas: *les statues*
- flechas de obsidiana: *des flèches d'obsidienne*
- las joyas de oro: *les bijoux en or*
- las máscaras: *les masques*
- piezas de alfarería: *des poteries*
- el templo: *le temple*

IV MARAVILLAS DEL MUNDO EN LATINOAMÉRICA *(merveilles du monde en Amérique latine)*

- la ciudadela de Machu Picchu en Perú: *la citadelle de Machu Picchu au Pérou*
- el encanto: *l'enchantement*
- el flujo turístico: *l'afflux des touristes*
- la pirámide de Chichén Itzá en México: *la pyramide de Chichén Itzá au Mexique*
- excepcional: *exceptionnel(elle)*
- inmejorable: *incomparable*
- perjudicar: *porter préjudice*
- ser declarado(a) una de las nuevas maravillas del mundo: *être declaré(e) une des nouvelles merveilles du monde*

Enfoque final: noción y documentos

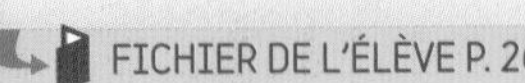
FICHIER DE L'ÉLÈVE P. 26

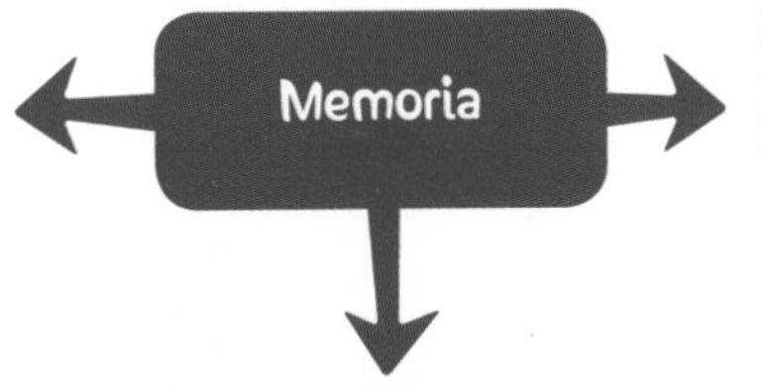

Las civilizaciones precolombinas: ¿ruinas y restos arqueológicos o Patrimonio de la Humanidad?

→ **Las huellas de las civilizaciones precolombinas deben ser protegidas porque testimonian la grandeza de aquellas antiguas civilizaciones.**

- *Mundo maya y televisión* p. 105
- *El fin del mundo en 2012* p. 106
- *Visiones prehispánicas* p. 111
- *Machu Picchu, una maravilla* p. 112-113

Patrimonio histórico y turismo

→ **El patrimonio histórico atrae cada vez más a los turistas.**

- *El paraíso es para siempre* p. 104
- *Mundo maya y televisión* p. 105
- *Machu Picchu, una maravilla* p. 112-113

Lo precolombino hoy día

→ **Lo precolombino: ¿expresión cultural o fenómeno de moda?**

- *Mundo maya y televisión* p. 105
- *Calendario maya* p. 107
- *Visitando el Museo de Arqueología de México* p. 108-109
- *El Camino del Inca* p. 110
- *Machu Picchu, una maravilla* p. 112-113

Bellas Artes

> *"Su orfebrería milagrosa no tiene voz: es un callado relámpago de oro."*
>
> Pablo NERUDA

Balsa muisca, Museo del Oro del Banco de la República de Bogotá (Colombia)

La balsa muisca de los pueblos de Pasca y de Guatavita.
Dilo con lo que sabes...

1. Precisa qué es esta balsa y lo que representa.
2. Cita las dimensiones de la balsa y descríbela simplemente.
3. Explica dónde y cuándo fue encontrada.
4. Di cuándo se realizó esta pieza.

El oro sagrado de las civilizaciones precolombinas

El objeto conocido como la **balsa muisca** es una figura votiva [una ofrenda] en forma de balsa con personajes. Es una obra excepcional que representa la ceremonia de investidura del cacique del pueblo de Guatavita.
Esta pieza de oro [19,5 x 10 x 10 cm] fue encontrada en 1969 en el municipio de Pasca, al sur de la ciudad de Bogotá. Muy probablemente pertenece al periodo tardío de la cultura muisca, que se ubica entre el 1200 y el 1500 después de Cristo. Pasca era, con Guatavita, un pueblo de orfebres.

Recursos

Sustantivos

- una balsa: *un radeau*
- un cacique: *un chef [politique et religieux]*
- una ceremonia de investidura: *une cérémonie d'investiture*
- una ofrenda: *une offrande*
- los remeros: *les rameurs*

Verbos y expresiones

- estar de pie: *être debout*
- dentro de: *à l'intérieur de*
- encima de: *au-dessus de*

Para saber más: **http:// www.banrepcultural.org/ museo-del-oro**

PROYECTO A Haz de guía en un sitio precolombino interacción oral

Eres guía en un sitio precolombino y los turistas te hacen preguntas sobre el lugar y los monumentos. Contéstales tratándoles de usted(es).

1 Elegid un sitio precolombino

a. Por grupos, elegid un sitio precolombino y apuntad los elementos impactantes del sitio.

2 Preparad las preguntas y las respuestas

b. Un grupo prepara 5 preguntas y otro las respuestas sobre el sitio precolombino elegido y lo que habían imaginado los "turistas" antes de su viaje.

c. Cada grupo elige a un guía que contestará las preguntas del grupo.

3 Preguntad y contestad

d. El grupo A (los turistas) hace la 1ª pregunta y el grupo B (el guía) contesta. Continúan preguntas y respuestas.

> Páginas web que puedes consultar:
> **http://www.turismoperu.com/**
> **http://www.visitmexico.com**

PROYECTO B Redacta un folleto turístico para promover un sitio precolombino expresión escrita

Para la oficina de turismo de un país latinoamericano con sitios precolombinos, tienes que preparar un folleto para promover uno de estos sitios.

1 Observa el folleto

a. Fíjate en el modelo y asocia cada elemento (1,2...,5) con su definición (A, B, C...) y su objetivo.

2 Busca informaciones

b. Elige el sitio precolombino que vas a promover.

c. Busca información sobre el sitio o un monumento emblemático.

3 Crea tu folleto

d. Describe el sitio: te diriges a un turista al que hablas de usted diciéndole lo que va a descubrir.

e. Da unos elementos culturales, subrayando conocimientos que habían desarrollado los antiguos habitantes.

f. Termina valorando lo maravilloso del sitio.

Definiciones:	**Objetivos:**
A - lema	informar
B - presentación	llamar la atención
C - fotografías	atraer
D - oferta	ilustrar
E - contacto	

LA MAGIA DEL PASADO, EL ENCANTO DEL PRESENTE
XICHEN
DELUXE
TOURS OPERADOS POR OPERATED BY experiencias xcaret
El Castillo
Mientras el mundo estaba inmerso en la Edad Media, los mayas construyeron esta majestuosa ciudad, principal centro político de la región del Mayab. Su construcción más sobresaliente, el emblemático Castillo dedicado a Kukulcán, es testigo del asombroso grado de perfección matemática y astronómica de esta importante cultura que aún en nuestros días sigue impactando a todos los que la conocen.
En este tour de lujo, usted visitará la majestuosa ciudad de Chichén Itzá y recorrerá la ciudad de Valladolid revestida de pintorescos sitios de belleza única.
Apogeo: 435 d.C. - 625 d.C. 1000 d.C. - 1400 d.C.
Zenith: 435 AD - 625 AD 1000 AD - 1400 AD
Las Monjas
Casa Colorada
Templo de los Guerreros

EVALUACIÓN

comprensión oral — La Riviera Maya

> OBJECTIF A2+ : comprendre les principaux éléments qui font l'attrait touristique d'un lieu.

Escucha la grabación y contesta.

A2

a. El país del que se habla es ..., más precisamente se trata de la zona bañada por el mar ... y que se llama ... , en el estado de ... .

b. Las dos personas que hablan son ...

c. Lista lo que les puede atraer a los turistas.

A2+

d. ¿En qué es particular la cultura maya? Justifica tu respuesta.

TOP TOURS
RIVIERA MAYA
XICHEN
Sitios precolombinos
TOUR 1
Mundo maya
TOUR 2
COBA XEL-HA
xcaret!
MEXICO
TOUR 3
Paraíso natural
XelHa Tulum
TOUR 4
Buceo en cenotes

Turismo en Riviera Maya

comprensión escrita — Testimonios artísticos precolombinos

> OBJECTIF B1 : comprendre les richesses culturelles spécifiques aux civilisations précolombiennes.

Nuestra América es vasta e intrincada[1]. Y a lo largo de su línea espiral, a lo largo de sus desmesurados ríos, debajo de los montes y en los desiertos, e incluso en las calles de las ciudades recientemente excavadas y puestas al descubierto, aparecen todos los días estos testimonios de oro. Son estatuillas antropomorfas, aztecas, olmecas, quimbayas, incas, chancayas, mochicas, nazcas, chimúes. Son millones de vasijas de cerámica y de madera, enigmáticas figuras de turquesas, de oro, trabajadas, tejidas[2]: son millones de obras maestras[3] rituales, figurativas, abstractas. [...] Nuestros museos de México, de Colombia, y de Lima, están repletos de estas figuras.
La América excelsa, su edificio al aire libre se manifestó en la orgullosa y solitaria ciudadela de Machu Picchu. Fue un encuentro decisivo en mi vida. [...] Allí, en las alturas del Perú, la imponente arquitectura se había conservado secretamente en el profundo silencio de las cumbres[4] andinas. Todo era cielo en torno de los sagrados vestigios. [...] En el punto más alto de la ciudad se levantaba el Reloj o *Intihuatana*, especie de calendario formado por inmensas piedras, con una meridiana destinada quizá a señalar las horas.

Pablo NERUDA (escritor chileno), *De París a Isla Negra: el último regreso*, 1922-1973

Lee el texto y contesta.

A2

a. Lista los elementos naturales que componen América Latina y que constituyen su diversidad.

b. ¿Cuáles son los diferentes testimonios que siguen apareciendo en las ciudades y que recogen los museos?

c. Para Neruda, lo más fascinante es... Justifica.

B1

d. Aclara los sentimientos de Neruda cuando habla de las civilizaciones precolombinas.

1. compleja
2. *travaillées, tissées*
3. *chefs-d'œuvre*
4. *sommets*

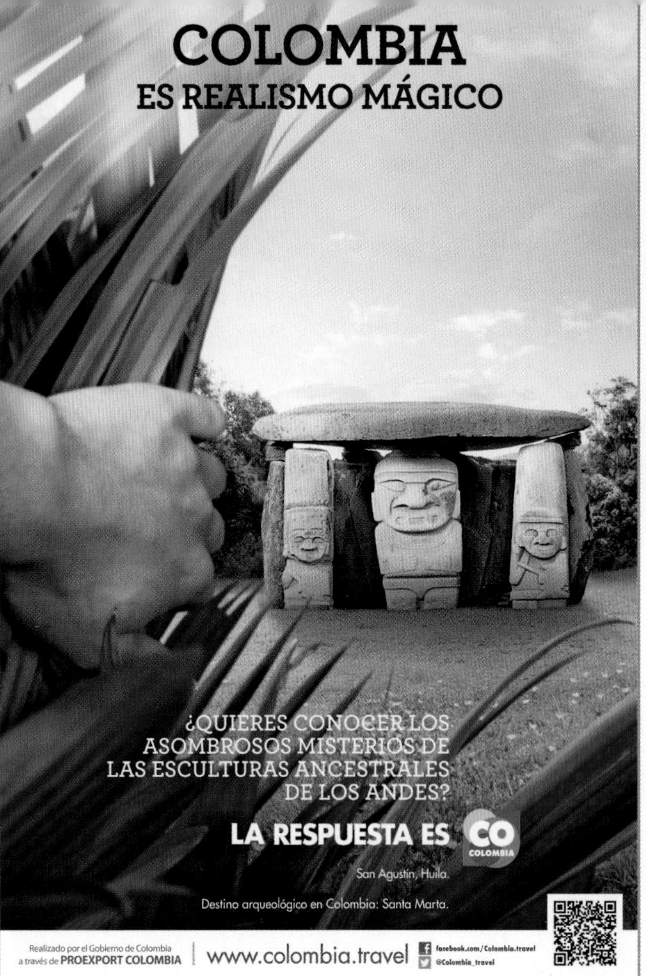

expresión oral

Tesoros precolombinos

> OBJECTIF A2+ : décrire une affiche sur les trésors archéologiques de la Colombie.
> Temps de parole : 5 minutes

Observa el cartel y contesta.

A2 **a.** Describe los diferentes elementos que componen la publicidad.

A2+ **b.** Muestra que la pregunta sirve para atraer a futuros turistas.

B1 **c.** ¿En qué son “mágicas” las esculturas ancestrales de los Andes?

interacción oral

Debate: ¿favorecer el turismo en sitios arqueológicos o controlarlo?

> OBJECTIF B1 : échanger des points de vue sur le tourisme de masse dans des lieux exceptionnels mais fragiles.
> 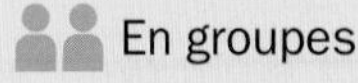 En groupes

Por grupos, imaginad la conversación.

B1

Grupo A: En vuestra opinión, se debe favorecer el turismo en sitios arqueológicos para que la mayoría de la gente tenga acceso a las riquezas culturales. Lo explicáis a vuestros compañeros.

Grupo B: En vuestra opinión, se debe controlar el turismo en sitios arqueológicos para que no se destruyan. Lo explicáis a vuestros compañeros.

expresión escrita

Promocionar un monumento o sitio precolombino

> OBJECTIF B1 : rédiger un article pour promouvoir un monument ou un site précolombien.
> Nombre de mots : 120

Has quedado maravillado(a) por un monumento o un sitio precolombino y quieres incitar a la gente a viajar para conocerlo.

 **a.** Precisa qué monumento o sitio precolombino te ha maravillado y en qué país está.

B1

b. Di lo que sabes de este monumento o sitio: a qué civilización pertenece, para qué servía, etc.

c. Explica por qué en tu opinión es una maravilla este monumento o sitio y por qué no se lo pueden perder (*le rater*) los turistas.

UNIDAD 6 Ciudades latinoamericanas con pasado

1 Centro histórico de Cartagena de Indias, Colombia

Recursos

Sustantivos
- un bombín: *un chapeau melon*
- los edificios: *les bâtiments*
- las llamas: *les lamas*
- una pared: *un mur*
- un poncho

Adjetivos
- barroco(a)
- colonial
- empinado(a): *en pente*
- incaico(a): *inca*
- vestido(a): *habillé(e)*
- vivo(a): *vif(ve)*

Verbos y expresiones
- colonizar
- conquistar
- contrastar con
- fundar: *fonder*

PROYECTO A — **expresión escrita** **Cread un test sobre el pasado colonial de las ciudades latinoamericanas.**

PROYECTO B — **expresión oral** **Haz la voz en off de un reportaje sobre monumentos coloniales.**

Outils linguistiques

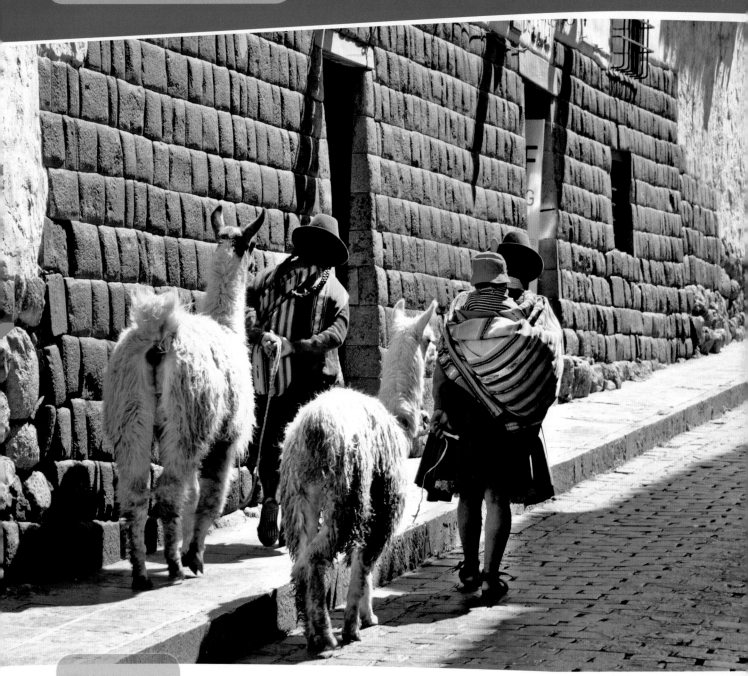

2 Calle de El Cuzco, Perú

Y tú, ¿cómo lo ves?

1. Di qué colores y qué estilos hacen la belleza de la ciudad de Cartagena.
2. Describe la fotografía sacada en una calle de Cuzco.
3. Muestra que estas ciudades son un testimonio del pasado histórico.

A2 El Cuzco, la fusión de dos culturas

María, una joven española, visita Perú.

Recorriendo sus calles abrigaba la impresión de que, al igual que había advertido en Machu Picchu, las piedras de El Cuzco cobraban[1] más vida, aparentaban más fuerza y destacaban con más brillo bajo la luz plomiza y la pátina que les confería la lluvia [...].

Descubría de continuo aquí y allá iglesias y palacios de airosa arquitectura colonial, alzados sobre plataformas creadas originariamente para sostener templos y fortalezas de muros más gruesos. Posiblemente fuera El Cuzco la ciudad en que con mayor claridad pudiera advertirse el choque de dos mundos, el enfrentamiento de dos civilizaciones, o el resultado final de la fusión de dos culturas casi antagónicas [...].

No se le antojaba[2] brusco ese choque; no le resultaba violento, y se diría que los cimientos[3] de las fortalezas incaicas habían sido levantados pensando que algún día habrían de alzarse[4] sobre ellos la Catedral, el Palacio de Pizarro[5], la Iglesia de la Compañía, o el Convento de Santo Domingo.

Recorrió durante horas, a pie, y a menudo bajo la lluvia, las callejuelas estrechas, las diminutas plazas, y los mil recovecos[6] de una ciudad confusa, buscando "La Piedra de los Doce Ángulos", las Ruinas de Sacsaywaman[7], o los restos del Templo del Sol [...].

Cuando arreció la lluvia tomó asiento tras el ventanal de un viejo cafetucho desvencijado[8] y contempló en silencio, durante largo rato, la vacía Plaza de Armas y la imponente fachada de la vieja Catedral.

Alberto VÁZQUEZ-FIGUEROA (escritor español), *Olvidar Machu Picchu*, 1998

Casa colonial en El Cuzco

1. tomaban
2. No le parecía
3. *les fondations*
4. se elevarían
5. conquistador español
6. *recoins*
7. fortaleza inca
8. *un petit café vétuste*

Líneas 1 a 13

a. Cita los dos lugares de Perú visitados por María y di qué similitudes veía entre ambos.
b. ¿Qué tipo de arquitectura descubrió en El Cuzco? Explica cómo fueron construidos los monumentos.
c. Aclara por qué El Cuzco sería "el resultado final de la fusión de dos culturas casi antagónicas".

Líneas 14 al final

d. ¿Qué opinaba de esta fusión de culturas? Fíjate en los adjetivos y en las negaciones: ¿qué revelan?
e. Según María, El Cuzco era "una ciudad confusa" porque...

Recursos

Sustantivos
- el encuentro: *la rencontre*
- la mezcla: *le mélange*

Adjetivos
- antiguo(a): *ancien(ne)*
- incaico(a): *inca*
- opuesto(a): *opposé(e)*

Verbos y expresiones
- mezclar: *mélanger*

A2 El Cuzco, Plaza de Armas

a. Di dónde fue sacada la foto y qué representa.

b. Imagina de qué época podría ser esta plaza. Justifica tu respuesta.

c. ¿Qué elemento sería el más importante en aquella época? Descríbelo.

Expresión escrita

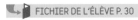

Redacta una breve presentación de El Cuzco para un folleto turístico.

FICHIER DE L'ÉLÈVE P. 30

Plaza de Armas de El Cuzco, Perú

Lengua activa

PRÉCIS 19, CONJ. 247-248

Le conditionnel

- *Se **diría** que los cimientos habían sido levantados pensando que algún día **habrían** de alzarse...*

Conjugue les verbes au conditionnel.

a. Los colonizadores les (describir) la riqueza de las colonias a los reyes españoles.

b. Los españoles (resultar) sorprendidos ante los conocimientos de las antiguas civilizaciones

c. Las construcciones (haber) de servir de base a las de los españoles.

LÉXICO Arquitecturas

Classe les substantifs selon qu'ils correspondent à l'architecture précolombienne ou à l'architecture espagnole (certains mots peuvent correspondre aux deux):

catedrales, palacios, templos, iglesias, pirámides

arquitectura precolombina	arquitectura española

EXERCICES P. 140-141

Recursos

Sustantivos
- el campanario: *le clocher*
- la cúpula: *la coupole*
- la fachada: *la façade*
- una vista aérea

Adjetivos
- barroco(a)
- impresionante
- rodeado(a) por: *entouré(e) de*

Verbos y expresiones
- edificar = construir
- alrededor: *autour de*

Enfoque sobre la noción

Memoria

El Cuzco simboliza la fusión entre la cultura inca y la cultura española. Apoyándote en los documentos, demuéstralo.

- Da algunos ejemplos de los vestigios que los españoles dejaron en la ciudad.
- Explica por qué fue muy lograda *(réussie)* la fusión de las dos culturas en El Cuzco.

A2 En la capital dominicana

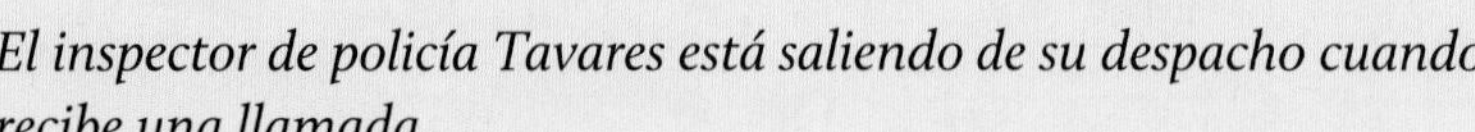

El inspector de policía Tavares está saliendo de su despacho cuando recibe una llamada.

Apagó el ordenador y cogió su chaqueta. Con el pomo de la puerta en la mano, notó que su teléfono móvil daba enormes sacudidas en el interior del bolsillo de su pantalón. La llamada procedía del poderoso director nacional de policía, al cual estaba subordinado entre otros su departamento.
–Ya me iba hacia casa, jefe –dijo el policía.
–Ni se te ocurra[1]. Ven al Faro –le ordenó.
–¿Es algo urgente? –preguntó el inspector.
–Han robado en la tumba de Colón y se han llevado todos sus restos. [...]

Puso rumbo[2] hacia el centro de la enorme capital dominicana, que, con más de dos millones de habitantes se había convertido en la urbe[3] más importante de todo el Caribe. Si el Descubridor levantase la cabeza, no daría crédito[4] al ver la magnífica ciudad que se alzaba sobre el río Ozoma, allá donde quinientos años antes él y sus hombres llegaron por primera vez. [...]
A solas con sus pensamientos, entró en la zona colonial, precisamente donde se encontraban todos los vestigios de aquella gesta histórica: el Alcázar de Colón, la Plaza de España, la Fortaleza Ozama[5] y, sobre todo, la Catedral Primada de América, auténtico símbolo del Nuevo Mundo. Su jefe le había ordenado dirigirse al Faro de Colón, la moderna tumba erigida en honor del descubrimiento con ocasión del Quinto Centenario, y hacia allí se encaminaba.

Miguel RUIZ MONTAÑEZ (escritor español), *La tumba de Colón*, 2007

DATOS *Culturales*

Cristóbal Colón descubrió América el 12 de octubre de 1492. En su primer viaje, llegó a las actuales Islas Bahamas, Santo Domingo y Cuba. En su segundo viaje de 1493 descubriría Guadalupe, Puerto Rico y Jamaica.

1. *Pas question*
2. Se dirigió
3. la ciudad
4. no se lo creería
5. castillo de la época colonial

Líneas 1 a 10

a. Apunta los elementos que demuestran que el protagonista se iba a casa cuando sonó su móvil.
b. Di quién llamaba al protagonista y por qué.

Líneas 11 a 16

c. ¿Qué relación tenía Cristóbal Colón con la capital dominicana?
d. Di cuál sería su reacción si viera la capital hoy.

Líneas 17 al final

e. Muestra que los españoles dejaron sus huellas en Santo Domingo (capital).

Recursos

Sustantivos
- la arquitectura
- las huellas: *les empreintes*
- el jefe: *le chef*
- los monumentos

Adjetivos
- asombrado(a): *étonné(e)*
- hermoso(a): *beau (belle)*

Verbos y expresiones
- descubrir
- robar: *voler*
- ser descubierto(a)

A2+ Descubrimiento del Nuevo Mundo

Descubrimiento de Puerto Rico, Agustín ANAVITATE CORDERO (pintor puertorriqueño), 2012

a. Di qué escena histórica representa este cuadro.
b. Imagina quién podría ser el personaje central. Explica lo que estaría haciendo y en nombre de quién.
c. Fijándote en los habitantes y el entorno, describe el lugar descubierto por los españoles.
d. Apunta las diferencias entre los dos grupos.

Expresión oral

PREPARA EL PROYECTO Le comentas a un amigo todo lo que se descubrió gracias a Cristóbal Colón. *Si no fuera por Colón, no…*

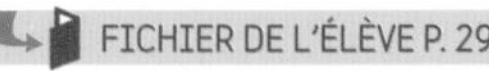
FICHIER DE L'ÉLÈVE P. 29

Recursos

Sustantivos
- el almirante: *l'amiral*
- la bandera: *le drapeau*
- las carabela: *la caravelle*
- las frutas tropicales
- la llegada: *l'arrivée*
- los pájaros = las aves: *les oiseaux*
- la tripulación: *l'équipage*

Adjetivos
- abundante
- hospitalario(a)
- vestido(a) ≠ desnudo(a)

Verbos y expresiones
- desembarcar
- evangelizar
- tomar posesión

Lengua activa

PRÉCIS 26. C

Si + imparfait du subjonctif

- ***Si*** *el Descubridor levan**tase** la cabeza, no daría crédito.*

Conjugue les verbes à l'imparfait du subjonctif.
a. Si el inspector (llamar) a los policías, ellos vendrían de inmediato.
b. Si Colón (ver) la ciudad, estaría sorprendido.
c. Si el inspector (dirigirse) hacia su casa, perdería tiempo.

LÉXICO El Descubrimiento del Nuevo Mundo

Forme une phrase avec les éléments suivants : *una ruta marítima que le condujese más rápidamente – el Nuevo Mundo – porque el objetivo del navegante – en 1492 – sin pensarlo – era descubrir – Cristóbal Colón descubrió – a las Indias.*

EXERCICES P. 140-141

Enfoque sobre la noción

Memoria

La llegada de Cristóbal Colón simbolizó el descubrimiento de un nuevo continente y el encuentro entre dos civilizaciones. Con la ayuda del texto y del lienzo, demuéstralo.

- Cita las primeras islas que descubrió Colón en el Nuevo Mundo.
- Di en qué eran diferentes los españoles y los indígenas.

La Habana
Océano Atlántico
MÉXICO
CUBA
HAITÍ
Mar Caribe
JAMAICA
HONDURAS
NICARAGUA
500 km

A2 Auténtica Cuba

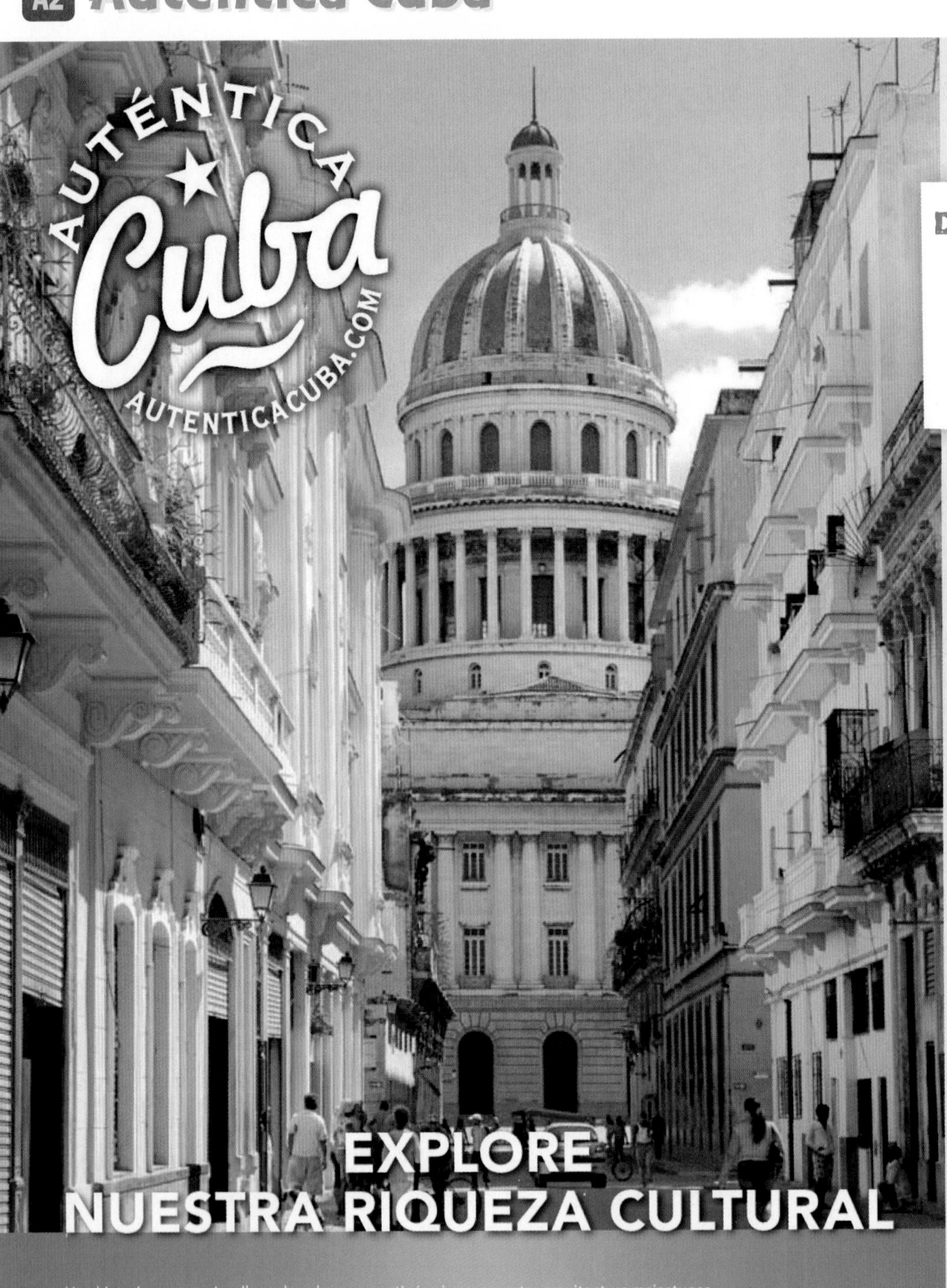

AUTÉNTICA
Cuba
AUTENTICACUBA.COM
EXPLORE
NUESTRA RIQUEZA CULTURAL
Una historia centenaria y llena de color que continúa viva en nuestra arquitectura majestuosa,
cultura vibrante y espíritu único e inextinguible. Así es la auténtica Cuba.Descúbrala.
Cuba

DATOS Culturales

El Capitolio, edificio administrativo de La Habana y sede [*siège*] del Gobierno antes de la Revolución. Hoy es la sede del Ministerio de Ciencia, Tecnología y Medio Ambiente.

Recursos

Sustantivos
- las casas coloniales
- un destino: *une destination*
- el patrimonio arquitectónico: *le patrimoine architectural*

Adjetivos
- neoclásico(a)
- vivo(a): *vivant(e)*

Verbos y expresiones
- valerse (de): *se servir de*

Mira y exprésate

a. Identifica los elementos que componen este anuncio.
b. Describe la foto. ¿Qué impresiones te dan los colores? Justifica tu respuesta.
c. ¿Qué promociona este anuncio? ¿A quién se dirige?
d. "Explore nuestra riqueza cultural". El eslogan invita a los turistas a que... a...

comprensión escrita

A2+ Por La Habana Vieja

Como lo había prometido, Boris me llevó un domingo a recorrer los esplendores de La Habana Vieja. [...]
Habíamos ido al Museo de La Habana, en la plaza de la catedral, a ver no tanto la colección de muebles y pinturas antiguas que albergaba el edificio colonial, sino los medios puntos de vidrio[1] que a Boris le causaban alegría. –¿Ves tú, Alma, cómo somos cubanos los cubanos?, exclamaba Boris entusiasmado. Esta casa del siglo diecisiete no es El Escorial[2], estas ventanas de colores no son la catedral de Salamanca, por más que[3] la piedra es piedra y el vidrio emplomado[4] es vidrio. [...] Estoy de acuerdo con que la cultura cubana nace con la colonia, pero eso no quita[5] que sea profundamente cubana. Y por eso es importante conservar los medios puntos y los palacios y también las casas del Vedado[6].

Alma GUILLERMOPRIETO (escritora mexicana), *La Habana en un espejo*, 2005

1. *arcs en plein cintre vitrés (→ foto p. 144)*
2. monasterio cerca de Madrid
3. *(ici) même si*
4. *(ici) les vitraux*
5. *cela n'empêche pas*
6. barrio residencial de La Habana

Líneas 1 a 5

a. Di adónde Boris llevó a Alma un domingo.
b. A Boris le gustaba, ¿el interior o el exterior del museo? Justifica.

Líneas 6 al final

c. Muestra que para Boris el Museo no era un simple edificio colonial sino la expresión de la identidad cubana.
d. Explica por qué para Boris era importante conservar el patrimonio arquitectónico.

Expresión oral

PREPARA EL PROYECTO Eres un(a) guía y explicas a un grupo de turistas cómo La Habana Vieja conserva sus huellas coloniales.

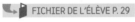

FICHIER DE L'ÉLÈVE P. 29

Recursos

Sustantivos
- la herencia = el legado: *l'héritage*
- la riqueza: *la richesse*
- el valor: *la valeur*

Verbos y expresiones
- recordar (ue): *se souvenir*
- visitar
- formar parte de: *faire partie de*

Lengua activa

PRÉCIS 34

Sino (« mais ») après une principale négative

- *Habíamos ido a ver no tanto la colección de muebles ... **sino** los medios puntos de vidrio.*

Complète avec *sino* ou *pero*.

a. No recorrieron La Habana un sábado ... un domingo.
b. La catedral era muy bella ... el museo le interesaba más.
c. No era la catedral de Salamanca ... la de La Habana.

LÉXICO Descubrir el patrimonio colonial

Cherche dans le texte les formes verbales qui correspondent aux substantifs.

a. un recorrido
b. un albergue
c. el plomo
d. el nacimiento
e. la conservación

EXERCICES P. 140-141

Enfoque sobre la noción

Memoria

La arquitectura de Cuba permite recordar el pasado de la isla. Demuéstralo apoyándote en el anuncio y en el texto.

- Describe el estilo de los edificios de La Habana Vieja.
- El museo de La Habana recuerda dos monumentos españoles muy famosos, cítalos.

comprensión oral

A2 La Reina de las Indias

Edificios con balcones volados de Cartagena de Indias, Colombia

1 Fíjate, escucha y apunta

a. Di lo que representa la foto.
b. Apunta dos elementos arquitectónicos típicamente españoles.

Primera escucha completa

c. Identifica el tipo de documento y el tema.
d. ¿De qué época es la ciudad evocada?

Segunda escucha

e. Explica por qué la llamaban "Reina de las Indias".
f. En... fue declarada...

Tercera escucha

g. Apunta otros dos elementos típicos de la ciudad.
h. La región del Caribe fue la primera en... y la primera por ser...
i. Toma nota del nombre del fundador y de la fecha de fundación de la ciudad.

FICHIER DE L'ÉLÈVE P. 27

2 Resume

Redacta todo lo que has entendido de la grabación.

Recursos

Sustantivos
- un balcón volado: *un balcon en porte-à-faux*
- un portón = una puerta grande
- las rejas: *les grilles en fer forgé*
- los soportales: *les arcades*

Adjetivos
- adoquinado(a): *pavé(e)*

Verbos y expresiones
- explorar: *explorer*
- fundar: *fonder*
- poblar (ue): *peupler*

DATOS Culturales

Gabriel García Márquez era un escritor y periodista colombiano. Su novela más famosa es *Cien años de soledad*. En 1982 recibió el Premio Nobel de Literatura. Era conocido familiarmente como Gabo.

Fonética

a. **Escucha las palabras siguientes y di si llevan el sonido [θ] o [s].**
b. **Di si las palabras se escriben con "c" o "s" y repítelas en voz alta.**

comprensión escrita

A2 Cartagena de Indias

Nos dirigimos al centro histórico por la avenida Santander, bordeando el mar Caribe [...] más adelante por el lado izquierdo surgió el cerro[1] de San Lázaro y la imponente masa del fuerte de San Felipe de Barajas [...].
Estaba en Cartagena de Indias, la ciudad que soportó durante siglos los asaltos[2] de piratas tan infames como Robert Baal, Martin Cote, el barón de Pointis y sir Francis Drake. [...]

Ingresamos al casco amurallado[3] por la Puerta del Tejadillo, una entrada bastante estrecha, con los costados del taxi destartalado casi raspando[4] la roca milenaria. Seguimos por la Plataforma de las Ballestas, del lado interno de las defensas, y continuamos por la calle conocida como la Playa de la Artillería. Más adelante doblamos a la izquierda por el Callejón de los Estribos y reparé en[5] los viejos sentados en taburetes recostados a la puerta de la calle, tomando el fresco y conversando con los vecinos, hasta que llegamos a la plaza de Santo Domingo. Me bajé en la esquina del restaurante Paco's [...]. Me dirigí al local más apartado, el discreto Café de la Plaza, y pasé por al lado de la escultura de Botero que hacía poco el maestro había donado a la ciudad.

Juan Carlos BOTERO (escritor colombiano), *La sentencia*, 2002

1. la colina
2. los ataques
3. *la vieille ville entourée de murailles*
4. *les côtés du taxi en mauvais état qui frôlaient presque*
5. *je remarquai*

Líneas 1 a 5

a. Di dónde se sitúa Cartagena de Indias y deduce qué tipo de ciudad es.
b. Explica por qué los españoles construyeron el fuerte de San Felipe de Barajas.

Líneas 6 al final

c. Apunta otros elementos que evocan el pasado militar de la ciudad.
d. Hoy Cartagena de Indias es una ciudad tan comercial como cultural. Demuéstralo.

Expresión escrita

PREPARA EL PROYECTO Para un juego televisivo: prepara cinco preguntas sobre el pasado colonial de Cartagena con las respuestas correspondientes.

Recursos

Sustantivos
- el asedio: *le siège*
- un puerto: *un port*

Adjetivos
- portuario(a): *portuaire*

Verbos y expresiones
- defender (ie)
- proteger

FICHIER DE L'ÉLÈVE P. 30

Lengua activa

PRÉCIS 12

Les comparatifs *más/menos...que, tan...como*

La ciudad soportó los asaltos de piratas ***tan*** *infames* ***como*** *Robert Baal.*

Transforme les comparatifs d'infériorité et de supériorité en comparatifs d'égalité.

a. El cerro de San Lázaro es menos imponente que la fortaleza.
b. Francis Drake es más conocido que Robert Baal.
c. El centro de Cartagena de Indias es menos histórico que el centro de La Habana Vieja.

LÉXICO Vivir en la ciudad

Complète avec les mots: *apoyados, charlando, ancianos, observar* **et trouve leurs synonymes dans le texte.**

Es posible ... a los ... sentados que están ... con los vecinos, ... a la puerta de la calle.

EXERCICES P. 140-141

Enfoque sobre la noción

Memoria

El patrimonio arquitectónico de Cartagena de Indias es una riqueza histórica y cultural. Apoyándote en la grabación y en el texto, demuéstralo.

- Explica cómo se mantienen las huellas de los piratas en la arquitectura de Cartagena de Indias.
- Cita el nombre del prestigioso reconocimiento que recibió la ciudad por su riqueza cultural.

B1 De San Francisco a Santiago de Chile

Con brazos indígenas y negros, España fundó en las Américas un rosario[1] incomparable de ciudades, verdaderas urbes del Nuevo Mundo, de San Francisco en California a Santiago del Nuevo Extremo en Chile, de San Agustín en la Florida a Buenos Aires en el Plata, ciudades fortaleza de las costas y las islas: La Habana, San Juan de Puerto Rico, Cartagena de Indias; serpentinas ciudades mineras[2] de las montañas: Guanajuato, Taxco, Potosí; grandes capitales: Lima, México, Quito, Santa Fe de Bogotá.

Nadie, nunca, sobre territorio tan vasto, ha construido tanto, con tanta energía y en tan poco tiempo, como España en América. Ciudades con imprentas[3], universidades, pintores y poetas, un siglo antes de que nada de esto apareciese en Angloamérica. [...]

Culturas inclusivas[4]: la fachada de la iglesia de la Soledad, en Oaxaca[5], exhibe ejemplarmente los tres órdenes clásicos, Corintio, Jónico y Dórico[6]. La iglesia de Jolalpan en Puebla[5], de un solo golpe, cuenta en su portada tanto el Antiguo como el Nuevo Testamento en una sola visión barroca, instantánea, sin aliento. [...]

Más allá del mundo del imperio, el oro y el poder, más acá de las guerras entre religiones y dinastías en Europa, un mundo nuevo acabó por formarse en las Américas, con voces y manos americanas.

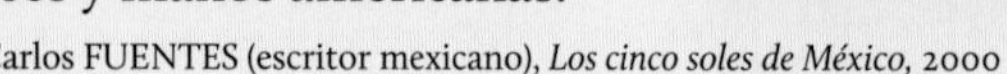
Carlos FUENTES (escritor mexicano), *Los cinco soles de México*, 2000

Fachada de la iglesia Soledad en Oaxaca, México

1. *un chapelet (fig.)* 2. *(ici) une série de villes minières* 3. *des imprimeries* 4. *qui assimilent* 5. ciudad de México 6. estilos arquitectónicos grecorromanos

Líneas 1 a 11

a. Apunta un elemento que muestra la importancia de la implantación de España en América Latina.
b. Di cómo clasifica el narrador a las ciudades citadas.
c. Explica la expresión "con brazos indígenas y negros".

Líneas 12 a 17

d. Cita las expresiones que evidencian la admiración de Carlos Fuentes.

Líneas 18 al final

e. ¿Qué estilos aparecen en las iglesias? Explica lo que muestran.
f. Según Fuentes, ¿qué tipo de mundo se formó en las Américas?

Recursos

Sustantivos
- el comercio triangular
- la mano de obra: *la main d'œuvre*

Adjetivos
- amplio(a): *vaste*
- propio(a)

Verbos y expresiones
- explotar: *exploiter*
- incluir = incorporar
- dejar su huella: *laisser son empreinte*

comprensión oral

A2 Pueblos Mágicos, tradición y belleza

Antes de escuchar

a. Fijándote en las fotos del anuncio, imagina lo que puede ser un Pueblo Mágico.

Primera escucha

b. Apunta tres características de estos pueblos.

c. ¿Por qué es tan importante formar parte de esa categoría?

Segunda escucha

d. Da el número exacto de Pueblos Mágicos en México.

e. Di por qué razones algunos pueden perder su nombramiento.

f. Redacta todo lo que has entendido del reportaje.

FICHIER DE L'ÉLÈVE P. 28

Expresión oral

PREPARA EL PROYECTO Convence a un(a) amigo(a) para que viaje contigo a una ciudad colonial latinoamericana.

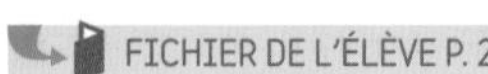
FICHIER DE L'ÉLÈVE P. 29

Pueblos mágicos de México

Recursos

Sustantivos
- el arraigo: *l'enracinement*
- la autenticidad
- la belleza: *la beauté*
- los hábitos = las costumbres
- el nombramiento: *la nomination*

Verbos y expresiones
- manar: *jaillir*
- sacar provecho: *tirer profit, profiter*

Lengua activa

PRÉCIS 8.A, 15, 40. F

Tanto, tan(to), tanto(a), tantos(as)

- *Un territorio **tan vasto**. (tan + adjectif)*
- *Nadie, nunca, **ha construido tanto**. (verbe + tanto)*
- *Con **tanta energía**. (tanto(os), tanta(as) + substantif)*

Emploie *tan, tanto* ou *tanto(os)/tanta(as)*.

a. Con ciudades ... bellas, es normal que haya muchos turistas.

b. Los españoles construyeron ... iglesias que simbolizan la presencia española en América.

c. Los alumnos leen ... sobre el estilo barroco, que lo conocen muy bien.

LÉXICO Capitales y países de Latinoamérica

Associe chaque ville à un pays.

a. Bogotá b. Buenos Aires c. La Habana d. Lima
e. México D.F. f. Quito g. Santiago

1. Perú 2. Argentina 3. Colombia 4. Cuba 5. Ecuador
6. México 7. Chile

EXERCICES P. 140-141

Enfoque sobre la noción

Memoria

Las ciudades y los pueblos de América Latina mezclan historia, tradición, vestigios coloniales e identidad propia. Apoyándote en el texto y en la grabación, demuéstralo.

- Cita cinco ciudades que fundaron los españoles en América.
- Lista tres criterios para que un pueblo sea clasificado como pueblo mágico.

Capitales coloniales y conquistadores

A Ciudad de México (1521)

Cuando los españoles llegaron a la región en 1519 al mando[1] del conquistador **Hernán Cortés**, descubrieron una imponente ciudad, Tenochtitlán. Al principio, el emperador azteca Moctezuma no opuso resistencia pensando que la llegada de los españoles realizaba una profecía del regreso del dios Quetzalcóatl. Empezó después una gran batalla en la que vencieron los españoles. La ciudad fue devastada y los restos de las magníficas construcciones se utilizaron para construir iglesias, edificios gubernamentales y viviendas para los conquistadores.

Hernán Cortés

1. *dirigés par*

El Palacio Nacional y la Plaza de la Constitución, México

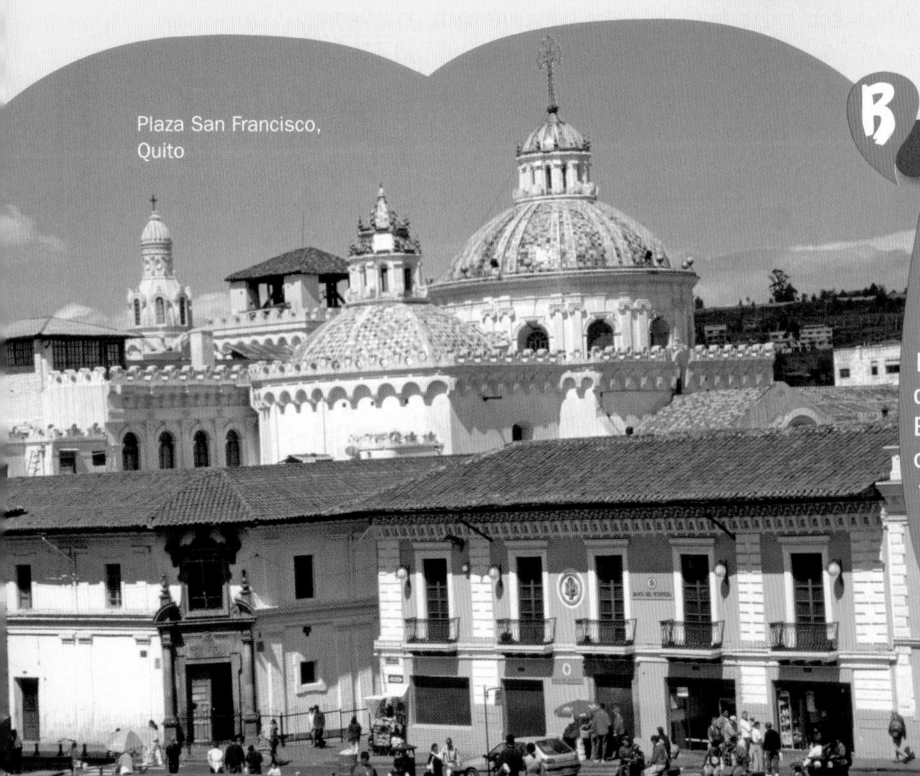
Plaza San Francisco, Quito

B Quito (1534)

En 1534, el conquistador **Sebastián de Benalcázar** fundó San Francisco de Quito en Ecuador, en las faldas[1] del volcán Pichincha. En ese mismo lugar existía ya una ciudad con templos construidos por los incas que fue incendiada por Rumiñahui, un guerrero indígena, al ver el avance de los soldados españoles. La ciudad se construyó según dos características: el trazado de las calles en cuadrícula[2] y la plaza principal.

Sebastián de Benalcázar

1. *le flanc* 2. *en échiquier*

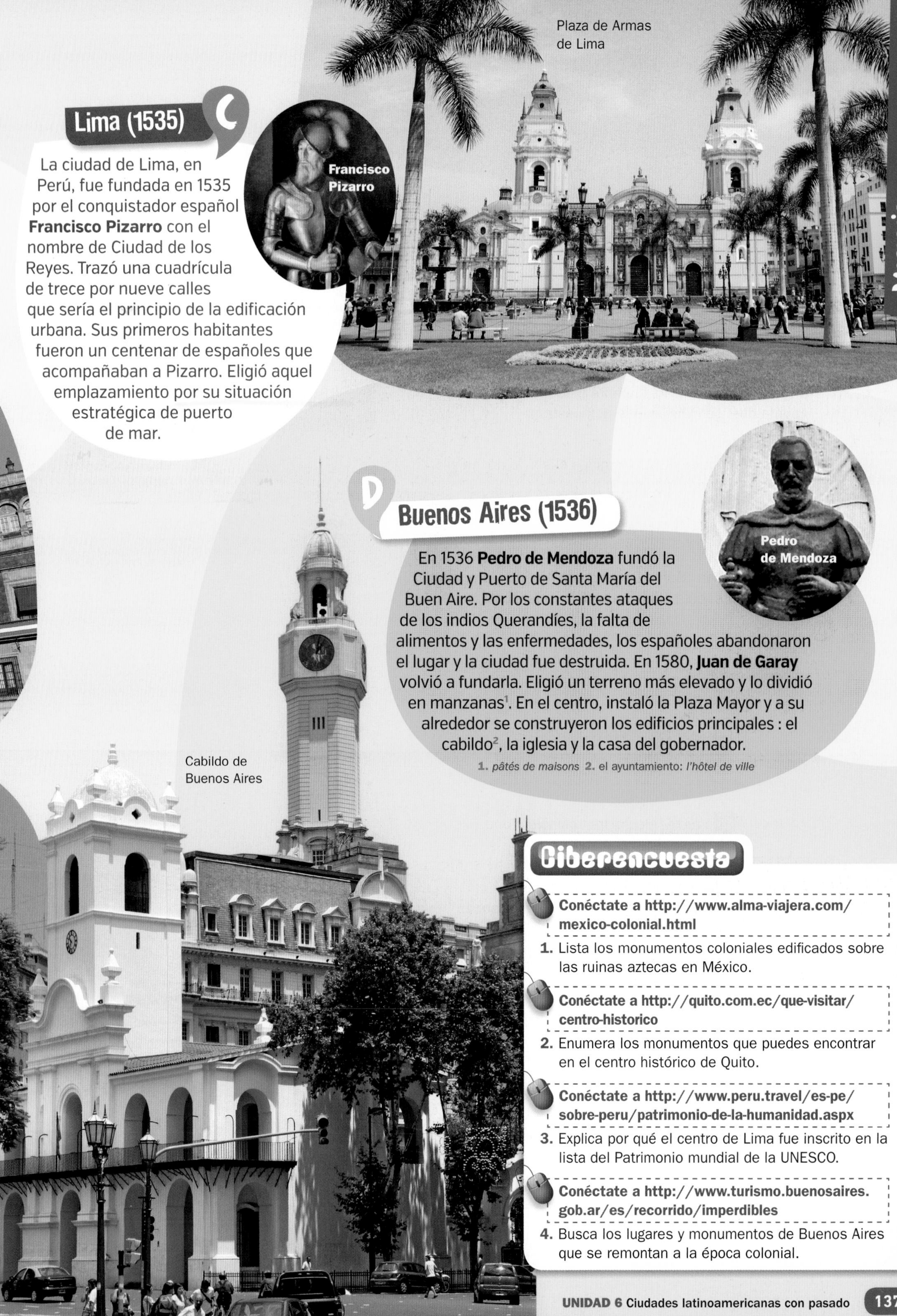

Plaza de Armas de Lima

C Lima (1535)

La ciudad de Lima, en Perú, fue fundada en 1535 por el conquistador español **Francisco Pizarro** con el nombre de Ciudad de los Reyes. Trazó una cuadrícula de trece por nueve calles que sería el principio de la edificación urbana. Sus primeros habitantes fueron un centenar de españoles que acompañaban a Pizarro. Eligió aquel emplazamiento por su situación estratégica de puerto de mar.

D Buenos Aires (1536)

En 1536 **Pedro de Mendoza** fundó la Ciudad y Puerto de Santa María del Buen Aire. Por los constantes ataques de los indios Querandíes, la falta de alimentos y las enfermedades, los españoles abandonaron el lugar y la ciudad fue destruida. En 1580, **Juan de Garay** volvió a fundarla. Eligió un terreno más elevado y lo dividió en manzanas[1]. En el centro, instaló la Plaza Mayor y a su alrededor se construyeron los edificios principales : el cabildo[2], la iglesia y la casa del gobernador.

1. *pâtés de maisons* **2.** el ayuntamiento: *l'hôtel de ville*

Cabildo de Buenos Aires

Ciberencuesta

Conéctate a http://www.alma-viajera.com/mexico-colonial.html

1. Lista los monumentos coloniales edificados sobre las ruinas aztecas en México.

Conéctate a http://quito.com.ec/que-visitar/centro-historico

2. Enumera los monumentos que puedes encontrar en el centro histórico de Quito.

Conéctate a http://www.peru.travel/es-pe/sobre-peru/patrimonio-de-la-humanidad.aspx

3. Explica por qué el centro de Lima fue inscrito en la lista del Patrimonio mundial de la UNESCO.

Conéctate a http://www.turismo.buenosaires.gob.ar/es/recorrido/imperdibles

4. Busca los lugares y monumentos de Buenos Aires que se remontan a la época colonial.

comprensión oral  Descubro una canción de promoción

> **OBJECTIF A2+** : comprendre une chanson sur la promotion d'une ville.

Canción
***Santo Domingo es alegría*, Pavel Núñez**

Bonus vídeo Marca Ciudad

Antes de escuchar

a. Describe el fotograma y di lo que te inspira.

Primera escucha

b. Di qué lugar evoca esta canción y dónde se sitúa.
c. ¿Qué elemento está siempre presente en este sitio? Apunta dos ejemplos que lo demuestran.

Segunda escucha

d. Muestra que en Santo Domingo el sol, la noche y la luna son también alegres.
e. La canción da dos razones para ir a Santo Domingo. Cítalas.

Tercera escucha

f. ¿Qué significa "Santo Domingo de América la primera"?
g. Finalmente, esta ciudad es idílica. Justifícalo.

Conéctate al aula virtual *Próxima parada* para rellenar la ficha

Recursos

Sustantivos
- las estrellas: *les étoiles*
- los males: *les maux*
- un pedacito: *un petit morceau*
- la sonrisa: *le sourire*

Adjetivos
- alegre: *joyeux(euse)*

Verbos y expresiones
- frente a: *face à*

expresión escrita Redacto un retrato chino

> **OBJECTIF A2+** : rédiger le portrait chinois d'une ville coloniale.

Para presentar las ciudades coloniales latinoamericanas de manera divertida, tu profesor te ha pedido que redactes un retrato chino.

a. Lee este retrato chino y adivina a qué ciudad colonial de América Latina corresponde.
b. Elige una ciudad colonial hispánica y selecciona los elementos más representativos de su pasado colonial.
c. Redacta su retrato chino.

Recursos

Sustantivos
- un castillo
- una fortaleza
- un fuerte
- un palacio

Verbos y expresiones
- fundar
- parecerse a: *ressembler à*
- ubicarse = situarse = encontrarse (ue)

- Si fuera una ciudad azteca, **sería Tenochtitlán**
- Si fuera un emperador azteca, **encarnaría a Moctezuma**
- Si fuera un conquistador español, **me gustaría ser Hernán Cortés**
- Si fuera una plaza, **me llamaría El Zócalo**
- Si fuera un monumento colonial, **sería la Catedral Metropolitana**

¿Quién soy?

Respuesta: la ciudad de México

TICE Hago la visita virtual de una ciudad

Conéctate a: http://www.visitmexico.com/es/las-mejores-ciudades-coloniales

1 Busca información

a. En la parte inferior de la página aparece una lista de ciudades coloniales. Elige una ciudad para realizar tu visita virtual.

b. Lee atentamente el texto informativo sobre la ciudad elegida:
–di dónde se ubica;
–cita los atractivos que ofrece a nivel cultural (arquitectura, gastronomía,...).

c. Ahora, pincha en "Ver más".
–Explica cómo fue fundada la ciudad si se menciona.
–Lista las huellas dejadas por los españoles.
–Di si tiene algún título conferido por la UNESCO u otro organismo. Si lo tuviera, ¿por qué sería?

2 Haz una presentación oral

d. Prepara tu presentación tomando notas sobre la ciudad elegida.

e. Presenta oralmente tu trabajo a la clase.

Recursos

Sustantivos
- un barrio: *un quartier*
- una leyenda: *une légende*

Adjetivos
- gótico(a)
- renacentista

Verbos y expresiones
- contar (ue) con: *avoir, disposer de*
- poseer

Conozco huellas del pasado

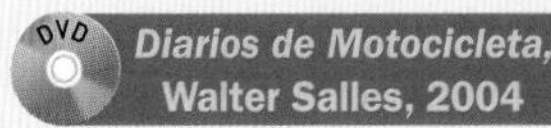

El Che, Alberto Granado y el niño indígena delante de la catedral de El Cuzco

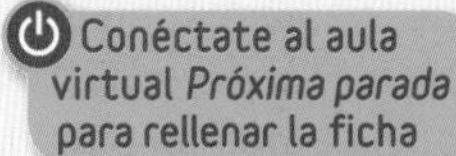

1 Fíjate

a. Describe el fotograma y adivina qué culturas se van a evocar en la secuencia.

2 Mira y escucha

b. Di qué lugares aparecen en las secuencias. Apunta el nombre del guía de Ernesto y Alberto.

c. ¿Qué les explica el guía a propósito de los dos muros que les enseña?

d. Aclara lo que hicieron los españoles con la capital inca.

e. Apunta el nombre de la lengua que hablan los indígenas de aquel lugar.

f. Explica cómo conquistaron los españoles a los incas.

3 Resume

g. Redacta lo que has entendido del vídeo.

Recursos

Sustantivos
- las armas
- un(a) guía: *un(e) guide*
- el saber
- la pólvora: *la poudre à canon*

Adjetivos
- perfecto(a) ≠ imperfecto(a)

Verbos y expresiones
- construir ≠ destruir
- elegir (i) = escoger: *choisir*

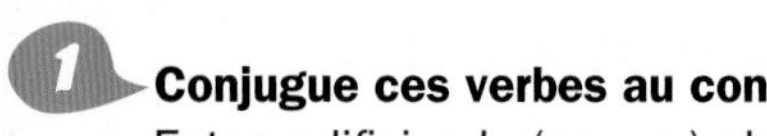

Gramática activa

LENGUA ACTIVA p. 127
PRÉCIS 19

Le conditionnel

1 Conjugue ces verbes au conditionnel.

a. Estos edificios le (causar) alegría.
b. Con tu hermana, tú no (viajar) así.
c. Estas ciudades coloniales (atraer) a más turistas con campañas publicitarias.
d. Caminando en línea recta, (nosotros/descubrir) la estatua de Colón.
e. (Ser) importante conservar estos documentos.
f. (Nosotros/estar) cansados con tantas visitas.

2 Conjugue ces verbes irréguliers au conditionnel. Attention à la modification orthographique.

a. Los turistas (tener) que descansar del largo viaje.
b. (Tú/venir) hasta aquí si pudieras.
c. Nosotros no (saber) cómo comportarnos en esa ciudad.
d. Los piratas (poder) haber abandonado tesoros.
e. (Yo/querer) ir a Latinoamérica.
f. Los colonizadores (poner) toda su energía en la edificación de aquellas ciudades.

LENGUA ACTIVA p. 129
PRÉCIS 26.C

Si + imparfait du subjonctif

3 Conjugue les verbes à l'imparfait du subjonctif.

a. Si los ancianos (quedarse) fuera de casa, se beneficiarían del fresco.
b. Si los antiguos mexicanos (ver) las ciudades latinoamericanas, se quedarían estupefactos.
c. Si nosotros (conocer) esta historia, podríamos contarla.
d. Si los latinoamericanos no (aceptar) sus diferentes orígenes, perderían parte de su pasado.
e. Si (yo/dirigirme) hacia esos barrios, no iría solo.
f. Si (tú/hablar) con ellos, aprenderías muchas cosas.

4 Conjugue ces verbes irréguliers à l'imparfait du subjonctif.

a. Si (tú/estar) cansada por el viaje, te quedarías en casa.
b. Si tu familia (venir) a visitar los monumentos, comprendería tu entusiasmo.
c. Si (yo/poder) visitar El Cuzco, realizaría un sueño.
d. Si (él/ser) capaz de construir aquel edificio, sería un buen arquitecto.
e. Vosotros os daríais cuenta de lo que fue la colonización si (saber) lo que pasó.
f. Los pueblos conocerían mejor su historia si (hacerse) esta película.

LENGUA ACTIVA p. 131
PRÉCIS 34

Sino (« mais ») après une principale négative

5 Complète avec *sino* ou *pero*.

a. No se fue hacia casa … rumbo al centro de la ciudad.
b. No sólo les gustaba el centro histórico … también los barrios modernos.
c. Los conquistadores dieron un nombre al lugar … lo cambiaron después.
d. No queremos visitar ciudades modernas … ciudades coloniales.
e. Hace calor … los ancianos están fuera.
f. No me gusta el estilo barroco … el estilo clásico.

LENGUA ACTIVA p. 133
PRÉCIS 12

Les comparatifs *más/menos … que, tan … como*

6 Complète comme il convient.

a. Este viaje era más largo … el primero que hice.
b. Cartagena es una ciudad menos impresionante … Ciudad de México.
c. Esos piratas fueron tan conocidos … los conquistadores.
d. Esta catedral es … imponente como la de Salamanca.
e. Se ve la fusión de culturas más en El Cuzco … en Lima.
f. Es una ciudad tan atractiva … extraña.

LENGUA ACTIVA p. 135
PRÉCIS 8.A, 15, 40. F

La notion de quantité avec *tan(to), tanto(os)/tanta(as)*

7 Emploie *tan* (+ adjectif) ou *tanto* (+ verbe).

a. El inspector trabaja … en su despacho que no vuelve a casa esta noche.
b. Nos gusta esta ciudad … agradable.
c. Los cubanos se sienten … diferentes de los otros latinoamericanos.
d. Esta iglesia colonial se parece … a la iglesia de aquella ciudad de España que no se ven diferencias.
e. La chica está … cansada que se queda dormida.
f. Me gusta … aquel lugar que me gustaría quedarme.

8 Emploie *tanto(os)* ou *tanta(as)* en faisant l'accord avec le substantif.

a. Hay … contaminación en México DF que los políticos lo denuncian.
b. En El Cuzco vienen … turistas que hay mucho ruido.
c. Con … problemas la población sigue siendo pobre.
d. El chico sigue visitando monumentos con … interés que se olvida de la hora.
e. Comprendo por qué Latinoamérica atrae a … gente.
f. En esta ciudad hay … palacios y … iglesias que es difícil visitarlo todo.

LÉXICO

FICHIER DE L'ÉLÈVE P. 30

1. **Con ayuda de las palabras siguientes, di cómo se le llamó a Cristóbal Colón, por qué y qué buscaba en realidad. (columna I)**
2. **Precisa en nombre de quiénes los españoles conquistaron el Nuevo Mundo y lo que les impusieron a los indígenas. (columna II)**
3. **Cita edificios que caracterizan la presencia española y representan el poder, la religión y la fuerza militar. (columna III)**
4. **¿Cuáles son los elementos de la arquitectura colonial que remiten (*renvoient*) a las ciudades de España? (columna IV)**

I EL DESCUBRIMIENTO *(la découverte)*

- el Descubridor (Cristóbal Colón): *le Découvreur (Christophe Colomb)*
- el Nuevo Mundo: *le Nouveau Monde*
- audaz = atrevido(a): *audacieux(euse)*
- buscar otra ruta de las especias: *chercher une autre route des épices*
- descubrir: *découvrir*
- llegar rápido a las Indias: *arriver rapidement aux Indes*
- navegar: *naviguer*
- por primera vez: *pour la première fois*

II LA CONQUISTA *(la conquête)*

- la crueldad: *la cruauté*
- la dominación: *la domination*
- empeñarse en: *s'obstiner à*
- enfrentarse al peligro: *affronter le danger*
- luchar contra enemigos: *lutter contre des ennemis*
- obedecer: *obéir*
- someterse: *se soumettre*
- en nombre de los Reyes Católicos: *au nom des Rois Catholiques*

III LA CIUDAD COLONIAL *(la ville coloniale)*

- el casco viejo/histórico: *le quartier historique*
- la catedral: *la cathédrale*
- el convento: *le couvent*
- la fortaleza: *la forteresse*
- la iglesia: *l'église*
- el palacio: *le palais*
- la urbe = la ciudad: *la ville*
- la zona colonial: *la partie coloniale*
- amurallado(a) = fortificado(a): *fortifié(e)*

IV ARQUITECTURA Y ADORNOS COLONIALES *(architecture et décoration coloniales)*

- las fachadas con rejas en las ventanas: *les façades avec des grilles aux fenêtres*
- la fuente: *la fontaine*
- muebles y pinturas: *des meubles et des tableaux*
- paredes blancas: *des murs blancs*
- la plaza con los soportales: *la place avec les arcades*
- los retablos de las iglesias: *les retables des églises*
- las vidrieras de las catedrales: *les vitraux des cathédrales*
- arquitectónico(a): *architectural(e)*

Enfoque final: noción y documentos

FICHIER DE L'ÉLÈVE P. 31

Descubrimiento y Conquista del Nuevo Mundo

→ **Cristóbal Colón, figura emblemática del Descubridor.**

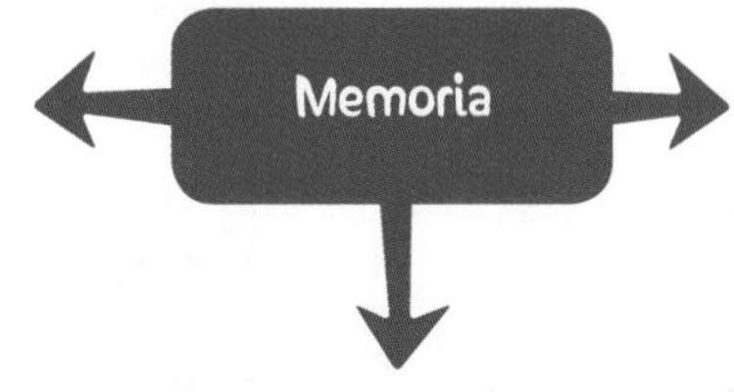

La colonización

→ **La colonización: ¿civilización o pérdida del patrimonio indígena?**

Las ciudades latinoamericanas, reflejo de la fusión de culturas

→ **Las ciudades latinoamericanas tienen un patrimonio cultural muy rico que les es propio.**

Retablo de la iglesia Santa María de Tonantzintla, México

Tonantzintla es una ciudad del estado de Puebla en México. El decorado del interior de la iglesia es de arte indígena barroco, que consiste en una exuberante decoración con representaciones indígenas: ángeles morenos, frutas tropicales, mazorcas (*épis*) de maíz... Se trata de una fusión de la religión cristiana con la creencia indígena.

Recursos

Sustantivos
- la decoración = la ornamentación
- el estuco: *le stuc*
- la virgen: *la vierge*

Adjetivos
- barroco(a): *baroque*
- dorado(a)
- profuso(a) = abundante
- recargado(a): *chargé(e)*
- tallado(a) = esculpido(a): *sculpté(e)*

¿Qué representa este retablo? Dilo con lo que sabes...

1. Di lo que representa la foto e identifica el estilo arquitectónico.
2. Describe la ornamentación (materiales, colores, figuras...)
3. Explica por qué es este retablo una fusión de culturas.

Para saber más:
http://puebla.travel/es/ver-hacer/sitios-de-interes/iglesias/item/iglesia-de-santa-maria-tonantzintla

Memoria

PROYECTO A

Cread un test sobre el pasado colonial de las ciudades latinoamericanas

expresión escrita

Para la clase de Historia, cread un test cultural sobre el pasado colonial de las ciudades latinoamericanas.

1 Preparad el test

a. Formad grupos de 3 o 4.

b. Listad todo lo que conocéis sobre las ciudades coloniales. También podéis reunir fotos de monumentos emblemáticos para compararlos.

c. A partir de vuestros apuntes imaginad 10 preguntas, algunas en forma de retrato chino.

d. Para cada pregunta, preparad tres respuestas: la verdadera y dos falsas.

2 Haced el test

e. Plantead las preguntas a los demás grupos para saber quién domina mejor el tema.

Basílica colegiata de Nuestra Señora de Guanajuato, México

PROYECTO B

Haz la voz en off de un reportaje sobre monumentos coloniales

expresión oral

Eres becario (*stagiaire*) en Televisión Española y debes realizar un reportaje sobre monumentos coloniales emblemáticos de América Latina para el programa "América Total".

1 Prepara el reportaje

a. Elige 2 o 3 monumentos coloniales. Pueden ubicarse en diferentes ciudades o países.

b. Prepara una presentación breve: cuándo y por quiénes fueron construidos, para qué servirían, en qué se manifestarían las huellas españolas...

c. Elige fotos de los monumentos para compararlos e ilustrar el reportaje.

2 Haz la voz en off y grábala en tu mp3

d. Presenta la ciudad elegida y sus monumentos.

Páginas web que puedes consultar:
http://www.visitmexico.com/es/tesoros-coloniales
http://www.peru.travel/es-pe/
http://www.boliviaturismo.com.bo/La_Paz.php

EVALUACIÓN

comprensión oral  La Habana colonial

> **OBJECTIF A2+** : comprendre la présentation d'une ville coloniale.

Escucha la grabación y contesta.

A2
- a. Di quiénes y cuándo fundaron esta capital.
- b. Di cuántas plazas se construyeron. Precisa cuál fue la primera y cuál fue la última.
- c. Explica qué es La Habana Vieja.

A2+
- d. ¿Tiene La Habana Vieja un gran valor arquitectónico? Justifica tu respuesta con un elemento del documento.
- e. En tiempos coloniales los edificios servían de... y hoy sirven de...

Plaza Vieja, La Habana, Cuba

comprensión escrita La herencia colonial

> **OBJECTIF B1** : comprendre un récit sur l'héritage colonial d'une ville.

Eran las dos de la madrugada –en España– cuando Elena se desplomó[1] sobre la cama del hotel de Ciudad de México, agotada tras el largo viaje. [...] En aquel país eran las siete de la tarde, [...], así que decidió salir y explorar los alrededores. La luz imprimía una atmósfera agradable, teñida de un color anaranjado provocado por la extraña fusión entre la polución existente en una de las ciudades más contaminadas del mundo y la caída del sol, que seguía invitándola a pasear por la amplia avenida del paseo de la Reforma. Elena admiró a lo largo de ellas las estatuas sobre pedestales[2] situadas en ambas aceras[3], en las que se homenajeaba a personajes relevantes a lo largo de la historia del país [...]. Caminó en línea recta hasta llegar al monumento dedicado a Cristóbal Colón, rodeado de cuidados jardines y situado en una de las glorietas[4] de la amplia avenida. En su base había cuatro figuras sentadas, dedicadas a los primeros misioneros llegados al continente americano, y en la parte más alta del pedestal estaba la escultura de Cristóbal Colón, en pie, con su mano derecha tendida hacia adelante. Decidió entonces regresar.

Mercedes GUERRERO (escritora española), *El árbol de la diana*, 2010

Lee el texto y contesta.

A2+
- a. Di en qué ciudad colonial estaba Elena y de qué país venía.
- b. Citando el texto, explica lo que pudo ver en el paseo de la Reforma.

B1
- c. Enumera las figuras que hacían referencia a la época de la Conquista y de la colonización.
- d. Imagina qué indicaría la mano de Cristóbal Colón.

1. *s'effondra*
2. *leur piédestal*
3. *sur chaque trottoir*
4. *l'un des ronds-points*

expresión oral El mapa de Colón

> **> OBJECTIF** B1 : décrire et commenter un dessin humoristique.
> Temps de parole : 3 minutes

Observa el cómic y exprésate.

A2
a. Describe lo que representa el dibujo.
b. Explica lo que estaría utilizando Colón para llegar hasta América según el dibujante.

B1
c. ¿Cómo reacciona el marinero que le acompaña? ¿Por qué?
d. Explica en qué es humorístico este dibujo.

• un mapa: *une carte*

Según este mapa, estaríamos llegando a la India. ¡Qué bien!
Si pudiéramos llegar allí, sería estupendo. Pero no sé, Sr. Colón si podemos confiar en este mapa de Apple.

Navegando por el océano

interacción oral ¿Quién es?

> **> OBJECTIF** A2+ : poser des questions pour découvrir le nom d'un personnage historique.
> 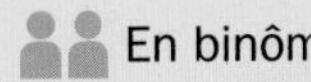 En binôme

En un juego de adivinanzas, tienes que descubrir el nombre de un personaje relacionado con la época colonial.

A2+
Alumno(a) A: Elige a un personaje hispánico importante de la época colonial.
Alumno(a) B: Para descubrir su nombre, tienes que hacer preguntas buscando comparaciones con fórmulas como: *Si fuera... ¿qué sería?*
Alumno(a) A: Contesta las preguntas utilizando las comparaciones adecuadas y empezando por una fórmula de tipo: *Sería...*

expresión escrita Diferencias entre ciudades coloniales

> **> OBJECTIF** A2+ : comparer deux villes coloniales. Nombre de mots : 110

Para la sección de viajes de un periódico, redacta un texto corto en el que comparas dos ciudades coloniales hispánicas.

A2
a. Da el nombre de las dos ciudades coloniales que has elegido y di en qué países se sitúan.
b. Di cuál de las dos es más colonial.
c. Explica si fueron fundadas de la misma manera.
d. Cita, para cada una, un monumento emblemático y compáralos.

A2+ e. Da tu opinión personal: si pudieras visitar una de ellas, ¿cuál sería? Justifica tu respuesta.

Visiones de futuro

Creaciones y adaptaciones

UNIDAD 7

Crear e innovar

a. ¿En qué sectores innovan particularmente las diferentes industrias y tecnologías españolas?

b. ¿Cómo pueden inventos e innovaciones contribuir al bienestar del ser humano?

c. ¿Qué le aporta al ser humano su capacidad creativa?

UNIDAD 8

Retos ambientales

a. ¿Por qué es necesario adaptar nuestra manera de consumir?
b. ¿Por qué las energías limpias constituyen retos ambientales tanto en España como en América Latina?
c. ¿En qué la ecología puede ser un argumento político?

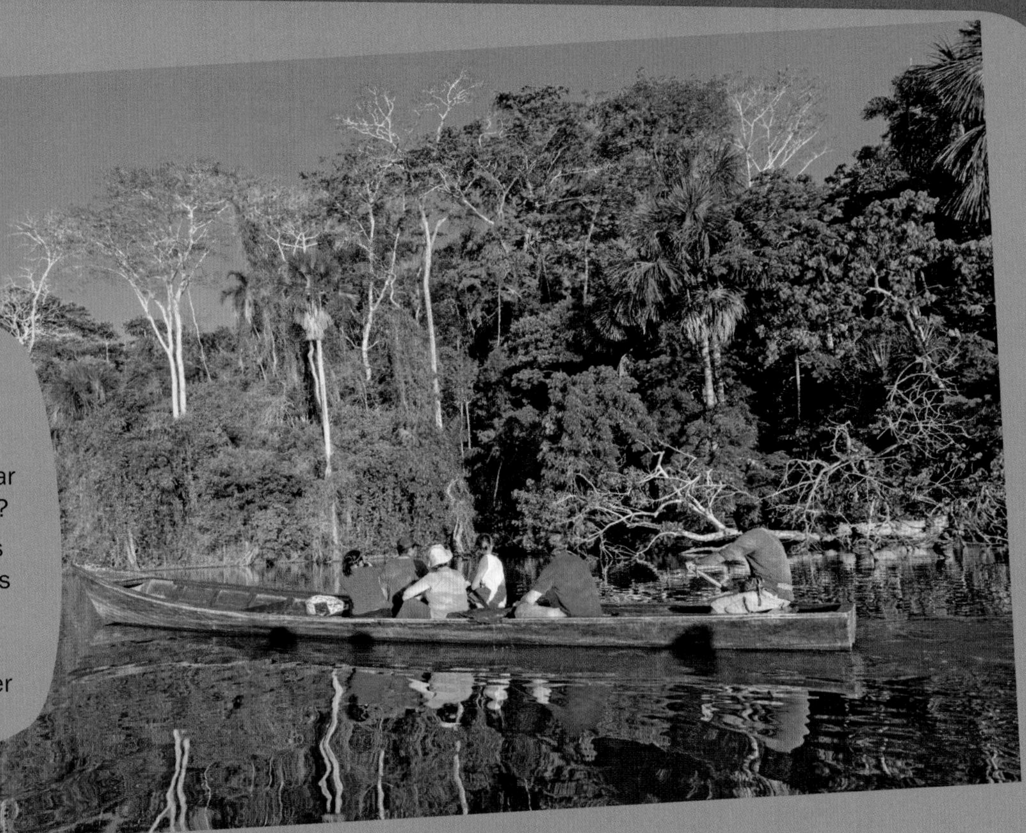

UNIDAD 9

Nuevos rumbos, nuevas voces

a. ¿En qué son necesarios los hombres políticos para concretizar cambios?
b. ¿Qué grandes cambios políticos pueden ocurrir en España?
c. ¿Qué están esperando los pueblos latinoamericanos a nivel social?

UNIDAD 7 Crear e innovar

1 Desfile de moda de Ágatha Ruiz de la Prada, colección primavera/verano 2014

Recursos

Sustantivos
- un aparato = un artilugio: *un appareil, un engin*
- un drone
- el maquillaje
- tomas aéreas: *des prises de vues aériennes*
- un vestido: *une robe*

Adjetivos
- estrafalario(a) = extravagante, excéntrico(a)
- insólito(a)
- vanguardista: *d'avant-garde*

Verbos y expresiones
- con cámara incorporada: *avec caméra embarquée*

PROYECTO FINAL

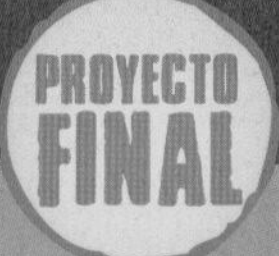

PROYECTO A expresión escrita **Organizad una exposición para promover la innovación en España.**

PROYECTO B interacción oral **Entrevistad a artistas o creativos innovadores hispánicos.**

Outils linguistiques

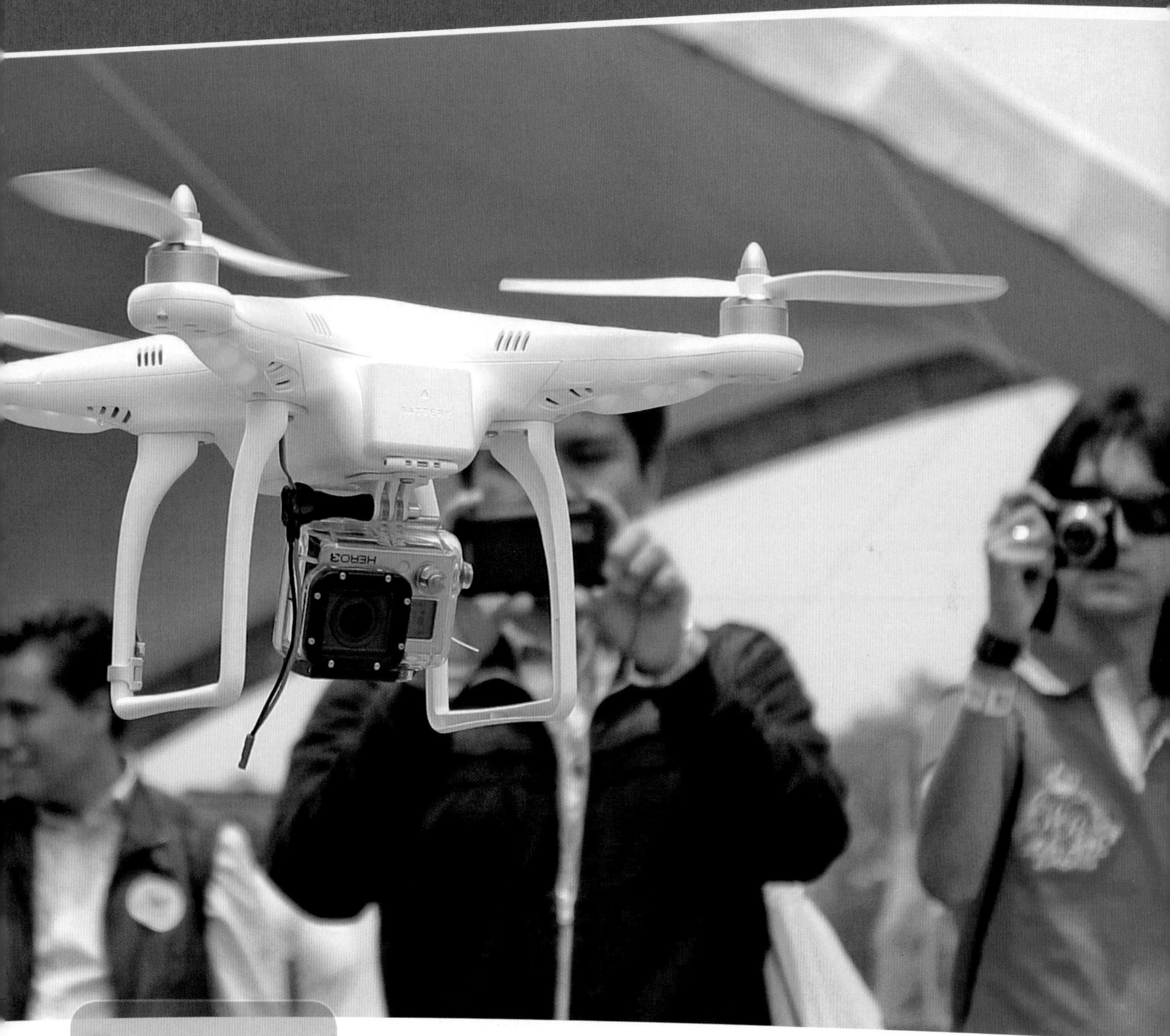

2 Fotografiando un cuadricóptero, Festival de tecnología en México, 2013

Y tú, ¿cómo lo ves?

1. Observa la primera foto. ¿Qué imagen nos da de la creatividad en el mundo de la moda?
2. Describe el aparato de la foto 2 y precisa para qué puede servir.
3. Di en qué medida estas fotos ilustran las ideas de creación e innovación.

A2 ¿Alta velocidad del futuro?  

Ana Pastor, ministra de Fomento, en la firma del acuerdo del proyecto AVE Medina-La Meca, enero de 2012

DATOS Culturales

TALGO es el acrónimo de Tren Articulado Ligero Goicoechea Oriol, una empresa española de fabricación de trenes creada en 1942. Es la empresa que fabrica los trenes de Alta Velocidad Española (AVE).

1 Fíjate, escucha y apunta

a. Fíjate en la foto y en el título. Deduce de qué trata la grabación.

Primera escucha completa

b. Apunta el nombre del entrevistado. Precisa su función y el nombre de la empresa.

c. Di a qué se dedica esta empresa y qué es lo que está construyendo.

Segunda escucha

d. Apunta los números que oyes y di a qué corresponden.

e. Lista las expresiones que muestran que será una realización muy importante.

Tercera escucha

f. Apunta expresiones que indican que la empresa tiene buenas perspectivas de futuro.

g. Di si estas perspectivas se limitarán a España o si se extenderán al extranjero. Justifica tu respuesta.

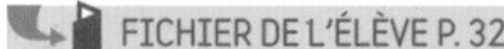
FICHIER DE L'ÉLÈVE P. 32

2 Resume

Redacta lo que has entendido del reportaje.

Recursos

Sustantivos
- la entrega: *la livraison*
- un escaparate: *une vitrine*
- un hito: *(ici) un événement marquant*

Adjetivos
- adjunto(a): *adjoint(e)*

Verbos y expresiones
- arrancar: *démarrer*
- alrededor: *autour, aux environs*
- estar listo(a): *être prêt(e)*
- llevar a cabo: *mener à bien*
- no cabe duda: *il n'y a pas de doute*

Fonética

a. **Escucha las palabras e indica cuándo se pronuncia la "d" de forma suave o fuerte.**

b. **Repite las palabras en voz alta.**

comprensión escrita

A2 El AVE Medina-La Meca

TALGO, el consorcio español semi-público que construirá el AVE entre las ciudades santas de Medina y La Meca, ha firmado[1] hoy con las autoridades de Arabia Saudí el que hasta la fecha[2] es el contrato más grande para la industria española en el extranjero con 6.700 millones de euros. El proyecto representa una victoria inédita del sector español frente a los competidores franceses, lo que abre posibilidades de futuro para un tipo de transporte que cada vez tiene más adeptos.

[...]

El AVE a la Meca, que replica exactamente el modelo español, "será un ejemplo a nivel internacional" para optar a otros concursos[3], ha destacado Ana Pastor, la ministra española de Fomento[4].

Las 36 unidades[5] del tren *Pato*[6] comprometidas, una de ellas exclusiva para la familia real, se fabricarán en un futuro próximo en las plantas[7] de Talgo en Madrid y Álava. En el centro de la sala donde se ha realizado la firma, a la que han sido invitados medios españoles, entre ellos *El País*, una maqueta del Talgo 350 como el que llegará a La Meca pintada en oro, blanco y verde hacía las delicias de los súbditos saudíes[8].

Álvaro ROMERO (periodista español), *El País economía*, 14/01/2012

1. *a signé*
2. hasta hoy
3. *appels d'offres*
4. *du Développement industriel*
5. *rames*
6. *Canard, surnom de l'AVE*
7. fábricas
8. *saoudiens*

Líneas 1 a 15

a. ¿De qué acontecimiento trata el artículo?
b. Apunta los elementos que indican que es un evento importante para España.
c. Este proyecto no abre muchas perspectivas de futuro. ¿Verdadero o falso? Justifica tu respuesta.

Líneas 16 al final

d. Indica el lugar de fabricación y precisa el número de unidades que serán fabricadas.
e. Todas las unidades servirán para el transporte público del país. ¿Verdadero o falso? Justifica con una frase del texto.

Expresión oral

PREPARA EL PROYECTO Como presidente de Talgo, debes convencer a las autoridades saudíes de que el AVE será una buena opción para el país. Imagina la presentación.

FICHIER DE L'ÉLÈVE P. 34

Recursos

Sustantivos
- la competencia: *la concurrence*
- un evento = un acontecimiento: *un événement*
- una línea

Adjetivos
- ambicioso(a)
- magnífico(a)

Verbos y expresiones
- conquistar nuevos mercados: *conquérir de nouveaux marchés*

Lengua activa

PRÉCIS 18.B

Le futur de l'indicatif

- *El consorcio que **construirá** el AVE.*
- *El AVE **será** un ejemplo.*
- *Las 36 unidades se **fabricarán**.*

Conjugue les verbes au futur.

a. El AVE (circular) por Arabia Saudí.
b. (Ser) un proyecto muy importante.
c. Se (abrir) nuevas oportunidades.

LÉXICO El éxito industrial

Relie les mots de la 1re ligne à leurs synonymes.

1. triunfar 2. rivalizar 3. el futuro 4. el éxito

a. competir b. la victoria c. tener éxito d. el porvenir

EXERCICES P. 164-165

Enfoque sobre la noción

Visiones de futuro

Apoyándote en la grabación y en el texto muestra cómo el desarrollo del AVE español será un medio de transporte ilustrativo de esta noción.

- Da un ejemplo del éxito internacional de la Alta Velocidad Española.
- Explica por qué se desarrollará cada vez más este medio de transporte.
- Precisa cómo abre el proyecto perspectivas de futuro para España.

A2 Feria de la Ciencia y la Tecnología

Feria de la Ciencia y la Tecnología (Universidad del Biobío, Concepción, Chile)

Mira y exprésate

a. Di qué anuncia este cartel, las fechas y el lugar del evento.
b. Lista los elementos representados alrededor del globo terráqueo y relaciónalos con el color predominante.
c. ¿Te parece importante que se celebren eventos de este tipo? Justifica tu opinión.

Recursos

Sustantivos
- un aerogenerador: *une éolienne*
- energías limpias: *des énergies propres*
- el globo terráqueo: *le globe terrestre*
- el medio ambiente: *l'environnement*
- los paneles solares
- el porvenir = el futuro: *l'avenir*

Adjetivos
- sostenible: *durable*

Verbos y expresiones
- desarrollar: *développer*
- investigar: *faire de la recherche*
- mejorar: *améliorer*
- preservar

DATOS Culturales

El Biobío es una de las regiones de Chile, situada a unos 450 km al sur de la capital, Santiago. Concepción es la capital de la región. Con casi 1 millón de habitantes, es la segunda ciudad de Chile.

comprensión escrita

A2 Una casa inteligente 

El protagonista es un joven informático que vive en Barcelona.

Estaba profundamente dormido cuando la música de Vivaldi comenzó a sonar por toda la casa. El ordenador central seleccionaba, de entre mis preferidas, una melodía diferente para cada día [...]. Toda mi casa estaba construida en torno a mi persona y, con los años, se había producido una extraña simbiosis entre el sistema de inteligencia artificial que la regulaba y yo. Él aprendía y se perfeccionaba por sí mismo, de manera que había llegado a convertirse en una suerte de mayordomo telépata obsesionado por servirme y atenderme como una madre.

[...] Todavía tenía un sueño mortal, de manera que apreté bien los párpados, me puse la almohada[1] sobre la cabeza y bramé: "¡Cinco minutos más!", provocando la muerte súbita[2] de los efectos especiales. Lo malo fue que Magdalena, la asistenta[3], ya estaba entrando por la puerta con la bandeja[4] del desayuno.

–¿De verdad quieres seguir durmiendo? –preguntó, muy extrañada, mientras ponía en marcha de nuevo la música pulsando el botón de mi mesilla.

Matilde ASENSI (escritora española), *El origen perdido*, 2003

1. *l'oreiller*
2. *(ici) l'arrêt immédiat*
3. *la femme de ménage*
4. *le plateau*

Líneas 1 a 10

a. Di qué estaba haciendo el narrador y qué pasó.
b. Caracteriza la casa y di por qué se puede decir que es una casa inteligente.

Líneas 11 al final

c. ¿Qué gritó el narrador? Explica por qué.
d. El protagonista no consiguió... porque mientras lo intentaba...

Expresión escrita

PREPARA EL PROYECTO Presentas la casa del futuro para un concurso en una feria de la ciencia y de la tecnología. Descríbela brevemente e insiste en sus ventajas.

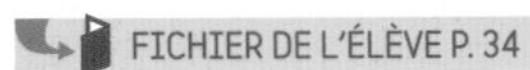

Recursos

Sustantivos
- un adelanto: *un progrès*
- los aparatos: *les appareils*
- un dispositivo
- la domótica
- una ventaja ≠ un inconveniente

Adjetivos
- automático(a)
- cansado(a): *fatigué(e)*

Verbos y expresiones
- adaptarse
- despertarse (ie): *se réveiller*
- evolucionar: *évoluer*
- ser capaz(ces) de: *être capable(s) de*

Lengua activa

PRÉCIS 26.A, 32

La simultanéité avec *mientras* (« pendant que »)

- *Preguntó, muy extrañada, **mientras** ponía en marcha la música.*

Imite l'exemple : *Funcionaba el ordenador pero él seguía durmiendo.*
→ *Él seguía durmiendo mientras funcionaba el ordenador.*

a. Trabajaba, pero escuchaba música.
b. El chico estaba tumbado, pero la asistenta estaba preparando el desayuno.
c. El ordenador seleccionaba la melodía, pero también vigilaba la casa.

LÉXICO Domótica

Cherche l'intrus. *la inteligencia artificial – el mando a distancia – la automatización del hogar – la robótica – el ordenador central – el cuaderno – el entorno virtual*

EXERCICES P. 164-165

Enfoque sobre la noción

Visiones de futuro

Apoyándote en el anuncio y en el texto, muestra cómo ilustran esta noción.

- Da ejemplos de la utilidad de la tecnología para preservar el medio ambiente.
- Indica tres cosas que, para ti, debería hacer una casa inteligente.
- ¿Te gustaría vivir en una casa inteligente como la del texto? Explica por qué.

Texto 1

A2 Robots que bailan

Blanca Li estrenó ayer en el Festival de Danza de Montpellier su nuevo espectáculo, *Robot !*, en el que –con el humor poético que caracteriza sus obras– la creadora granadina explora el clásico e inagotable[1] campo de las relaciones entre el ser humano y la máquina. La pieza se abrió camino en la mente[2] de la coreógrafa granadina cuando ésta constató las cada vez más múltiples y variadas maquinarias que invaden la vida cotidiana. Del tren sin conductor al aeropuerto donde los pasajeros autogestionan sus tarjetas de embarque[3], "el ser humano interactúa cada día más con las máquinas", comentaba ayer, horas antes del estreno[4], Blanca Li. [...]
En el espectáculo aparecen unos pequeños robots, llamados Nao, que andan, bailan, reconocen voces e imágenes y hablan varios idiomas.

María Luisa GASPAR (periodista española), *Diario de Sevilla*, 04/07/2013

DATOS *Culturales*

Blanca Li (Granada, 1964) es una coreógrafa, bailarina y cineasta española. Sus creaciones artísticas se caracterizan por el mestizaje cultural, la variedad de estilos (flamenco, hip-hop, ballet clásico...) y una imaginación desbordante y creativa.

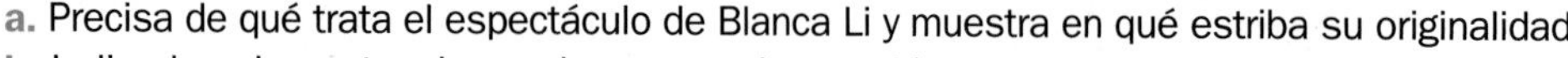

a. Precisa de qué trata el espectáculo de Blanca Li y muestra en qué estriba su originalidad.
b. Indica las circunstancias en las que se le ocurrió esta obra.

1. *inépuisable*
2. *germa dans l'esprit*
3. *cartes d'embarquement*
4. *la première représentation*

Texto 2

A2 La torpeza de las máquinas

Cuando un robot se cae sobre el escenario, o se va en una dirección visiblemente equivocada, o intenta levantarse sin éxito, «la gente se muere de risa y yo en los ensayos casi me ponía a llorar», comenta la artista granadina.
"Me ponía supertriste y ahora resulta que les hace mucha gracia esa torpeza[1] de las máquinas", añade la coreógrafa, quien en la preparación de la pieza vivía "como algo dramático" esos fallos[2] que ahora forman parte de la sal[3] del espectáculo y aportan "otra cosa" a la relación con el público y lo que se cuenta. [...]
Al mismo tiempo esos errores inesperados "son muy interesantes", son parte del espectáculo y el público "los vive como nosotros, con las mismas expectativas", mantiene.

ABC.es, 11/10/2013

Recursos

Sustantivos
- los bailarines: *les danseurs*
- un ballet
- una obra de vanguardia
- la perfección
- la torpeza: *la maladresse*

Adjetivos
- decepcionado(a)
- extraño(a)
- inesperado(a): *inattendu(e)*
- sorprendente: *surprenant(e)*

Verbos y expresiones
- ocurrírsele a alguien: *avoir une idée, passer par la tête*
- uno(a) puede pensar (ie) que...

c. Di qué les puede suceder a los robots durante el espectáculo de Blanca Li.
d. Compara las reacciones del público con lo que sentía la artista antes del espectáculo. ¿Cómo se explica la diferencia?

1. *maladresse*
2. *ces ratés*
3. *(ici) du charme*

Textos 1 y 2

e. A tu parecer, ¿es el mundo de las máquinas un mundo perfecto? Justifica apoyándote en ambos textos.

B1 Hombre y robot bailan juntos

Robot !, espectáculo de Blanca Li, octubre de 2013

a. Di en qué ocasión fue tomada la foto y precisa lo que están haciendo los protagonistas.
b. ¿Qué evoca para ti esta imagen? Explica por qué.
c. ¿Qué opinas de la idea de Blanca Li de mezclar bailarines con robots?

Interacción oral

PREPARA EL PROYECTO Eres periodista y a la salida del espectáculo de Blanca Li interrogas a los espectadores que dan sus impresiones sobre lo que han visto.

FICHIER DE L'ÉLÈVE P. 34

Recursos

Adjetivos
- conmovedor(a): *émouvant(e)*
- insólito(a)
- maravilloso(a)
- vanguardista: *d'avant-garde*

Verbos y expresiones
- enseñar a...: *apprendre à...*
- estar agachado(a): *être accroupi(e)*
- llevar de la mano: *tenir par la main*

Lengua activa

PRÉCIS 16. C

Les relatifs *el/los que, la/las que, lo que*

- *Su espectáculo en **el que** explora las relaciones entre el ser humano y la máquina.*
- *Aportan "otra cosa" a **lo que** se cuenta.*

Emploie *el que* ou *lo que*.
a. Es un país en … … hay muchas oportunidades.
b. Me impresiona un aeropuerto en … … los pasajeros autogestionan su tarjeta de embarque.
c. … … me gusta es este humor poético.

LÉXICO Emociones

Relie les contraires.
1. la risa 2. echarse a llorar 3. alegre
a. reír a carcajadas b. triste c. el llanto

EXERCICES P. 164-165

Enfoque sobre la noción

Visiones de futuro

Apoyándote en los textos y en la foto, muestra cómo la robótica y los avances tecnológicos ilustran esta noción al ser utilizados para la expresión artística española.

- Los robots estarán cada vez más presentes en nuestra vida cotidiana. ¿Qué opinas de esta evolución?
- ¿Piensas que abre Blanca Li nuevos caminos a la expresión artística con su último ballet? Justifica tu respuesta.

MP3 CD CLASSE DVD

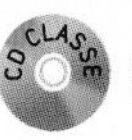

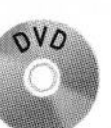

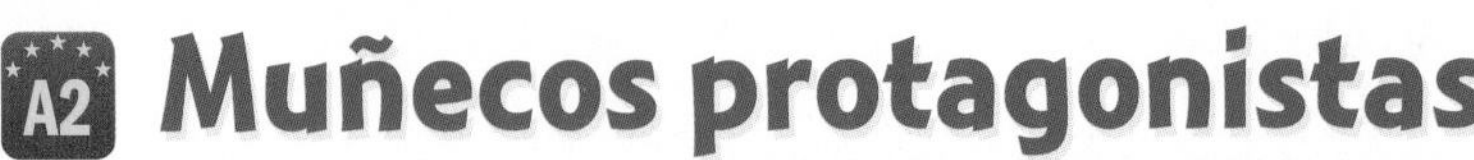

A2 Muñecos protagonistas

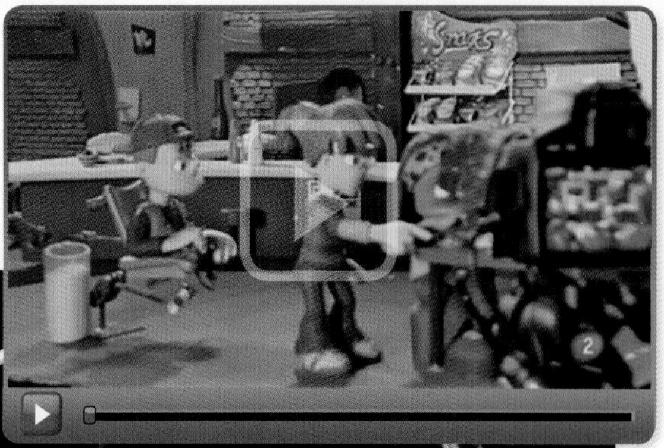

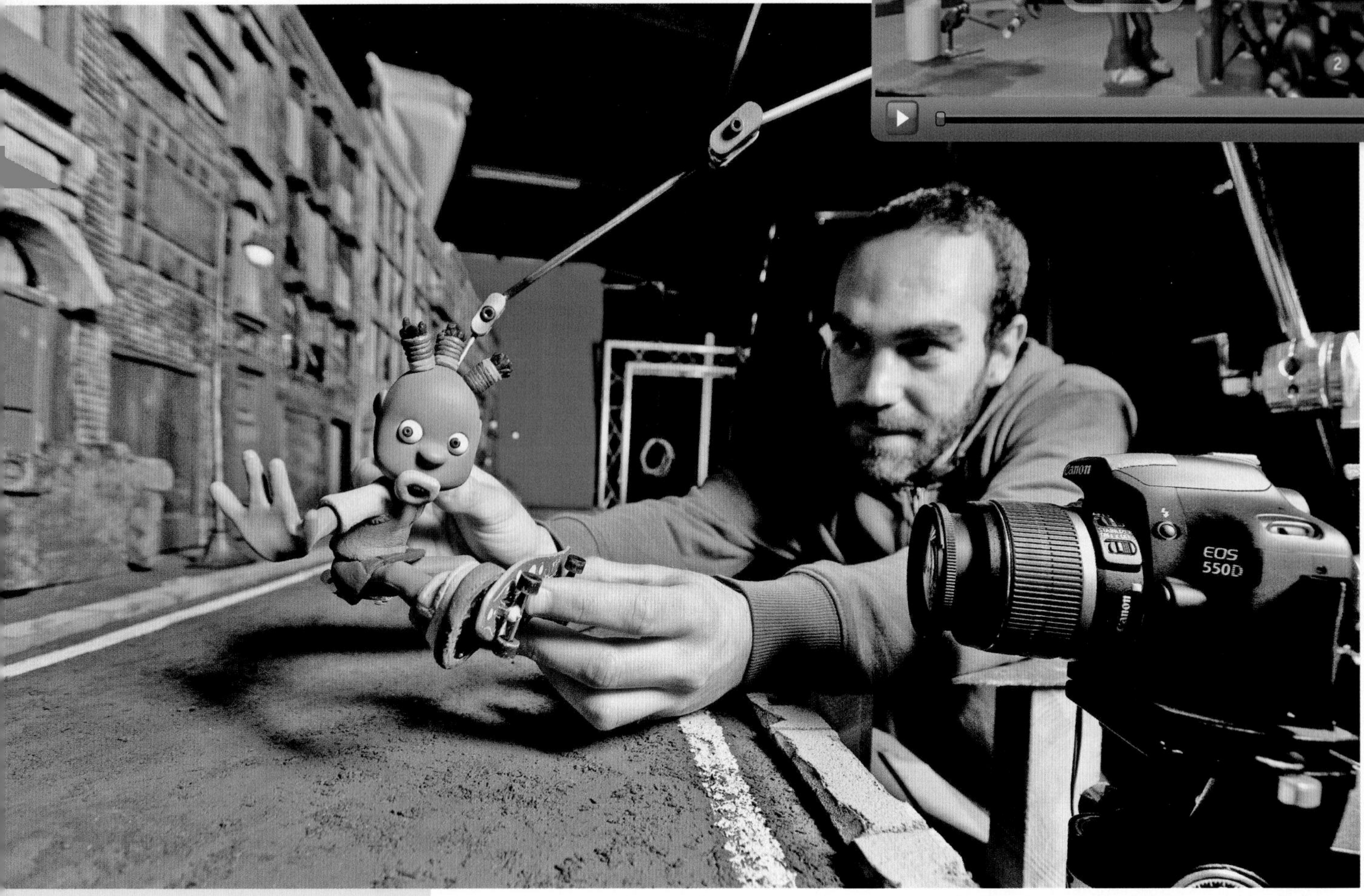

Rodaje de la serie española *Clay kids*

1 Fíjate, escucha y apunta

a. Di qué representa la fotografía.
b. Fíjate en el título y deduce el tema de la grabación.

Primera escucha completa

c. Identifica a los que intervienen en el reportaje.
d. Apunta expresiones que indican las diferentes etapas de la realización.

Segunda escucha

e. Precisa las principales características de esta serie de animación.
f. Di cómo terminan las historias.

Tercera escucha

g. Lista adjetivos que califican el trabajo de los animadores.
h. Apunta los números que oyes y di a qué corresponden.

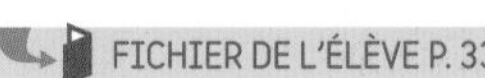

FICHIER DE L'ÉLÈVE P. 33

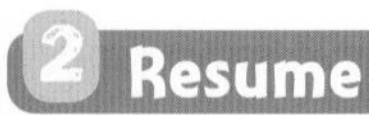

2 Resume

Redacta lo que has entendido del reportaje.

Recursos

Sustantivos
- la cámara
- chavales: *des gamins*
- el monopatín: *le skate-board*
- el rodaje: *le tournage*
- una tarea = un trabajo

Adjetivos
- cuidadoso(a): *soigneux(euse)*
- detallista: *pointilleux(euse)*

Verbos y expresiones
- colocar: *placer*
- prevalecer: *prévaloir*
- de espuma: *en mousse*
- disparar fotos = hacer fotos

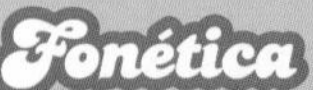

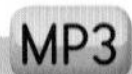

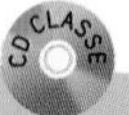

Fonética

MP3 CD CLASSE

a. Escucha las palabras y escríbelas poniendo el acento en la vocal tónica.
b. Repite estas palabras en voz alta.

comprensión escrita

B1 El éxito de las películas de animación españolas

El sector de la animación muestra orgulloso sus últimos datos industriales. Ese gran desconocido ya no lo es tanto, sobre todo en el mercado internacional. [...] España es el tercer país europeo en volumen de negocio[1] en empresas de animación, después del Reino Unido y Francia, y el séptimo en el ranking mundial. En la presentación ayer del *Libro Blanco de la Animación 2012* el optimismo era la sensación más compartida. [...] Según las previsiones se estima que en los próximos seis años se desarrollen en España cerca de 1.000 proyectos de animación. [...] El estudio pone en valor la gran capacidad de internacionalización de la animación, como demuestra la presencia en más de 150 países de títulos como *Pocoyó* o *Jelly Jamm*. *Las aventuras de Tadeo Jones* ha sido ya vendida a más de 35 países, incluyendo Estados Unidos. Junto a la internacionalización del sector, el *Libro Blanco* destaca el desarrollo en la investigación[2] tecnológica (un 12% del empleo está destinado a este aspecto, frente a la media española que se sitúa en un 1,17%) y las enormes posibilidades futuras en este campo.

Rocío GARCÍA (periodista española), *El País*, 19/01/2013

1. *chiffre d'affaires* 2. *recherche*

Líneas 1 a 6

a. Explica por qué el sector de la animación española está orgulloso de sus últimos datos industriales.

Líneas 6 al final

b. ¿Qué elementos indican el gran éxito de la animación española? Justifica con ejemplos.

c. Precisa por qué esta actividad tiene buenas perspectivas de futuro.

Expresión escrita

PREPARA EL PROYECTO

Has visto una película de animación en el cine y piensas que es una gran obra. Redacta tu opinión para www.sensacine.com.

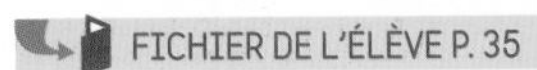
FICHIER DE L'ÉLÈVE P. 35

Recursos

Sustantivos
- la calidad
- los datos: *les données*
- el éxito: *le succès*
- el orgullo: *la fierté*

Adjetivos
- mejor: *meilleur(e)*

Verbos y expresiones
- mejorar: *améliorer*
- ser proyectado(a): *être projeté(e)*
- incluso...: *même, y compris...*
- mientras que ahora...: *alors que maintenant...*

Lengua activa

PRÉCIS 15

L'apocope

- *Ese **gran** desconocido ya no lo es tanto.*
- *La **gran** capacidad de internacionalización de la animación.*
- *España es el **tercer** país en volumen de negocio.*

Fais l'apocope comme il se doit. Attention: l'apocope ne se fait qu'au singulier.

a. Tadeo Jones es un (grande) héroe entre las (grandes) producciones animadas españolas.

b. Continúan las (grandes) innovaciones tecnológicas y la animación es una (grande) innovación.

c. Este sector es el (tercero) sector de actividad más rentable de la multinacional.

LÉXICO Tecnología e internacionalización

Donne l'adjectif correspondant aux mots suivants :

a. La tecnología
b. La internacionalización
c. La innovación
d. La mundialización

EXERCICES P. 164-165

Enfoque sobre la noción

Visiones de futuro

Apoyándote en la grabación y en el texto, muestra cómo ilustra esta noción el éxito de las películas de animación españolas.

- Cita ejemplos de películas de animación que conocen un gran éxito en España y en el extranjero.
- Explica por qué es importante la investigación en este tipo de actividad.

B1 El fondo del mar en una catedral

Nadie hubiera dicho en Mallorca que la catedral de Palma albergaría[1] en su interior el fondo del mar. [...]

En el verano de 2004 se estaba acabando el ensamblaje del retablo y aún faltaban casi dos años para su inauguración. A finales de julio fui con Miguel Barceló y mi mujer a la catedral. [...] La capilla estaba cubierta por una inmensa cortina[2] negra que caía del techo[3]. Alguien la apartó y entramos. Entrar en la capilla de *Sant Pere* y encontrarse súbitamente en un taller antiguo fue todo uno. Pudimos ver el pez espada abierto por el vientre, pulpos, cabezas de mero surgiendo del muro, una estrella de mar... Hacía mucho calor y los focos y el polvo de la arcilla[4] seca lo acrecentaban. Barceló en la Seo había construido una cueva de arcilla –"boxeando", me había dicho, "peleándome con el barro[5]" –y la había vestido con el fondo submarino [...].

Barceló pidió a los operarios[6] que bajaran la inmensa cortina negra que recubría la capilla. Nos separamos unos metros y las cortinas, lentamente, cayeron. El polvo de arcilla flotaba en la atmósfera. El retablo parecía envuelto en humo terroso[7]. Entonces Vincenzo Santoriello cogió del suelo una manguera y empezó a regar[8] la obra. Surgieron con fuerza los colores de los peces, el fuego de las estrellas de mar, los panes aún calientes, las jugosas frutas, las jarras de vino, las palmeras orientales... Los colores tenían ahora tanta rotundidad[9] como sutilidad y así contemplamos el retablo en todo su esplendor, que era grande. Todos callamos. Comprendimos que estábamos asistiendo a la celebración de la primera mañana del mundo y que su magnificencia era otro reflejo de la magnificencia de Dios. Luego, rompimos en aplausos.

José Carlos LLOP (escritor español), *En la ciudad sumergida*, 2010

1. *abriterait*
2. *rideau*
3. *plafond*
4. *la poussière d'argile*
5. *en me battant contre la glaise*
6. obreros
7. *enveloppé d'une fumée terreuse*
8. *arroser*
9. *éclat*

DATOS *Culturales*

Miquel Barceló (Mallorca, 1957) es un artista español de fama internacional. Su producción artística se caracteriza por un deseo de renovarse continuamente, arriesgándose con nuevas formas de expresión con pinturas, esculturas de terracota (*terre cuite*) y cerámica. En sus obras se nota la influencia del entorno mediterráneo y africano.

Líneas 1 a 14

a. Precisa adónde fue el narrador, con quién y en qué momento lo hizo.
b. ¿Qué vieron cuando entraron en la capilla?
c. Miquel Barceló realizó la obra con rapidez y facilidad. ¿Verdadero o falso? Justifica apoyándote en el texto.

Líneas 15 al final

d. Cuando cayeron las cortinas, la obra no se veía bien porque...
e. Las personas presentes estuvieron muy decepcionadas por esta obra de Barceló. ¿Verdadero o falso? Justifica tu respuesta.

Recursos

Sustantivos
- animales marinos
- la capilla: *la chapelle*
- una maravilla
- la pared: *le mur, la paroi*

Adjetivos
- atrevido(a): *audacieux(euse)*
- deslucido(a): *terne*
- luminoso(a) ≠ oscuro(a)
- pasmoso(a): *époustouflant(e)*

Verbos y expresiones
- entusiasmarse
- quedarse boquiabierto(a): *rester bouche bée*
- sentirse (ie) emocionado(a)

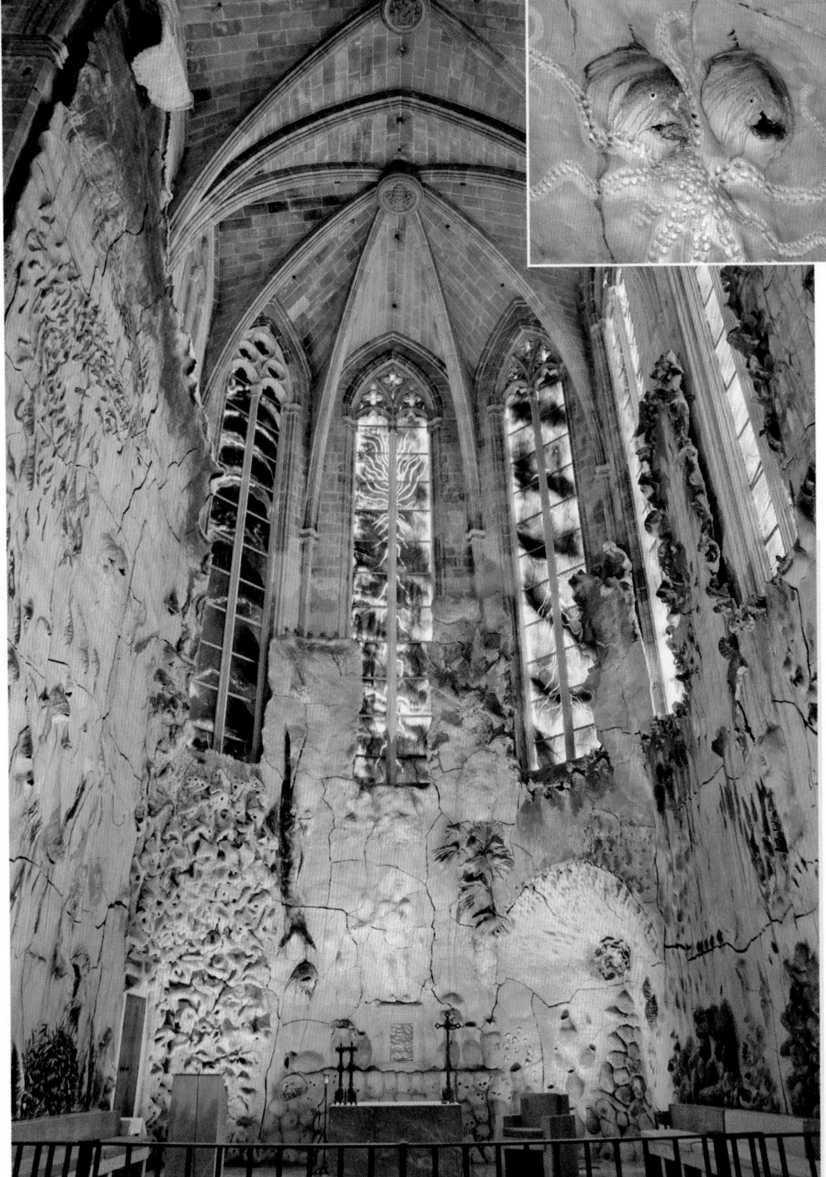
Catedral de Palma de Mallorca, Retablo de Miquel Barceló, 2007

expresión oral

B1 Un mundo marítimo imaginario

a. Observa la obra. ¿Qué opinas de su presencia en una catedral?
b. Compara este retablo y las reacciones de los protagonistas del texto. ¿Te parecen justificadas? Explica por qué.

Expresión oral

Has visitado la catedral de Palma de Mallorca y te ha impresionado la creatividad del artista. Cuentas con emoción tus impresiones a un(a) amigo(a).

FICHIER DE L'ÉLÈVE P. 34

Recursos

Sustantivos
- la arcilla: *l'argile, la glaise*
- el contraste

Adjetivos
- hermoso[a] = bello[a]
- impactante: *saisissant[e]*
- impresionante

Verbos y expresiones
- modernizar

Lengua activa

PRÉCIS 22

Les participes passés irréguliers

- *Nadie hubiera* ***dicho.***
- *La capilla estaba* ***cubierta.***
- *El pez espada* ***abierto*** *por el vientre.*

Complète les phrases. Attention : l'accord se fait lorsque le participe passé a valeur d'adjectif et accompagne le substantif.
a. Las palabras (decir) por la periodista mostraban su admiración.
b. Cuando el artista había (abrir) la puerta, la obra estaba (cubrir).
c. Nos habían (decir) que la obra era una maravilla que el artista quería (abrir) al público.

LÉXICO Creaciones originales

Forme une phrase avec les mots suivants : *una cueva submarina – ha abierto – que representa – estar satisfecho – porque es una obra original que – Barceló puede – con su obra – las puertas de la imaginación*

EXERCICES P. 164-165

Enfoque sobre la noción

Visiones de futuro

Crear es innovar. Así lo demuestran artistas como Barceló, porque si no se innova pensando en el futuro, la creación es solo repetición. Apoyándote en los documentos, muestra cómo ilustran esta noción.

- La obra de la catedral de Palma será admirada durante siglos. Di si esta afirmación te parece correcta y justifica tu punto de vista.
- Muestra la originalidad y la creatividad de Miquel Barceló.

Creativos españoles que cambian la vida

A Laura Morata y su ropa emocional

La moda, que antes era puramente estética, se ha convertido en una cosa inteligente. **La diseñadora Laura Morata** crea "ropa emocional". Para mejorar la vida de la gente ha creado modelos de ropa con microcápsulas que contienen esencias naturales, por ejemplo, aroma de fresa, que estimulan el ánimo, modelos de ropa antiestrés que eliminan la electricidad estática... Incluso ha hecho modelos antimanchas[1] con tejidos que repelen[2] cualquier tipo de líquido: lluvia, vino...

1. *antitaches* 2. *repoussent*

Vestido de novia olfativo

B Luis Vidal y su aeropuerto terapéutico

El arquitecto catalán **Luis Vidal** ha construido principalmente hospitales y aeropuertos. Tal vez por eso su nueva realización, la T-2 de Heathrow (Londres), fue calificada de "hospital aeroportuario". Esta terminal es una solución muy sostenible[1] y ha sido concebida para reducir el estrés gracias a la utilización máxima de la luz natural y la creación de espacios en los que la gente puede orientarse fácilmente. "No busco la foto, busco a la gente", declaró Luis Vidal en una entrevista, ya que para él lo importante no es la belleza del edificio sino que la gente se sienta bien.

1. *ecológica*

La Terminal 2 de Heathrow

Cubiertas de las guías Repsol realizadas por Manuel Estrada

C Manuel Estrada y el diseño útil

Para **el diseñador Manuel Estrada**, "el diseño[1] es el arte de la sociedad industrial". Piensa que en el pasado el diseño ha servido demasiado para ocultar los defectos de los productos. Para él, el futuro del diseño está en hacer que sea **útil**, que resuelva problemas. Realizar tapas[2] de libros es una de sus actividades más notables. Lo que intenta es hacer que la cubierta[2] del libro atraiga al lector y lo incite a comprarlo. "Pero lo que más me gusta es que un lector, al terminar el libro, diga: ahora entiendo la portada[2]", asegura.

1. *design* **2.** *couverture*

D Daniel Canogar o cómo dinamizar el espacio

Una de las últimas creaciones del artista español **Daniel Canogar** ha sido instalada en varios lugares a través del mundo (Nueva York, Estambul, Bruselas, Madrid...). Consiste en proyectar vídeos sobre una pantalla realizada con LED dándole una forma curva y sinuosa. Esta instalación permite dinamizar grandes espacios. Los vídeos han sido realizados con la colaboración de las personas que trabajan en los edificios. Esto favorece la convivencia entre personas que comparten este espacio, pero que antes casi nunca se hablaban.

Instalación de Daniel Canogar

Ciberencuesta

Conéctate a **http://www.20minutos.es/noticia/608000/0/moda/ropa/inteligente/**

1. Lista los diferentes tipos de ropa "inteligente" así como sus diversas ventajas.

Conéctate a **http://www.luisvidal.com/#!/proyectos/aeropuertos/heathrow-airport-t2a**

2. Descubre el aeropuerto de Heathrow e indica sus principales ventajas.

Conéctate a **http://www.manuelestrada.com/**

3. Haz clic en "Proyectos" y luego en "Carteles". Elige la creación más innovadora. Justifica tu elección.

Conéctate a **http://www.danielcanogar.com/?lang=es**

4. Descubre algunas de las obras de Daniel Canogar. Elige la más original. Justifica tu elección.

comprensión oral  Descubro un concurso para jóvenes creativos

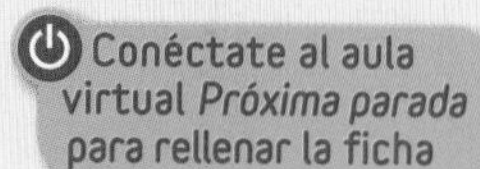

> **OBJECTIF A2+** : comprendre un publireportage sur un concours destiné à de jeunes créateurs.

Antes de escuchar

a. Di qué representa la foto y precisa en qué es diferente el objeto de lo habitual.

Primera escucha

b. Di de qué producto se trata.

c. ¿Qué ha organizado el anunciante? Apunta palabras relacionadas con el tema.

Segunda escucha

d. Di cuántas personas intervienen.

e. Lista expresiones que indican qué cosas son importantes para ellas.

Tercera escucha

f. Di cómo reaccionaron estos jóvenes y explica por qué.

g. Indica dónde se podrán comprar los productos.

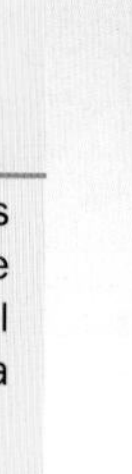

Botellas decoradas de agua mineral Fontvella

Recursos

Sustantivos
- la alegría: *la joie*

Adjetivos
- entusiasta
- feliz: *heureux(euse)*
- original

Verbos y expresiones
- tener (ie) ganas: *avoir envie*

expresión escrita Redacto la entrevista de un inventor

> **OBJECTIF A2+** : rédiger l'interview d'un inventeur.
> Nombre de mots : 120

Has entrevistado a un(a) inventor(a) español(a). Con ayuda del modelo, redacta la entrevista para un periódico.

a. Imagina el título.

b. Presenta al/a la inventor(a) y su realización.

c. Escribe la entrevista con 5 o 6 preguntas y sus respuestas.

Recursos

Sustantivos
- un avance: *un progrès*
- la concepción
- un invento: *une invention*

Adjetivos
- cómodo(a): *pratique*
- eficaz

Verbos y expresiones
- patentar: *breveter*
- está pensado(a) para...
- gracias a...: *grâce à...*

PREMIO AL INVENTOR EUROPEO 2013

Entrevista a José Luis López Gómez, primer español que consigue el ***Premio al Inventor europeo del año*** *(2013) gracias a un sistema que permite que las ruedas de los trenes Talgo rueden con más seguridad.*

■ ¿Cómo se siente siendo el primer inventor español que logra este premio?

–¡Qué cosas pasan! No me hago a la idea.

■ Su sistema de suspensión de ruedas aumentará el confort de los Talgo y ahorrará tiempo, ¿no?

–Los trenes podrán tomar las curvas más rápido, y mejorarán el confort y la seguridad.

■ ¿Podrán ir un 30 por ciento más rápido y ser más eficientes?

–Por este invento solo no, pero si lo unes a otras mejoras, sí podrán ir un 30 por ciento más rápido en las curvas.

■ ¿Cuándo lo patentó?

–En 2007, pero estuve pensando en ello mucho tiempo atrás.

■ ¿Para cuándo llevarán los Talgo su sistema de suspensión?

–Hay que certificarlo y homologarlo y, si todo va bien, en 5 años podrá ser utilizado.

 TICE Me informo sobre un concurso de diseño gráfico

Conéctate a: http://www.achap.cl

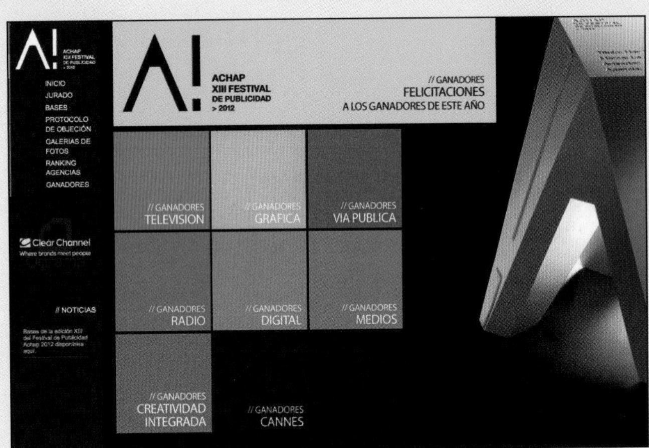

1 Busca información

a. Haz clic en "Festivales Achap" y luego en "2012". Después haz clic en "Bases" y apunta qué es *Festival A!* y cuáles son sus objetivos.
b. Baja hasta la sección "Premios". Indica cuáles son los premios atribuidos a cada categoría.
c. Cita la categoría que no puede participar en la elección del "*Grand prix*". ¿Por qué?
d. Haz clic también en "Ganadores" y luego en "Ganadores Vía Pública". En la sección "Intervenciones públicas" visiona la foto de "Fundación Padre Hurtado". Determina el tema de la campaña y di qué mensaje quiere transmitir el anunciante.

2 Haz una presentación oral

e. Basándote en tus apuntes, haz una presentación oral del festival, describe la campaña «Padre Hurtado» y explica brevemente por qué es creativa e impactante.

Recursos

Sustantivos
- la beneficencia: *la bienfaisance*
- un problema social
- la protección de la infancia

Adjetivos
- conmovedor(a): *émouvant(e)*

Verbos y expresiones
- incentivar: *stimuler*
- premiar = recompensar
- dirigirse al ciudadano: *s'adresser au citoyen*
- concienciar: *faire prendre conscience*

 Descubro el robot con emociones del futuro

Descubriendo las emociones del robot

1 Fíjate

a. Observa el fotograma y di qué representa.

2 Primer fragmento

b. ¿Qué están haciendo los protagonistas?
c. Explica el objetivo de la operación.
d. Di qué piensa la niña de todo esto.

3 Segundo fragmento

e. ¿Qué le enseña el investigador a la niña? Precisa los dos rasgos (*traits*) de carácter evocados.
f. ¿Qué piensa la niña del segundo rasgo?
g. Describe lo que pasa cuando el robot se anima.

4 Resume

h. Redacta lo que has entendido del vídeo.

Conéctate al aula virtual *Próxima parada* para rellenar la ficha

Sustantivos
- un(a) científico(a)
- un(a) investigador(a): *un(e) chercheur(euse)*
- el procesador: *le processeur*
- un(a) programador(a)
- rostros: *des visages*

Adjetivos
- aburrido(a): *ennuyeux(euse)*
- rabioso(a) = muy enfadado(a)

Verbos y expresiones
- ampliar: *agrandir*
- reducir = comprimir
- flotando en el aire

Gramática activa

Le futur de l'indicatif

LENGUA ACTIVA p. 151
PRÉCIS 18.B

1 Conjugue les verbes au futur.

a. Las técnicas siempre (perfeccionarse).
b. También vosotros (ser) capaces de innovar.
c. (Tú/tomar) el AVE para llegar a Madrid.
d. (Nosotros/ver) a Blanca Li en este festival.
e. Las maquinarias más extravagantes (invadir) el planeta.
f. Yo no (olvidar) aquel magnífico espectáculo.

2 Conjugue les verbes au futur. Attention aux irrégularités orthographiques.

a. En el futuro, los ordenadores (poder) efectuar todas las tareas.
b. (Vosotros/venir) gracias a los nuevos trenes.
c. Nosotros no (saber) usar estas máquinas sin explicaciones.
d. El artista (decir) lo que ha querido expresar.
e. Usted (querer) proponer una obra impactante.
f. Después de leer este libro sobre aquella gran artista, yo (hacer) un resumen.

La simultanéité avec *mientras* (« pendant que »)

LENGUA ACTIVA p. 153
PRÉCIS 26.A, 32

3 Fais en sorte d'introduire *mientras* dans les phrases.

a. Unos empresarios están discutiendo; otros firman contratos.
b. Tú duermes, pero tu hermano está frente al ordenador.
c. Unos robots bailan; otros cantan.
d. Usted se moría de risa, pero yo me ponía a llorar.
e. El periodista habla cuando el artista le explica su obra.
f. Estamos mirando la obra de Barceló e imaginamos el fondo del mar.

Les relatifs *el/los que, la/las que, lo que*

LENGUA ACTIVA p. 155
PRÉCIS 16.C

4 Emploie *el/la que* ou *los/las que*.

a. Es el tren en … … me gusta viajar.
b. Esta artista es … … tiene mucho éxito.
c. Vimos el espectáculo en … … los actores son robots.
d. Se hacen estos programas para … … quieren ver cosas nuevas.
e. En la iglesia hacia … … os dirigís está la obra de Barceló.
f. Las películas de animación son … … tienen más éxito actualmente.

5 Emploie *el/la que, los/las que* ou *lo que*.

a. El público aprecia la manera en … … actúa el robot.
b. Es fantástico … … hace este ordenador.
c. Es una obra en … … hay robots.
d. Viajar en tren es … … más me gusta.
e. … … sorprende en la obra de Barceló es su imaginación.
f. Si no te gusta … … estás mirando, puedes irte.

L'apocope

LENGUA ACTIVA p. 157
PRÉCIS 15

6 Fais l'apocope comme il convient.

a. El AVE representa una (grande) oportunidad de desarrollo internacional.
b. Se acaba de firmar el (primero) contrato, pero vendrán el (segundo) y el (tercero).
c. Puede hacer estas tareas (cualquiera) ordenador con la ayuda de (alguno) técnico.
d. Es un (bueno) actor, pero los robots también son (buenos) actores.
e. Es su (tercero) invento, pero (ninguno) empresario quiere desarrollarlo.
f. Barceló es un (grande) artista contemporáneo.

Les participes passés irréguliers

LENGUA ACTIVA p. 159
PRÉCIS 22

7 Complète avec les participes passés irréguliers des verbes. Attention : ils peuvent avoir une valeur d'adjectif.

a. Habíamos (volver) con el AVE hasta la frontera.
b. Sorprenden las paredes (cubrir) con peces.
c. Este año ciertas empresas españolas han (hacer) beneficios.
d. Los pedazos (romper) testimonian la dificultad de realizar tales creaciones.
e. El sector de la animación ha (abrir) nuevas perspectivas.
f. Me encantan aquellos espectáculos que hemos (ver).

8 Complète avec le participe passé.

a. La empresa (seleccionar) ha (decir) su intención de aceptar el reto.
b. La obra se ha (abrir) camino en la mente de la coreógrafa.
c. El ordenador ha (poder) realizar lo que se había (proponer) el artista.
d. Hemos (escribir) un artículo sobre este invento.
e. Parece irreal la creación (describir) por el artista.
f. Has (devolver) el libro a la biblioteca después de leerlo.

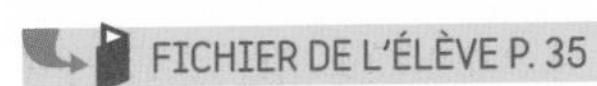

1. **Con ayuda de las palabras siguientes, cita dos sectores en los que la industria española triunfa y explica lo que significa concretamente. (columna I)**
2. **Di qué es la inteligencia virtual y lo que permite. (columna II)**
3. **Explica qué es necesario para innovar en algún sector científico. (columna III)**
4. **Define simplemente la vanguardia. Da un ejemplo de artista de vanguardia o creativo y explica por qué lo es. (columna IV)**

I INDUSTRIA ESPAÑOLA CON ÉXITO *(industrie espagnole à succès)*

- el AVE, tren de Alta Velocidad Española: *le train à grande vitesse espagnol*
- los competidores: *les concurrents*
- el desarrollo: *le développement*
- las películas de animación: *les films d'animation*
- a nivel internacional: *au niveau international*
- competir (i): *faire concurrence à*
- firmar contratos: *signer des contrats*
- tener (ie) éxito = triunfar: *avoir du succès*

II INTELIGENCIA VIRTUAL *(intelligence virtuelle)*

- las herramientas informáticas: *les outils informatiques*
- el ordenador = la computadora: *l'ordinateur*
- el programa: *le logiciel*
- el sistema operativo: *le système d'exploitation*
- la transmisión de datos: *la transmission de données*
- colgar (ue) en internet: *mettre sur internet*
- conectarse por la banda ancha: *avoir une connexion à haut débit*
- realizar una búsqueda: *faire une recherche*

III CIENCIAS E INVENTOS *(sciences et inventions)*

- un adelanto = un progreso: *un progrès*
- la astronomía, la biología, la física, la química: *l'astronomie, la biologie, la physique, la chimie*
- la investigación: *la recherche*
- descubrir: *découvrir*
- encontrar (ue): *trouver*
- hacer experimentos: *faire des expériences*
- innovar: *innover*
- un invento novedoso: *une invention innovante*
- investigar: *chercher, faire de la/des recherche(s)*

IV VANGUARDIA *(avant-garde)*

- el arte, las artes: *l'art, les arts*
- un(a) arquitecto(a) famoso(a): *un(e) architecte reconnu(e)*
- un(a) artista cotizado(a): *un(e) artiste coté(e)*
- el diseño: *le design*
- un(a) escultor(a): *un sculpteur*
- el grafismo: *le graphisme*
- iconoclasta: *iconoclaste*
- crear nuevas corrientes artísticas: *créer de nouveaux courants artistiques*

Enfoque final: noción y documentos

La innovación como motor de la industria

→ **La industria española afronta los retos *(les défis)* de la globalización *(la mondialisation)*.**

- *¿Alta velocidad del futuro?* p. 150
- *El AVE Medina-La Meca* p. 151
- *Robots que bailan* p. 154
- *El éxito de las películas de animación españolas* p. 157

La creación le es necesaria al ser humano

→ **La creación abre las puertas de la imaginación y le permite al ser humano superarse *(se dépasser)*.**

- *Una casa inteligente* p. 153
- *Robots que bailan* p. 154
- *Muñecos protagonistas* p. 156
- *El fondo del mar en una catedral* p. 158

Los inventos preparan el futuro

→ **Tanto las ciencias como las artes innovan constantemente para el bienestar de los seres humanos.**

- *¿Alta Velocidad del futuro?* p. 150
- *El AVE Medina-La Meca* p. 151
- *Feria de la ciencia y la tecnología* p. 152
- *Una casa inteligente* p. 153
- *Robots que bailan* p. 154

Bellas Artes

Tournament /el torneo, instalación de Jaime Hayón en Londres, agosto de 2009

¿Puede la historia inspirar a los artistas? Dilo con lo que sabes...

1. Indica el título de la obra y di dónde fue expuesta.
2. ¿Qué representa? Indica la materia utilizada.
3. Precisa a qué alude la obra.
4. ¿Te parece una buena idea asociar un acontecimiento histórico con una manifestación artística? Justifica tu opinión.

El diseñador español **Jaime Hayón** (Madrid, 1974) es una de las figuras más importantes en el mundo del diseño. *Tournament* trata de un juego de ajedrez gigante hecho con piezas de cerámica de unos 2 metros de altura. El dispositivo es una alusión a la batalla naval de Trafalgar (1805) que España perdió contra Inglaterra. El almirante Nelson ganó la batalla gracias a una estrategia inspirada en el juego de ajedrez.

Recursos

Sustantivos
- el ajedrez: *les échecs*
- el diseño: *le design, la conception*
- el torneo: *le tournoi*

Adjetivos
- geométrico(a)
- magnífico(a)
- maravilloso(a)

Para saber más:
http://www.hayonstudio.com/

PROYECTO
FINAL

Visiones de futuro

PROYECTO A Organizad una exposición para promover la innovación en España

expresión escrita

Para una exposición sobre la España del siglo XXI, vais a preparar carteles que presentan las últimas tendencias de la innovación.

1 Buscad información

a. Formad grupos y buscad ejemplos de realizaciones españolas innovadoras en ciencias, técnicas, arte, diseño.
b. Cada grupo recoge datos e imágenes para la elaboración de su cartel.

2 Elaborad los carteles

c. Dadles un título significativo e impactante.
d. Presentad al/a la inventor(a) o creativo(a).
e. Redactad una descripción breve de de su realización.
f. Cada grupo presenta y comenta su cartel al resto de la clase:
–insistid en el carácter original e innovador de la realización: ¿cómo cambiará la vida de la gente?
–dad vuestra opinión a propósito de sus posibilidades de desarrollo en el futuro.

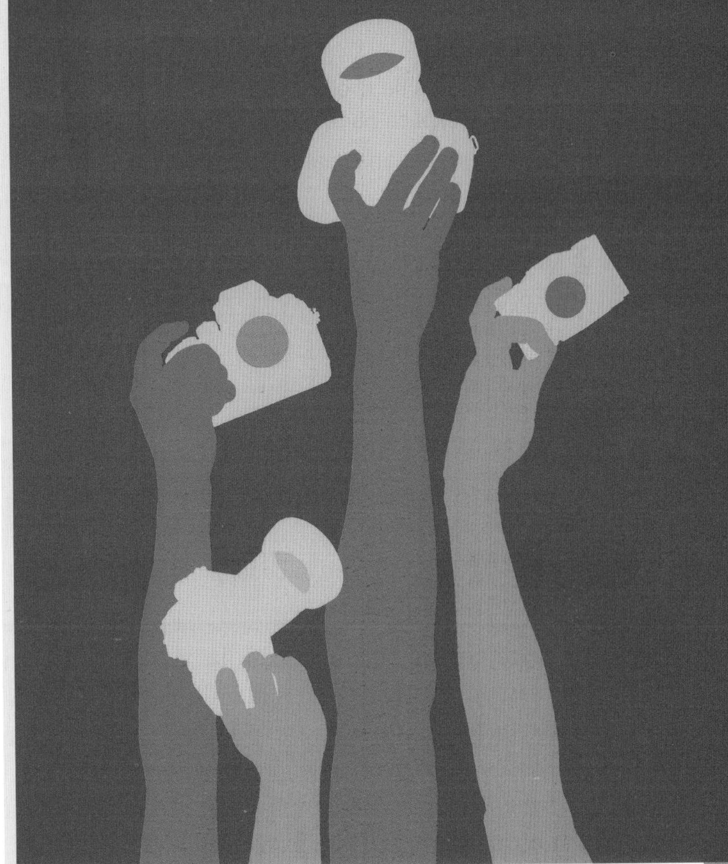
arriba las cámaras,
esto es un concurso

Páginas web que puedes consultar:
http://www.technologyreview.es/
http://www.muyinteresante.es/innovacion

PROYECTO B Entrevistad a artistas o creativos innovadores hispánicos

interacción oral

Sois periodistas de un programa radiofónico sobre arte y diseño en el mundo hispánico. Realizad entrevistas a destacados artistas creativos e innovadores.

1 Preparad la entrevista

a. Por parejas, elegid a un(a) artista o creativo(a) hispánico(a) autor(a) de obras innovadoras.
b. Estableced el contexto en el que tendrá lugar la entrevista: inauguración, exposición, festival...
c. Preparad las preguntas y respuestas.

2 Realizad la entrevista

d. El/la alumno(a) A hace de periodista, saluda al/a la entrevistado(a), precisa dónde están y le hace preguntas sobre su última realización y sus proyectos futuros.
e. El/la alumno(a) B hace de entrevistado(a), presenta su realización y sus próximos proyectos.

Páginas web que puedes consultar:
http://www.artelista.com/catalogo.html
http://arquiscopio.com/category/paisajismo/

EVALUACIÓN

comprensión oral  Premios de diseño e innovación

> **OBJECTIF A2+** : comprendre un reportage sur une entreprise innovante.

Escucha la grabación y contesta.

A2
- **a.** La persona entrevistada es... El locutor lo ha llamado porque...
- **b.** ¿Cuánto tiempo hace que existe la empresa?

A2+
- **c.** Precisa cómo ha evolucionado con el tiempo y explica por qué.
- **d.** ¿Cómo era España cuando se montó la empresa?
- **e.** ¿Cuál es la mejor fórmula para competir en el mercado?

- un galardón: *une récompense*
- un hueco: *une niche [de marché]*

Raúl Royo durante la entrega del Premio a la innovación con los Príncipes de Asturias

comprensión escrita El cómic español prueba suerte en internet

> **OBJECTIF A2+** : comprendre la description d'une nouvelle plate-forme de vente en ligne.

La primera plataforma española para la distribución de cómics online ya está operativa. La tienda online Koomic.com nace con un catálogo casi exclusivamente formado por obras de autores nacionales [...]. Las editoriales[1] confían en que pueda servir de escaparate[2] de autores. "No sabemos hasta dónde puede llegar, pero inevitablemente hay que estar en el proyecto", explica Laureano Domínguez, editor de Astiberri [...]. "Nos parece importante que haya una diferencia grande de precio entre el libro digital y el libro impreso. Ponerlo casi al mismo precio, como se está vendiendo el cómic en Estados Unidos, no sé hasta qué punto podría funcionar aquí", agrega. [...]

Uno de los puntos más interesantes para Koomic es recuperar obras descatalogadas. Favorecerá, sobre todo, "a editores que no pueden hacer tiradas cortas, por los costes[3]" y dará la posibilidad "de trabajar con fondos, algo que se ha perdido por el ritmo de novedades en las estanterías[4] de cómic", apunta Alex Samaranch, director general de Esdecomic Digital, una de las compañías que ha puesto en marcha la plataforma.

Por ahora, todos son autores españoles. "Es más sencillo por el tema de derechos y también es una forma de promocionarlos", señala el editor de Astiberri.

Lucía GONZÁLEZ (periodista española), *El Mundo*, 11/04/2011

Lee el texto y contesta.

A2
- **a.** Indica el nombre de la nueva plataforma y precisa para qué sirve.
- **b.** ¿Hay una diferencia de precio entre el cómic digital y la versión impresa? Precisa por qué.

A2+
- **c.** Explica por qué el sistema favorecerá las obras descatalogadas.
- **d.** Esta plataforma publica solo a autores españoles. ¿Verdad o mentira? Aclara los motivos.

1. *les maisons d'édition*
2. *vitrine*
3. *les coûts*
4. *les rayonnages*

expresión oral Fomentar la innovación

> OBJECTIF A2+ : décrire une affiche et expliquer l'importance des concours pour l'innovation scientifique et technologique.

Temps de parole : 3 minutes

Observa el cartel y contesta las preguntas.

A2
a. Presenta el cartel. Precisa el objeto, el anunciante, el lugar y las fechas.

A2+
b. Di qué tipo de actividades representan los personajes.
c. Lo que me parece interesante con este tipo de concursos es que…

un plazo: *un délai*

III Concurso
de Técnica Libre
CIENCIA Y TECNOLOGÍA
Plazo de Presentación
Del 16 de enero al 5 de marzo de 2010
Más información en:
informacion.alumnos@upct.es
Tlf. 968 33 88 50
Horario: De lunes a viernes de 9.00-14.00
Bases completas y formulario en:
http://www.upct.es/seeu
Universidad Politécnica de Cartagena
fundaciónséneca

Concurso de ciencia y tecnología, Universidad de Cartagena, España

interacción oral Un invento que cambia la vida

> OBJECTIF A2+ : échanger des points de vue sur l'utilité de l'innovation.

Temps de parole : 3 minutes
En binôme

Intentas convencer a un(a) amigo(a) de la utilidad de un invento. Por parejas, imaginad el diálogo.

A2+
Alumno(a) A: Te apasiona la innovación. Convences a un(a) amigo(a) de la utilidad de un objeto o un invento revolucionario e innovador y le muestras cómo cambiará la vida de la gente.
Alumno(a) B: Eres más bien escéptico(a). Explicas a tu amigo(a) que este objeto no servirá ni tendrá éxito.

expresión escrita Innovar es mejorar

> OBJECTIF B1 : rédiger un article sur une invention qui va améliorer la qualité de vie.

Nombre de mots : 120

Redacta un breve artículo sobre un invento o una realización innovador(a) que mejorará la calidad de vida de la gente.

A2+ a. Indica el nombre del invento y la identidad del inventor.

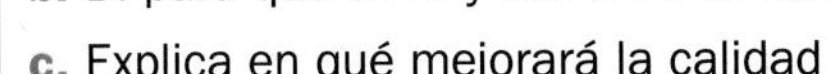

B1
b. Di para qué sirve y cómo funciona.
c. Explica en qué mejorará la calidad de vida de la gente.

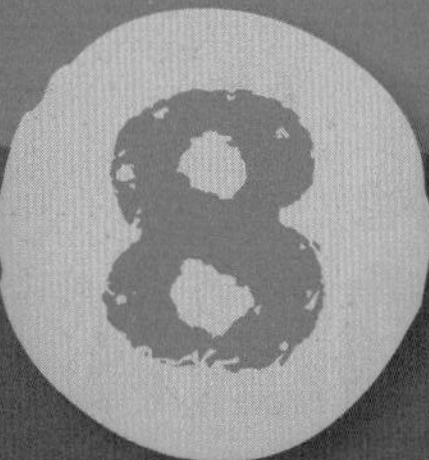

UNIDAD 8 Retos ambientales

1 Limpiando playas de la Reserva de la Biosfera Sian-Ka'an, península de Yucatán, México

Recursos

Sustantivos
- la basura: *les déchets*
- una bolsa de plástico: *un sac en plastique*
- la naturaleza = el medio ambiente
- la palmera: *le palmier*
- la protección
- un reto: *un défi*

Adjetivos
- contaminado(a): *pollué(e)*
- limpio(a) ≠ sucio(a)

Verbos y expresiones
- comprometerse a hacer algo: *s'engager à faire qqch*
- producir
- recoger: *ramasser*
- tomar conciencia de: *prendre conscience de*

PROYECTO FINAL

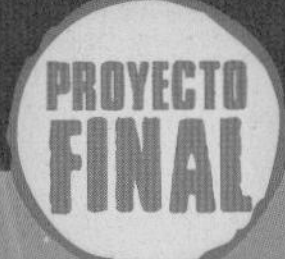

PROYECTO A **expresión escrita** **Crea un folleto de sensibilización al respeto del medio ambiente.**

PROYECTO B **interacción oral** **Entrevista a pie de calle sobre esfuerzos que la gente aceptaría para preservar el medio ambiente.**

Outils linguistiques

- Le lexique de la nature, de l'écologie

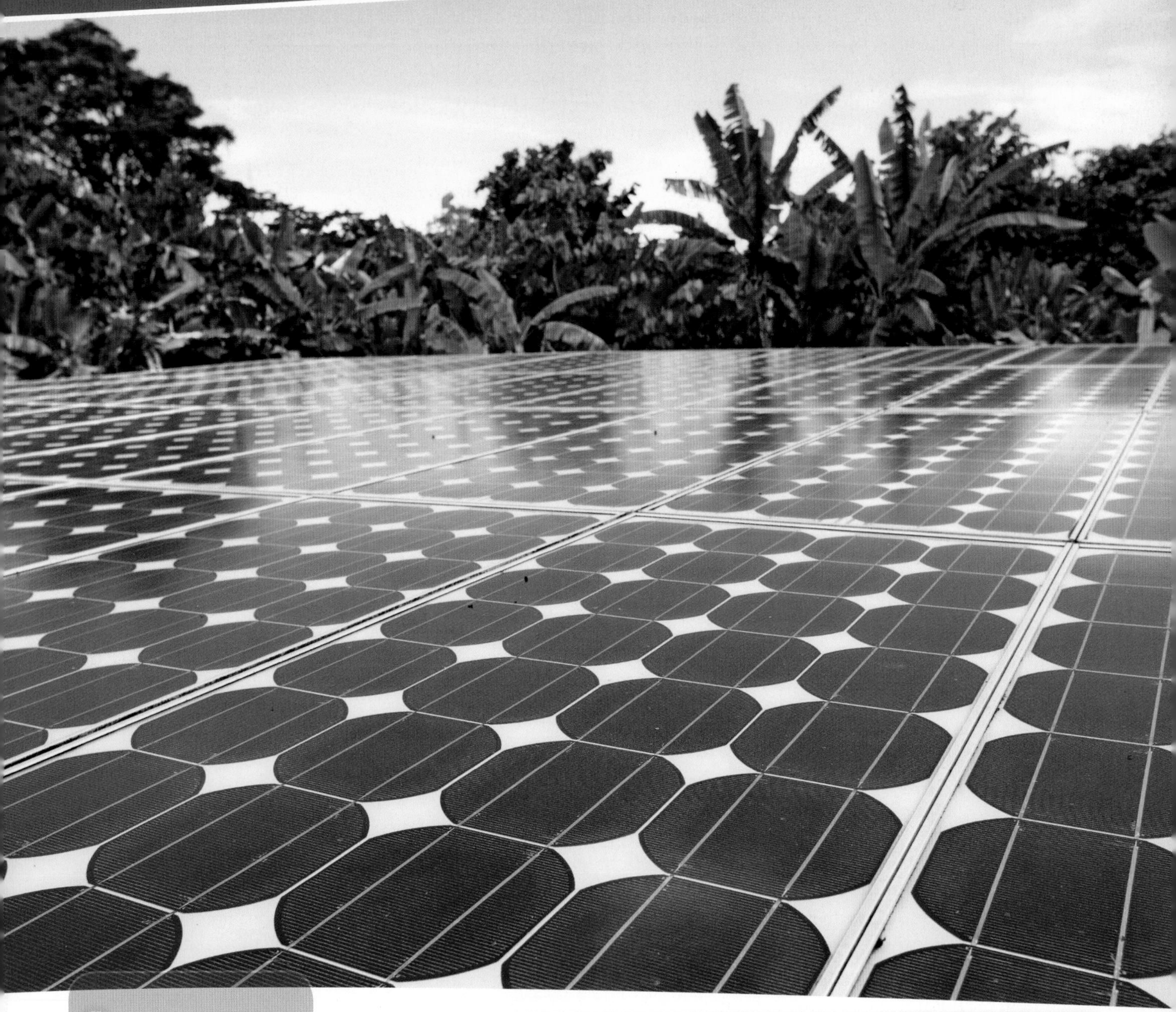

2 Paneles solares en la sierra tropical del Parque Nacional Corcovado, Costa Rica

Y tú, ¿cómo lo ves?

1. Di lo que están haciendo los jóvenes de la foto 1 y lo que indica de sus preocupaciones.
2. Identifica la fuente de energía en la foto 2 y relaciónala con la zona tropical.
3. Aclara el tema que ilustran las dos fotos. ¿En qué presentan soluciones para el futuro?

Texto 1

A2+ Jardines verticales en México

La superpoblada Ciudad de México quiere cambiar su rostro[1] gris por uno más verde con la instalación de jardines verticales en edificios de barrios[2] populares.

La alcaldía[3] del Distrito Federal (DF) ha puesto ahora en marcha el plan *Unidades Habitacionales Sustentables*, en virtud del cual instalará en edificios "jardines verticales", paneles solares y filtros de agua pluvial. Ciudad de México tiene unos 20 millones de habitantes en su zona metropolitana (el DF y sus alrededores) y genera el 1,5% de los gases de efecto invernadero[4] del planeta. El primer inmueble beneficiado por el nuevo programa es La Valenciana, en la populosa zona de Iztapalapa, donde ya han sido colocados diez calentadores[5] solares y 700 metros cuadrados de muros que se convertirán en impresionantes jardines verticales.

"Este nuevo escenario ambiental es estético y nos ayuda a disminuir los malos olores", "Creo que es una oportunidad para que nuestros hijos puedan vivir en una zona protegida y donde al abrir la ventana respiren aire puro", ha manifestado Rebeca Enciso, una de las vecinas de La Valenciana. El responsable del proyecto, Roberto López, ha detallado que se pretende contrarrestar[6] los altos niveles de contaminación y mejorar la calidad de vida de los capitalinos. Los paneles solares para calentar el agua y alimentar las estufas[7] que operan con electricidad contribuirán a disminuir la contaminación y permitirán ahorrar[8] dinero a los habitantes de La Valenciana.

Edna ALCÁNTARA (periodista española), *EFE México*, 19/01/2009

Texto 1

a. Da las características de Ciudad de México y di qué problema conoce.
b. Detalla el plan que ha puesto en marcha la ciudad.
c. ¿Cómo han reaccionado los habitantes al tomarse esta iniciativa? Explica por qué.

1. *(ici)* apariencia
2. *quartiers*
3. *la mairie*
4. *à effet de serre*
5. *chauffe-eau*
6. combatir
7. *les radiateurs*
8. economizar

Recursos

Sustantivos
- la basura = los residuos
- la energía solar = la energía fotovoltaica
- los estragos: *les dégâts*
- el medio ambiente: *l'environnement*
- la naturaleza

Adjetivos
- contaminado(a): *pollué(e)*
- sostenible= sustentable (amer.): *durable*

Verbos y expresiones
- proteger

Texto 2

A2 Una ciudad verde en Argentina

Rafaela ha desarrollado un modelo de producción y consumo sostenible. El plan comenzó hace tiempo. Desde hace diez años, por ejemplo, el municipio impulsa un plan de separación de residuos en los domicilios, que permite recuperar el 20% de los residuos. El 80% restante es procesado[1] y convertido en materia prima. También los desechos naturales son aprovechados[2]. Todo se aprovecha, nada se tira[3]. Todo hogar[4] en Rafaela tiene tres contenedores de reciclaje de basura: uno para residuos orgánicos, otro para envases[5] de plásticos y vidrios, y otro más para residuos especiales como pilas, baterías, equipos electrónicos. Otro de los pilares de la política ambiental de la ciudad es la apuesta[6] por las energías renovables.

David SANZ (periodista español), *www.ecologiaverde.com*, 23/08/2012

1. *traité* 2. *récupérés* 3. *on ne jette rien* 4. casa 5. *emballages* 6. *le pari*

Texto 2

d. En Rafaela, "todo se aprovecha, nada se tira". Comenta y justifica tu respuesta.
e. Apunta las otras iniciativas que hacen de Rafaela un ejemplo de ciudad sostenible.

Textos 1 y 2

f. Haz la lista de las iniciativas presentadas para proteger el medio ambiente. Di cuál te parece más importante.

expresión oral

A2 Cuando lo verde prima

a. Presenta los cuatro comportamientos ecorresponsables que quiere promover la ciudad de Buenos Aires.
b. Apunta y explica el eslogan del cartel.
c. Aclara en qué es Buenos Aires una “ciudad verde”.

Expresión escrita

PREPARA EL PROYECTO Trabajas para la agencia de publicidad encargada de la campaña de promoción de las iniciativas verdes o de reciclaje de una ciudad. Redacta tres eslóganes para incitar a la gente a seguirlas.

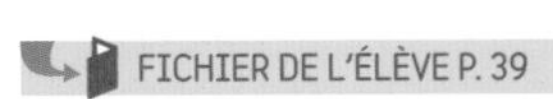
FICHIER DE L'ÉLÈVE P. 39

Así seguimos construyendo una Ciudad Verde.
CIUDAD VERDE
buenosaires.gob.ar/ciudadverde /BAciudadverde
Buenos Aires Ciudad
EN TODO ESTÁS VOS

Folleto de sensibilización de la ciudad de Buenos Aires, Argentina

• Vos (arg.) = tú

Lengua activa

PRÉCIS 32

La simultanéité avec *al* + infinitif

*Para que nuestros hijos puedan vivir en una zona donde, **al abrir** la ventana, respiren aire puro.*

Imite l'exemple. *Cuando abren la ventana, pueden respirar aire puro.* → ***Al abrir** la ventana, pueden respirar aire puro.*
a. Cuando la alcaldía toma decisiones, las cosas cambian.
b. Cuando se instalan calentadores solares, disminuye la contaminación.
c. Cuando el responsable detalla el proyecto, los vecinos sueñan con mejoras.

LÉXICO Soluciones alternativas

Complète avec les définitions suivantes : *recogen la lluvia tras limpiarla, recuperan la energía del sol, calientan gracias a la energía solar, contaminan el planeta.*
a. Los paneles solares …
b. Los filtros de agua pluvial …
c. Los gases de efecto invernadero …
d. Los calentadores solares…

EXERCICES P. 186-187

Recursos

Sustantivos
- un parque
- los transportes públicos

Adjetivos
- involucrado(a): *impliqué(e)*

Verbos y expresiones
- caminar: *marcher*
- comprometerse por: *s'engager pour*
- hacer la compra: *faire ses courses*
- malgastar: *gaspiller*
- moverse (ue): *se déplacer*

Enfoque sobre la noción

Visiones de futuro

Las iniciativas ciudadanas pueden mejorar la sostenibilidad medioambiental. Apoyándote en los textos y en la publicidad, muestra cómo ilustran esta noción.

- Di cómo se adaptan a los retos medioambientales las ciudades latinoamericanas.
- Da ejemplos de cómo se comprometen los habitantes por su ciudad.

comprensión oral

B1 Continúa el saqueo de las playas

Golfo de México
México D.F.
Cancún
MÉXICO
Yucatán
Isla de Cozumel
Mar Caribe
Océano Pacífico
250 km

Dragado de la arena de la isla de Cozumel hasta las playas de Cancún (México)

1 Fíjate, escucha y apunta

a. Describe la fotografía. ¿Qué están haciendo las máquinas?

Primera escucha completa

b. Apunta los sitios evocados en la grabación y aclara el tema.
c. ¿Cuántas voces has oído? ¿De quiénes son?

Segunda escucha

d. Explica el proyecto.
e. Explica lo que ha pasado con el huracán Ida.

Tercera escucha

f. Di si los locutores están a favor o en contra del proyecto y explica por qué.
g. Según ellos, ¿cuál sería la mejor solución?
h. ¿Cómo se justifica este proyecto en realidad?
i. Selecciona un adjetivo para calificar el tono del locutor al final: furioso, irónico o fatalista. Justifica tu elección.

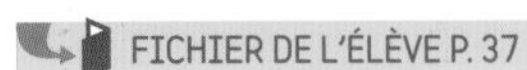
FICHIER DE L'ÉLÈVE P. 37

2 Resume

Redacta todo lo que has entendido de la grabación.

Recursos

Sustantivos
- la arena: *le sable*
- un bote: *une barque*
- el dragado: *le dragage*
- una especie: *une espèce*
- un huracán: *un ouragan*

Adjetivos
- protegido(a)

Verbos y expresiones
- arreglar: *arranger, réparer*
- borrar: *effacer*
- sacar: *retirer*
- a orillas del mar: *au bord de la mer*

Fonética

a. **Escucha las expresiones siguientes y di si corresponden a una interrogación, una afirmación o una exclamación.**
b. **Repite estas expresiones en voz alta.**

comprensión escrita

A2+ Construir sobre la arena

Casi todos los hoteles de Kukulcán[1] estaban vacíos[2]. Se alzaban por la costa como mausoleos verticales, orbitados de gaviotas[3], invadidos de plantas y ratas.

Los cruceros[4] ya no se detenían en el embarcadero donde se alzaba una inmensa escultura de Sebastián (una geométrica estrella de mar, color azul cobalto). Veíamos a lo lejos los barcos que seguían de largo. Su basura llegaba a la costa.

El litoral había entrado en una fase de agonía. La ciudad turística no atendió las advertencias sobre los riesgos de construir sobre la arena: el viento golpeaba en las fachadas, sin escape alguno, y regresaba rumbo al mar, llevándose la playa. Todos los días un barco lento llegaba de Santo Domingo con arena para llenar los huecos[5] en la orilla. La costa se devoraba lentamente a sí misma.

Las plataformas petroleras y los drenajes habían contaminado el agua, poniendo en riesgo el segundo arrecife[6] de coral más grande del mundo.

Juan VILLORO (escritor mexicano), *Arrecife*, 2012

1. balneario en la costa atlántica de México
2. *vides*
3. *entourés de mouettes*
4. *Les bateaux de croisière*
5. *les trous*
6. *récif*

a. Apunta las palabras que evocan la destrucción de la costa y aclara las causas.
b. Indica cuáles fueron las consecuencias de esta destrucción en Kukulcán.
c. Apunta un elemento que indica que era posible prever lo que ha pasado.

Expresión oral

PREPARA EL PROYECTO Formas parte de una asociación de protección del litoral. Expresa tu indignación frente a la destrucción de las playas del litoral mexicano.

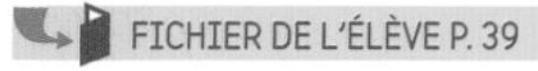
FICHIER DE L'ÉLÈVE P. 39

Recursos

Sustantivos
- la costa
- el daño: *le mal*
- la explotación

Adjetivos
- catastrófico(a)

Verbos y expresiones
- luchar contra: *lutter contre*
- preservar

Lengua activa

PRÉCIS 24

L'infinitif sujet réel

- ***Es** mucho más **lógico sacar arena** que esté cercana a Cancún.*

Imite l'exemple. *Sacar arena es lógico. → Es lógico sacar arena.*
a. Ver los hoteles vacíos es impresionante.
b. No atender las advertencias fue un error.
c. Salvar el litoral en esa zona es imposible.

LÉXICO El entorno marino

Classe dans la catégorie a ou b les mots suivants : *las plataformas petroleras, los drenajes, proteger la fauna, afectar el ecosistema, la marea negra, las especies protegidas.*
a. el deterioro del litoral
b. la protección del entorno marino

EXERCICES P. 186-187

Enfoque sobre la noción

Visiones de futuro

Las costas mexicanas sufren los ataques humanos y meteorológicos. Apoyándote en la grabación y en el texto, muestra cómo ilustran esta noción.

- Precisa por qué es importante en el futuro que los mexicanos preserven los espacios naturales y turísticos.
- Explica cómo contribuyen las actividades humanas a la destrucción del medio ambiente.

B1 Las especies más peligrosas del Mediterráneo

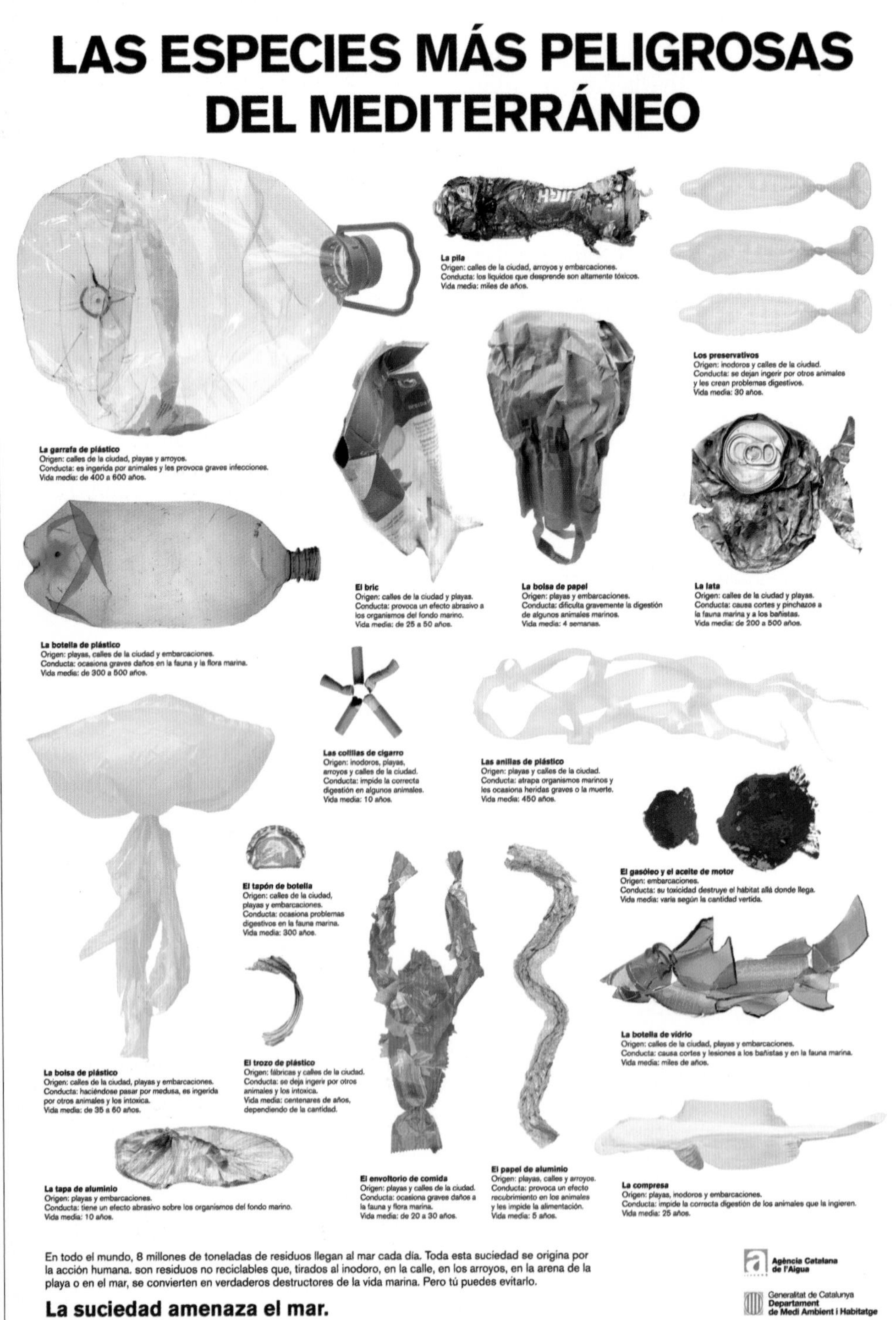

LAS ESPECIES MÁS PELIGROSAS DEL MEDITERRÁNEO
La pila
Origen: calles de la ciudad, arroyos y embarcaciones.
Conducta: los líquidos que desprende son altamente tóxicos.
Vida media: miles de años.
Los preservativos
Origen: inodoros y calles de la ciudad.
Conducta: se dejan ingerir por otros animales y les crean problemas digestivos.
Vida media: 30 años.
La garrafa de plástico
Origen: calles de la ciudad, playas y arroyos.
Conducta: es ingerida por animales y les provoca graves infecciones.
Vida media: de 400 a 600 años.
El bric
Origen: calles de la ciudad y playas.
Conducta: provoca un efecto abrasivo a los organismos del fondo marino.
Vida media: de 25 a 50 años.
La bolsa de papel
Origen: playas y embarcaciones.
Conducta: dificulta gravemente la digestión de algunos animales marinos.
Vida media: 4 semanas.
La lata
Origen: calles de la ciudad y playas.
Conducta: causa cortes y pinchazos a la fauna marina y a los bañistas.
Vida media: de 200 a 500 años.
La botella de plástico
Origen: playas, calles de la ciudad y embarcaciones.
Conducta: ocasiona graves daños en la fauna y la flora marina.
Vida media: de 300 a 500 años.
Las colillas de cigarro
Origen: inodoros, playas, arroyos y calles de la ciudad.
Conducta: impide la correcta digestión en algunos animales.
Vida media: 10 años.
Las anillas de plástico
Origen: playas y calles de la ciudad.
Conducta: atrapa organismos marinos y les ocasiona heridas graves o la muerte.
Vida media: 450 años.
El gasóleo y el aceite de motor
Origen: embarcaciones.
Conducta: su toxicidad destruye el hábitat allá donde llega.
Vida media: varía según la cantidad vertida.
El tapón de botella
Origen: calles de la ciudad, playas y embarcaciones.
Conducta: ocasiona problemas digestivos en la fauna marina.
Vida media: 300 años.
La botella de vidrio
Origen: calles de la ciudad, playas y embarcaciones.
Conducta: causa cortes y lesiones a los bañistas y en la fauna marina.
Vida media: miles de años.
La bolsa de plástico
Origen: calles de la ciudad, playas y embarcaciones.
Conducta: haciéndose pasar por medusa, es ingerida por otros animales y los intoxica.
Vida media: de 35 a 60 años.
El trozo de plástico
Origen: fábricas y calles de la ciudad.
Conducta: se deja ingerir por otros animales y los intoxica.
Vida media: centenares de años, dependiendo de la cantidad.
La tapa de aluminio
Origen: playas y embarcaciones.
Conducta: tiene un efecto abrasivo sobre los organismos del fondo marino.
Vida media: 10 años.
El envoltorio de comida
Origen: playas y calles de la ciudad.
Conducta: ocasiona graves daños a la fauna y flora marina.
Vida media: de 20 a 30 años.
El papel de aluminio
Origen: playas, calles y arroyos.
Conducta: provoca un efecto recubrimiento en los animales y les impide la alimentación.
Vida media: 5 años.
La compresa
Origen: playas, inodoros y embarcaciones.
Conducta: impide la correcta digestión de los animales que la ingieren.
Vida media: 25 años.
En todo el mundo, 8 millones de toneladas de residuos llegan al mar cada día. Toda esta suciedad se origina por la acción humana. son residuos no reciclables que, tirados al inodoro, en la calle, en los arroyos, en la arena de la playa o en el mar, se convierten en verdaderos destructores de la vida marina. Pero tú puedes evitarlo.
La suciedad amenaza el mar.
Agència Catalana de l'Aigua
Generalitat de Catalunya
Departament de Medi Ambient i Habitatge

Campaña de concienciación ambiental, Klas Ernflo para la Agencia catalana del agua y la Generalitat de Cataluña

Mira y exprésate

a. Identifica las basuras en el cartel y di a qué se parecen.
b. Explica por qué son "especies peligrosas".
c. Di quiénes son los anunciantes y aclara el objetivo de esta campaña.

Recursos

Sustantivos
- un bogavante: *un homard*
- una chapa = un tapón: *un bouchon*
- una colilla: *un mégot*
- un envase: *un emballage*
- la gasolina: *l'essence*
- una lata: *une canette*
- una medusa
- una tapa: *une capsule*

Adjetivos
- asqueroso(a): *dégoutant(e)*

Verbos y expresiones
- concienciar a alguien: *faire prendre conscience à qqn*
- dañar: *nuire*
- sensibilizar: *sensibiliser*
- tirar: *jeter*
- en vías de extinción: *en voie de disparition*

B1 Presente y futuro del agua potable

En España también se han vivido conflictos por el agua. "Recuerdo el debate de los trasvases[1] y de los planes hidrológicos", reflexiona Peridis. "Entonces se planificaron y construyeron desaladoras[2] para un modelo de urbanización que ya no existe".

Para Peridis, el problema reside en la irracionalidad del uso del agua. "El hombre siempre se ha instalado al lado de los ríos. Y aun así, los maltratamos. Llenamos de plástico los mares y matamos a los animales. Cuando falta agua, decimos: "¡Ya se llevará![3]". La naturaleza tiene algo que decir sobre la forma en la que la tratamos.

Se está produciendo una revolución en el riego[4] agrícola. España es pionera en ese sector. Y es importantísimo, dado que el 70% del agua se utiliza en la agricultura. [...]

"Pero no hay que olvidar que la política también es capaz de rescatar lo perdido", interviene Javier Moreno, director de *El País*. "Recuerdo que el río de mi pueblo, donde me bañaba cuando era pequeño, empezó a decaer tras[5] la construcción de una presa. La contaminación, la falta de cuidados acabaron con el río. Pero intervinieron los políticos locales y el río volvió a la vida. Lo mismo ha pasado en las tablas de Daimiel[6] o en la ría de Bilbao".

Lo importante es que todos, especialmente los jóvenes, sepan que la solución está en sus manos.

Thiago FERRER (periodista español), *El País*, 14/4/2013

1. *transferts* 2. *usines de dessalement* 3. *On en apportera bien !* 4. *l'irrigation* 5. *s'assécher après* 6. parque nacional en Castilla la Mancha

Líneas 1 a 11

a. Presenta el problema que existe en España con el agua potable.

b. Explica cuáles fueron las soluciones encontradas y lo que Peridis piensa de ellas.

Líneas 12 al final

c. Según Javier Moreno, ¿qué hay que hacer para mejorar la situación? Da tres ejemplos que lo demuestren.

d. Explica en manos de quiénes están finalmente las soluciones. Justifica tu respuesta.

Expresión escrita

PREPARA EL PROYECTO Tu instituto organiza un día de sensibilización a los problemas medioambientales con el eslogan "La solución está en tus manos". Preparas un breve discurso para concienciar a los alumnos y proponer soluciones.

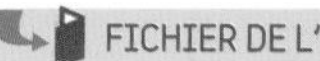

FICHIER DE L'ÉLÈVE P. 40

Recursos

Sustantivos
- el despilfarro: *le gaspillage*
- una presa: un barrage
- el uso: *l'utilisation*

Adjetivos
- comprometido(a): *engagé(e)*

Verbos y expresiones
- ahorrar: *économiser*
- rescatar: *sauver*

Lengua activa

PRÉCIS 33

L'obligation impersonnelle avec *hay que* + infinitif

*No **hay que** olvidar que la política también es capaz de rescatar lo perdido.*

Imite l'exemple. *Es necesario pensar en el futuro. → Hay que pensar en el futuro.*

a. Es necesario evitar los conflictos por el agua. →

b. Es necesario cambiar las costumbres. →

c. Es necesario tratar mejor la naturaleza. →

LÉXICO El buen uso del agua

Complète les phrases avec : *regar sin excesos, restricciones, la sal.*

a. La desalinización permite quitar ... del agua del mar.

b. En los campos es necesario ... .

c. Si no somos capaces de hacer una buena gestión del agua, puede que haya ... .

EXERCICES P. 186-187

Enfoque sobre la noción

Visiones de futuro

El agua es un elemento vital hoy y mañana en España. Apoyándote en la publicidad y en el texto, muestra cómo ilustran esta noción.

- ¿Por qué la preocupación por el problema del agua es más importante hoy que antes en España?
- Indica cómo la toma de conciencia de todos permite encontrar soluciones al devenir de las especies.

Texto 1

A2+ La matanza

Todo comienza en alta mar, cuando el vigía avista por sus binoculares[1] los chorros[2] verticales de agua, aproximándose. Son los delfines, grises, lustrosos bajo el sol, que siempre nadan cerca de la superficie respirando por los agujeros en sus cabezas. Metros abajo, ocultos, van los atunes. Plateados y rápidos. [...]
Desde cubierta[3] se lanza la red[4] al mar. Una red con flotadores amarillos. Las cuatro lanchas de motor han sido bajadas al mar. Se mueven para desplegar la gran red: desplegada, forma un círculo de medio kilómetro de diámetro. Esa es la trampa[5]. [...]
Los delfines van entrando en la trampa y también, más abajo, la tribu de los atunes. Cuando todos han entrado en la trampa, el capitán da la orden de matar[6]. [...] Los arpones se clavan en los peces, se hunden en los costados de los atunes, que sangran. El agua se vuelve espumosa y rosa. [...]
Acabada la matanza, el mar quedaba rojo y lustroso, de horizonte a horizonte, 360 grados de un mar de sangre, bajo el cielo perfecto, azul y lleno de sol.

Sabina BERMAN (escritora mexicana), *La mujer que buceó dentro del corazón del mundo*, 2010

1. *ses jumelles* 2. *les jets* 3. *le pont du bateau* 4. *le filet* 5. *le piège* 6. *tuer*

Texto 2

B1 Pesca sostenible

En un puerto de Galicia el inspector Caldas observa a José Arias, un pescador.

Caldas salió a la calle y miró a los lados buscando a Arias. Se volvió hacia los marineros veteranos. No necesitó preguntar. La mirada de Caldas encontró a Arias acuclillado al borde del agua. [...] Había dado la vuelta[1] a la bolsa de plástico y dejaba escapar las nécoras[2] que llevaba en ella. Los crustáceos caían sobre la piedra y, al verse libres, corrían apresuradamente hacia el agua. Luego desaparecían.
Una nécora cayó boca arriba[3] y Caldas observó que era una hembra repleta de huevas[4] adheridas a su abdomen. Reconoció el mismo coral anaranjado en todas las que el pescador devolvía al mar. Se trataba de hembras a punto de desovar, cargadas con cientos de minúsculos huevos.
–No todos hacen eso –dijo Caldas.
El hombre se encogió de hombros y agitó suavemente la bolsa con sus manazas para obligar a salir a las más rezagadas[5].
–No es asunto mío lo que hagan los demás –dijo.

Domingo VILLAR (escritor español), *La playa de los ahogados*, 2009

1. *(ici) Il avait renversé* 2. *étrilles (espèce de crabe)* 3. *tomba sur le dos*
4. *une femelle avec des œufs* 5. *retardataires*

Texto 1

a. Apunta los adjetivos de color y di a qué corresponden.
b. Explica cómo se enteran los pescadores de la presencia de los atunes.
c. Explica qué es la trampa y cómo matan los pescadores a los atunes.
d. Al final ¿cómo se vuelve el agua? Di cómo se puede calificar esta pesca.

Recursos

Sustantivos
- una matanza: *un massacre*
- la pesca: *la pêche*
- la sangre: *le sang*

Adjetivos
- cruel
- respetuoso(a)
- sostenible = sustentable (amer): *durable*
- violento(a)

Verbos y expresiones
- desangrarse: *se vider de son sang*
- explotar: *exploiter*
- respetar: *respecter*

Texto 2

e. Apunta los verbos que indican lo que hacía el pescador.
f. Explica en qué era respetuosa la actitud del pescador con el medio ambiente.
g. Indica lo que pensaba Caldas de lo que hacía el pescador y apunta la respuesta de Arias.

Textos 1 y 2

h. Muestra cómo los dos textos presentan visiones muy diferentes de la pesca.

B1 La pesca del atún

Salvador DALÍ (pintor español), *La pesca del atún*, 1967, Fundación Paul Ricard, Francia

a. Identifica a los personajes y los animales representados.
b. Explica cómo sugiere el pintor la idea de trampa.
c. Basándote en los colores del cuadro, di lo que Salvador Dalí representa y elige dos adjetivos para describir el ambiente.

Expresión escrita

PREPARA EL PROYECTO Has asistido a una pesca masiva del atún que te horrorizó. Mandas un mensaje a una ONG de protección de las especies en vías de extinción para contar tus impresiones y abogas por una pesca más sostenible.

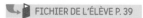

FICHIER DE L'ÉLÈVE P. 39

Recursos

Sustantivos
- una gaviota: *une mouette*
- una lancha: *une barque*
- la lucha: *la lutte*
- un puñal: *un poignard*

Adjetivos
- salvaje: *sauvage*

Verbos y expresiones
- abogar por: *plaider pour*
- escandalizarle a alguien que [+ subjonctif]
- escapar: *s'échapper*
- horrorizarle a alguien que [+ subjonctif]
- saltar: *sauter*

Lengua activa

PRÉCIS 43

Volverse (ue) : un équivalent de « devenir »

- *El agua **se vuelve** espumosa y rosa.*

Emploie *volverse* à la place des verbes proposés. Attention aux temps !
a. La pesca se hacía violenta.
b. El mar estaba rojo y lustroso.
c. La lucha fue desigual.

LÉXICO La pesca

Complète avec les mots suivants : *los arpones, las hembras, los pescados, la red, los peces, pesca.*
a. El pescador … .
b. Se lanza … desde un barco para atrapar … .
c. … se clavan en los atunes.
d. Son … las que vienen cargadas de huevos.
e. En las pescaderías se venden … .

EXERCICES P. 186-187

Enfoque sobre la noción

Visiones de futuro

La pesca es fundamental para las economías hispanas. Apoyándote en los textos y en el cuadro, muestra cómo ilustran esta noción.

- Explica cómo la pesca excesiva pone en peligro el futuro.
- ¿Son compatibles la explotación de los recursos naturales y la protección del medio ambiente? Da ejemplos que lo ilustran.

comprensión oral

A2 Los rayos del sol: una fuente de energía  

Parque de paneles solares, Sanlúcar de Barrameda, España

1 Fíjate, escucha y apunta

a. Lee el título, observa la fotografía y deduce el tema de la grabación.

Primera escucha completa

b. Di de qué programa fue sacada la grabación.
c. Apunta el léxico en relación con la energía termosolar.

Segunda escucha

d. Identifica las ventajas de esta energía.
e. ¿Esta energía es utilizada únicamente de día?

Tercera escucha

f. Existen dos sistemas para utilizar esta energía. Apúntalos y explica cómo funciona el segundo.
g. Apunta el eslogan al final del documento.

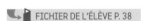

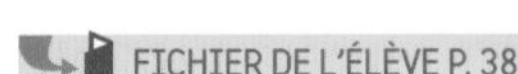
FICHIER DE L'ÉLÈVE P. 38

2 Resume

Redacta todo lo que has entendido de la grabación.

Recursos

Sustantivos
- el calentamiento: *le réchauffement*
- el efecto invernadero: *l'effet de serre*
- una fuente de energía: *une source d'énergie*

Adjetivos
- inagotable: *inépuisable*
- limpio(a): *propre*

Verbos y expresiones
- almacenar: *emmagasiner*
- calentar (ie): *chauffer*
- emitir: *émettre*
- hacer un gesto por

Fonética  

a. Escucha las palabras siguientes, escríbelas y di si la "g" se pronuncia como "g" de energía o como el "gu" de agua.
b. Repite estas palabras en voz alta.

A2+ Los molinos del siglo XXI

Los aerogeneradores, esos nuevos molinos de viento que han situado a España en la segunda potencia[1] mundial en energía eólica, forman cada vez más parte de nuestro paisaje.

Si el pasaje de los molinos de viento confundidos por gigantes ha recorrido el mundo de la mano de nuestro escritor más universal como es Cervantes, ahora es otra la hazaña[2] que también tiene que ver con el viento y lleva impreso el "made in Spain". Se trata de la energía eólica, una energía renovable en la que somos punteros[3] en el mundo entero.

Ahora que el día alarga e invita a salir, es fácil que nos encontremos durante nuestra escapada con algún parque eólico por el camino.

La energía eólica es la energía obtenida del viento que es transformada en otras formas útiles de energía para las actividades humanas.

La energía eólica ha sido aprovechada desde la antigüedad para mover los barcos impulsados por velas o hacer funcionar la maquinaria de molinos al mover sus aspas[4]. Es un tipo de energía verde.

Como el resto de energías renovables, la eólica es una fuente de electricidad "limpia", inagotable y autóctona, lo cual representa importantes ventajas ambientales y resulta mucho más que positivo en comparación con las energías tradicionales que emplean combustibles fósiles o radiactivos.

www.padresonones.es, 2014

1. *puissance* 2. *exploit* 3. líderes 4. *ailes*

Líneas 1 a 15

a. Muestra que el viento siempre ha sido utilizado y por qué el molino se asocia a España.

b. Explica lo que son los molinos del siglo XXI e indica la frase del texto que define la energía eólica.

Líneas 15 al final

c. Apunta los tres adjetivos que califican esta energía y presenta sus ventajas.

Expresión oral

PREPARA EL PROYECTO Eres el/la locutor(a) de un programa de radio que trata de las energías limpias. Presenta unas de las energías verdes explotadas en España con sus ventajas.

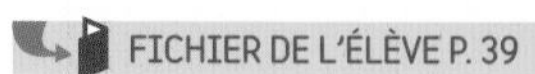

FICHIER DE L'ÉLÈVE P. 39

Lengua activa

PRÉCIS 29.A

La forme passive avec *ser* + participe passé

- *La energía del viento* ***es transformada****.*
- *La energía eólica* ***ha sido aprovechada****.*

Imite l'exemple.

Se transforma la energía. → La energía es transformada.

a. Se consideran los aerogeneradores españoles como los mejores del mundo.

b. Se movían los barcos impulsados por vela gracias al viento.

c. Con las energías tradicionales se emplean combustibles fósiles.

LÉXICO Energías renovables

Complète avec les adjectifs suivants : *solar, geotérmica, mareomotriz, eólica.*

a. La energía … utiliza el viento.

b. La energía … capta el sol.

c. La energía … aprovecha el ciclo de las mareas.

d. La energía … aprovecha el calor almacenado bajo la tierra.

EXERCICES P. 186-187

Recursos

Sustantivos

- el aerogenerador: *l'éolienne*
- un líder

Adjetivos

- contaminante

Verbos y expresiones

- aprovecharse de: *profiter de*
- encabezar el ranking: *être en tête de classement*
- producir: *produire*
- sacar partido de: *tirer parti de*
- soplar: *souffler*

Enfoque sobre la noción

Visiones de futuro

Las energías renovables contribuyen a proteger el medio ambiente. Apoyándote en la grabación y en el texto, destaca los argumentos que lo confirman.

- Enumera los ejemplos de energías renovables desarrolladas en España.
- Precisa cuáles son las ventajas medioambientales de estas energías con respecto a las tradicionales.
- Explica cómo es aprovechada esta energía.

PANORAMA

Selva amazónica: ¿rescatar o explotar el pulmón del planeta?

Serranía del Chiribiquete, Colombia

A Colombia: un parque para detener la deforestación

En la selva amazónica colombiana, el **Parque Nacional natural de Chiribiquete**, con una extensión de 2,8 millones de hectáreas, es el parque natural más grande de Colombia. Es uno de los puntos más importantes de biodiversidad del país, con numerosas especies de reptiles, anfibios... y 13 especies de mamíferos amenazadas, como el jaguar. Fue creado en 1989 y su superficie fue duplicada en 2013. Con esta ampliación el gobierno colombiano quiere proteger mejor la selva amazónica, mantener la integridad ecológica de los ecosistemas presentes y luchar contra el cambio climático.

B Perú: ecoturismo en la selva amazónica

El **Centro de Investigaciones Tambopata**, en plena selva amazónica peruana, a orillas del lago Tres Chimbadas, acoge desde 1989 a turistas y científicos, ofreciendo una oportunidad excepcional para descubrir las maravillas naturales de la Amazonia. El objetivo del centro es fomentar un turismo verde que respeta el medio ambiente y así preservar este ecosistema para las generaciones futuras. Además el centro es gestionado en acuerdo con la población local.

Expedición por el río Tambopata

Ecuador: el petróleo para superar la pobreza

Ecuador anunció en 2007 su decisión de no explotar las reservas de petróleo localizadas en el **Parque Nacional Yasuní** en la Amazonia ecuatoriana, a cambio de una contribución económica internacional. En el Parque Nacional Yasuní habitan pueblos indígenas en aislamiento voluntario[1], como los Tagaeri y los Taromenane. Seis años después el Presidente del Ecuador anunció que ponía fin a la iniciativa y concedía los permisos a las petroleras para explotar el parque. El presidente, consciente del dinero que generará la explotación del petróleo, quiere así ayudar a la población a salir de la pobreza.

1. volontairement isolés

Muñecos para protestar contra la explotación del petróleo en Yasuní, 2013

Vista aérea del TIPNIS

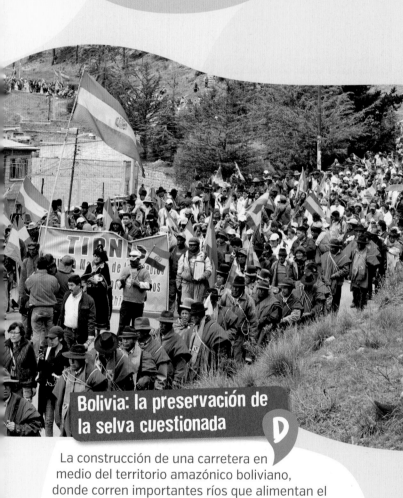

Marcha de protesta de los indígenas del TIPNIS en la Paz, 2012

Bolivia: la preservación de la selva cuestionada

La construcción de una carretera en medio del territorio amazónico boliviano, donde corren importantes ríos que alimentan el río Amazonas, provoca la oposición por parte de los indígenas. En efecto, el segundo tramo de la vía (306 kilómetros) pasaría por el corazón del **Territorio Indígena** y **Parque Nacional Isiboro-Secure** (TIPNIS). Para el gobierno, esta carretera permitiría romper el aislamiento de esta zona y fomentar su desarrollo económico. Pero para los tres pueblos que habitan en ella, esta ruta amenaza con destruir parte de la biodiversidad y sus estilos de vida.

Ciberencuesta

Conéctate a http://www.parquesnacionales.gov.co/PNN/portel/libreria/php/decide.php?patron=01.0107

1. Busca más información sobre el Parque Nacional Serranía de Chiribiquete: ubicación exacta, poblaciones indígenas, clima, especies animales y vegetales.

Conéctate a http://www.viajesostenible.org/

2. Entra “tambopata research center” en el buscador. Precisa lo que les propone el programa a los turistas durante su estancia en el Centro de Investigaciones.

Conéctate a http://www.amazoniaporlavida.org/es/

3. Pincha en “Sobre la campaña” y luego en “¿Qué puedo hacer yo?”. Apunta unas de las iniciativas que todos pueden hacer para apoyar el proyecto.

Conéctate a http://www.yurileveratto.com/

4. Entra “El dilema del Tipnis” en el buscador. Apunta informaciones sobre el Parque Nacional Isiboro-Secure: encuentra un argumento a favor y otro en contra del proyecto.

comprensión oral  Tomo conciencia de los problemas medioambientales

Canción *Mamá tierra*, Macaco

> **OBJECTIF** A2+ : comprendre une chanson sur l'environnement.

Antes de escuchar

a. Basándote en su título, intenta aclarar el tema de la canción.

Primera escucha

b. Explica por qué el cantante llama al planeta "Mamá tierra".
c. Di qué reacción quiere provocar el cantante.
d. Según Macaco ¿por qué es urgente la situación?

Segunda escucha

e. Apunta lo que dice la tierra en la canción.
f. Indica la reacción que denuncia Macaco al final ante la situación de la tierra.

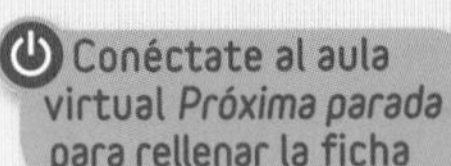

Destrucción de la selva amazónica

Recursos

Sustantivos
- el cambio climático
- los latidos del corazón: *les battements de cœur*
- una llama: *une flamme*

Adjetivos
- interdependiente

Verbos y expresiones
- apagarse: *s'éteindre*
- cuidar el planeta
- estar en peligro: *être en danger*

expresión escrita

Me movilizo a favor del medio ambiente

> **OBJECTIF** A2+ : créer un slogan pour la protection de l'environnement.

Imitando el eslogan "Tu basura puede dar vida. Recicla", imagina eslóganes para otros problemas medioambientales.

a. Haz una lista de los problemas medioambientales que más te preocupan y elige dos.
b. Imagina para cada problema una acción para solucionarlo.
c. Imitando el modelo, inventa un eslogan proponiendo una acción concreta que cualquier persona puede realizar.

Internet TICE

Creo un cartel de defensa de la Amazonia

Conéctate a: http://www.amazonas2030.net

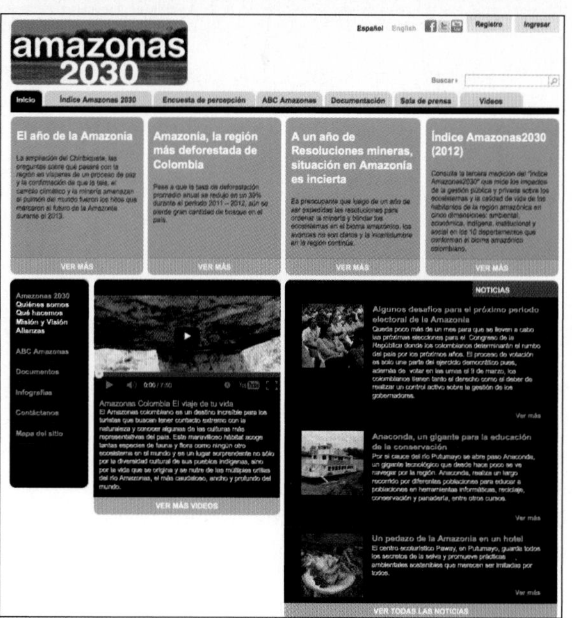

1 Busca informaciones

a. Pincha en "ABC Amazonas" y apunta por qué esta zona del planeta es muy importante.

b. Haz clic en "Biodiversidad" y elige algunos datos para describir la riqueza natural de la selva amazónica.

c. Pincha en "Clima" y escoge uno de los dos subtemas propuestos (agua o CO2). Haz clic en uno de ellos y redacta tres frases explicando el papel clave de la Amazonia en la lucha contra el calentamiento del planeta.

2 Haz un cartel

d. Basándote en tus apuntes, redacta un texto breve para exponer a qué amenazas se enfrenta la selva amazónica y un eslogan para explicar cómo protegerla.

e. Busca fotos en internet y con el eslogan, el texto breve y los datos claves, crea un cartel para la protección de la selva amazónica.

Recursos

Sustantivos
- la lluvia: *la pluie*
- la sequía: *la sécheresse*

Verbos y expresiones
- amenazar: *menacer*

Me entero de una denuncia contra la contaminación

DVD
Cenizas del cielo,
José Antonio Quirós,
2007

Determinado a luchar contra la contaminación

1 Fíjate

a. Observa el fotograma y descríbelo. ¿Dónde se encuentra el protagonista?

2 Mira y escucha

b. Explica por qué quiere el hombre que el Consejero lo reciba.

c. ¿Qué muestra a la secretaria del consejero? Explica por qué.

d. Según Federico ¿qué provoca esta situación? Aclara lo que él quiere.

e. Di lo que le responde la secretaria del consejero y cómo reacciona Federico.

f. Apunta los elementos de la película que permiten afirmar que el protagonista está determinado y a qué.

3 Resume

g. Redacta todo lo que has entendido del vídeo.

Recursos

Sustantivos
- una carretilla: *une brouette*
- una central térmica
- el dióxido de carbono
- las verduras: *les légumes*

Adjetivos
- marchitado(a): *flétri(e)*
- quemado(a): *brulé(e)*

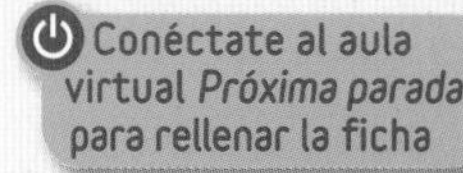

Gramática activa

LENGUA ACTIVA p. 173
PRÉCIS 32

La simultanéité avec *al* + infinitif

1 Remplace la proposition temporelle par *al* + infinitif.

a. Cuando aparece la playa, quedamos estupefactos.
b. Cuando lanzan la red, los pescadores saben dónde están los peces.
c. Cuando vierte esos productos, la gente contamina el suelo.
d. Cuando recogemos residuos, hacemos algo por el planeta.
e. Cuando privilegiáis las energías limpias, pensáis en el futuro.
f. Cuando creas una empresa socialmente responsable, fomentas un desarrollo sostenible.

LENGUA ACTIVA p. 175
PRÉCIS 24

L'infinitif sujet réel

2 Imite l'exemple.

Proteger el planeta es indispensable. → *Es indispensable proteger el planeta.*

a. Preocuparse por el medio ambiente es importante.
b. Convertir muros en jardines verticales es innovador.
c. Mejorar la calidad de vida de la gente es necesario.
d. Bañarse en aguas contaminadas es peligroso.
e. Aprovechar las energías renovables es rentable.
f. Compartir un coche es interesante.

3 Traduis.

a. Il est nécessaire de changer certains comportements.
b. Il est normal de protéger la planète.
c. Il n'est pas difficile de ramasser le plastique.
d. Il est possible de nous informer sur ce sujet.
e. Nous pensons qu'il est catastrophique de ne pas lutter contre la pollution.
f. Il n'est pas évident de changer nos habitudes.

LENGUA ACTIVA p. 177
PRÉCIS 33

L'obligation impersonnelle avec *hay que* + infinitif

4 Emploie *hay que* à la place des autres formes impersonnelles (*ser necesario/preciso/menester*).

a. Es necesario instalar paneles solares para ahorrar energía.
b. Es preciso evitar los gases de efecto invernadero.
c. Es menester aprovecharse de las energías limpias.
d. Es necesario sensibilizar a la gente sobre los peligros de la contaminación.
e. Es preciso pedirles a los políticos que actúen para proteger el planeta.
f. Es menester consumir de manera diferente.

5 Remplace les verbes d'obligation personnelle (*tener que, deber*) par *hay que* ou *es necesario*.

a. Vosotros tenéis que contribuir a disminuir la contaminación.
b. Ustedes deben imaginar la ciudad del futuro.
c. Nosotros debemos ahorrar las energías.
d. Tengo que denunciar esas matanzas de peces.
e. Debes preocuparte por lo que pasa.
f. Tienes que tener una actitud responsable.

LENGUA ACTIVA p. 179
PRÉCIS 43

Volverse (ue) : un équivalent de « devenir »

6 Remplace les autres équivalents de « devenir » (*ponerse, hacerse*) par *volverse*. Attention aux temps !

a. Los jardines de la ciudad se hacen verticales.
b. El consumo se ha hecho sostenible.
c. En ciertas zonas el uso del agua se hacía irracional.
d. Los animales se ponen furiosos.
e. Los pescadores se pusieron crueles.
f. Las bicicletas se están haciendo indispensables en la ciudad.

LENGUA ACTIVA p. 181
PRÉCIS 29.A

La forme passive avec *ser* + participe passé

7 Imite l'exemple. Attention aux temps !

Se transforma la energía. → *La energía es transformada.*

a. Por voluntad política se instalan paneles solares en las escuelas.
b. Se han convertido los muros en jardines verticales.
c. Por este accidente de la plataforma petrolera se contaminó el agua de la zona.
d. Para la agricultura se irrigan las tierras.
e. Se despliegan las redes cuando surgen los atunes.
f. Hoy día en ciertos municipios se controlan los desechos.

8 Mets les verbes à la forme passive.

a. La playa (contaminar) por los residuos que vienen del mar.
b. Las plataformas (construir) para sacar petróleo.
c. La pesca intensiva (controlar) en ciertas zonas.
d. El agua (malgastar) por los propietarios de estos jardines.
e. La energía almacenada bajo la tierra (recuperar) para las actividades humanas.
f. Estas medidas (acompañar) de una mejora del transporte público sostenible.

FICHIER DE L'ÉLÈVE P. 40

1. **Con ayuda de las palabras siguientes, di por qué es indispensable preocuparse por el medio ambiente. (columna I)**
2. **Cita unas energías limpias y explica por qué son "limpias". (columna II)**
3. **¿Cómo se puede luchar contra la contaminación? Da ejemplos. (columna III)**
4. **Aclara en qué consiste el desarrollo sostenible. (columna IV)**

I CONCIENCIACIÓN AMBIENTAL *(sensibilisation environnementale)*

- el calentamiento del planeta: *le réchauffement de la planète*
- los cambios climáticos: *les changements climatiques*
- los problemas medioambientales: *les problèmes environnementaux*
- la protección de la flora y de la fauna: *la protection de la flore et de la faune*
- un reto: *un défi*
- un tema candente/acuciante: *un sujet brûlant / urgent*
- concienciar: *sensibiliser*
- ser problema de todos: *être le problème de tous*

II ENERGÍAS LIMPIAS *(des énergies propres)*

- los biocarburantes: *les biocarburants*
- la central termosolar: *la centrale thermosolaire*
- la energía geotérmica: *l'énergie géothermique*
- las energías renovables: *les énergies renouvelables*
- un generador eólico = un aerogenerador: *une éolienne*
- una placa solar: *un capteur solaire*
- captar energía: *capter de l'énergie*
- recortar emisiones de gases tóxicos/de efecto invernadero: *réduire les émissions de gaz toxiques / à effet de serre*

III LUCHA CONTRA LA CONTAMINACIÓN *(lutte contre la pollution)*

- campañas de recogida y reciclaje: *des campagnes de ramassage et de recyclage*
- la clasificación de las basuras: *le tri des déchets*
- ahorrar energía: *économiser de l'énergie*
- comprometerse a reciclar: *s'engager à recycler*
- controlar los desechos: *contrôler les déchets*
- fomentar el desarrollo del coche eléctrico: *promouvoir le développement de la voiture électrique*
- infundir el respeto por la naturaleza: *inculquer le respect de la nature*
- potenciar el transporte público: *développer les transports publics*

IV DESARROLLO SOSTENIBLE *(développement durable)*

- los envases reutilizables: *les emballages réutilisables*
- el plástico biodegradable: *le plastique biodégradable*
- el reciclaje de los envases, del papel, del vidrio, de las pilas: *le recyclage des emballages, du papier, du verre, des piles*
- el tratamiento de los residuos: *le traitement des déchets*
- compartir el coche: *pratiquer le covoiturage*
- diversificar las fuentes de energía: *diversifier les sources d'énergie*
- promover (ue) las energías limpias: *promouvoir les énergies propres*
- salvaguardar: *sauvegarder*

Enfoque final: noción y documentos

FICHIER DE L'ÉLÈVE P. 41

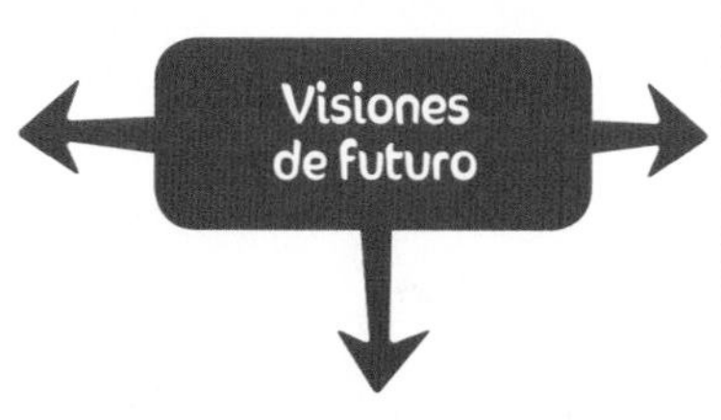

Consumo sostenible

→ **Todos los ciudadanos son responsables del estado del planeta y por eso deben adaptar su manera de consumir.**

Las energías limpias

→ **Las nuevas energías permiten reducir la contaminación.**

Nuevas orientaciones políticas en beneficio de la ecología

→ **La ecología es cada vez más un argumento político, pero no todos los políticos piensan en el futuro.**

Bellas Artes

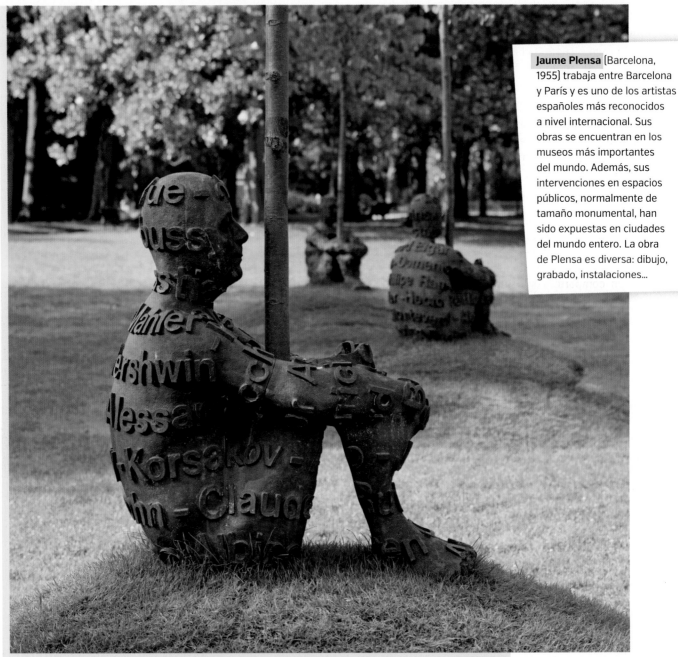

Jaume Plensa (Barcelona, 1955) trabaja entre Barcelona y París y es uno de los artistas españoles más reconocidos a nivel internacional. Sus obras se encuentran en los museos más importantes del mundo. Además, sus intervenciones en espacios públicos, normalmente de tamaño monumental, han sido expuestas en ciudades del mundo entero. La obra de Plensa es diversa: dibujo, grabado, instalaciones...

Heart of trees/El corazón de los árboles, Jaume PLENSA (escultor español), jardín público de Burdeos, Francia

¿Qué mensaje quiere transmitir el artista? Dilo con lo que sabes...

1. Di dónde está la obra de arte.
2. Identifica los elementos que la componen.
3. Describe la actitud de los personajes y di qué efecto produce.
4. Explica cuál es el mensaje que quiere transmitir el artista fijándote en la metáfora que utiliza entre el hombre y la naturaleza a través de la imagen del árbol.

Recursos

Sustantivos
- el césped: *le gazon*
- el entorno natural: *le milieu naturel*
- un escultor
- las ramas: *les branches*
- la simbiosis

Adjetivos
- abrazado(a)
- acurrucado(a): *recroquevillé(e)*

Para saber más:
http://www.artdiscover.com/es/noticias/jaume-plensa-artista-destacado/114

PROYECTO A Crea un folleto de sensibilización al respeto del medio ambiente

expresión escrita

CIUDAD
BA
VERDE
Separando la basura podemos seguir reduciéndola.
Sumate vos también.
buenosaires.gob.ar/ciudadverde /BAciudadverde

Un pequeño cambio en cada uno cambia el futuro de todos.
Sumate.
¿Sabés cómo separar tus residuos?
Entregá los materiales reciclables al recuperador urbano de tu barrio, dáselos al encargado de tu edificio o colocalos en los nuevos contenedores verdes.
RECICLABLES
VIDRIO
PLÁSTICO
METAL
CARTÓN Y PAPEL
R
B
TODO LO DEMÁS
Restos de comida, papeles y cartones sucios, vidrios rotos, pañales.
BASURA
Sacá la basura de 20 a 21 h, siempre que no llueva. Si tenés escombros, llamá al 147 y programamos su recolección.
Todos nos seguimos sumando a una Ciudad Verde.

Crea un folleto explicativo para un concurso institucional sobre cómo fomentar comportamientos ecorresponsables en grandes ciudades.

1 Prepara el tema

a. Selecciona una ciudad de América Latina (Buenos Aires, México, etc.) o de España que quiere incitar a sus habitantes a tener un comportamiento más responsable con el entorno.
b. Identifica los principales problemas que existen en la ciudad.
c. Elige tres iniciativas para preservar la naturaleza en esa ciudad.

2 Realiza el folleto

d. Imagina un eslogan que incite a que los ciudadanos tengan un comportamiento ecorresponsable.
e. Redacta un texto breve que presente los problemas medioambientales en la ciudad y las principales iniciativas para combatirlos.
f. Busca imágenes para ilustrar el folleto.

PROYECTO B Entrevista a pie de calle

interacción oral

Para un reportaje televisivo sobre los problemas medioambientales, unos periodistas van a entrevistar a unas personas en la calle sobre esfuerzos que aceptarían.

1 Preparad la entrevista

a. Formad grupos y elegid el papel que queréis representar: periodistas o ciudadanos.
b. Seleccionad los temas medioambientales que queréis evocar en la entrevista: contaminación, reciclaje, cambio climático, etc.
c. Los periodistas preparan las preguntas sobre qué problemas medioambientales preocupan a la gente y qué esfuerzos aceptarían para proteger la naturaleza.
d. Los ciudadanos eligen un tema y preparan sus respuestas a las preguntas.

2 Haced la entrevista

e. Los periodistas se presentan y formulan sus preguntas. Los ciudadanos contestan precisando los esfuerzos que podrían hacer.
f. Al final, los periodistas resumen las propuestas de los ciudadanos.

EVALUACIÓN

comprensión oral  Una iniciativa para conservar la biodiversidad

> OBJECTIF A2+ : comprendre la mise en place d'un programme de protection de l'environnement.

Escucha la grabación y contesta.

A2
- **a.** El documento, que evoca una iniciativa, es: ¿un reportaje, una entrevista, una crónica? Di cómo se llama esta iniciativa y en qué región se desarrolla.
- **b.** Apunta los sustantivos y adjetivos utilizados para evocar esta zona.
- **c.** Esta iniciativa fue tomada por: ¿el gobierno, una ONG internacional o las asociaciones locales?

A2+
- **d.** Explica cuál es el objetivo de la iniciativa.

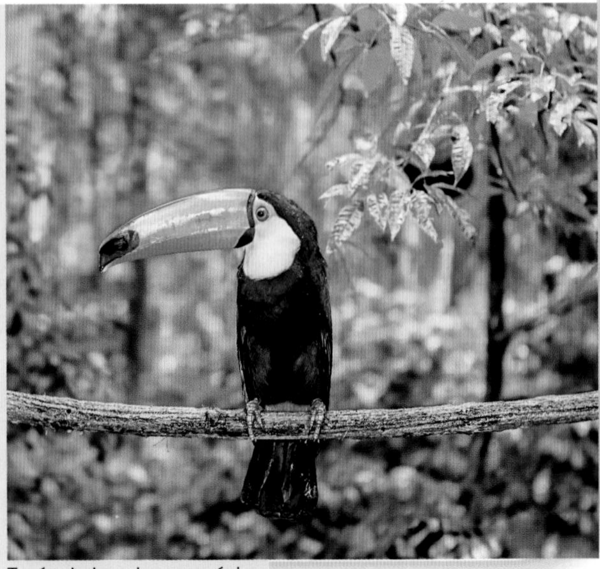

Tucán de la selva amazónica

comprensión escrita Luchando contra la contaminación

> OBJECTIF A2+ : comprendre un texte sur les moyens de lutter contre la pollution urbaine.

El gobierno del Distrito Federal tomará medidas drásticas para enfrentar la grave crisis de contaminación que ahoga[1] a la capital. Para ello, se encarecerá[2] el uso de los vehículos particulares, con el fin de reducir el parque automovilístico que cada día circula por la urbe[3].

Según la Secretaría de medio ambiente capitalina, Tanya Müller, el Gobierno de la Ciudad de México incrementará[4] por ejemplo el número de parquímetros, pondrá límites al tiempo de estacionamiento permitido [...] y propondrá una tasa[5] para desplazarse por determinadas zonas, similar a la ya implantada en otras ciudades con graves problemas de polución como Londres.

"Estas medidas deben ser acompañadas de una mejora del transporte público sostenible, de tal modo que su uso resulte eficaz y atractivo", ha señalado la responsable.

Paula CHOUZA (periodista española), *El País*, 23/05/2013

Lee el texto y contesta.

A2+
- **a.** Explica el problema al que se enfrenta Ciudad de México.
- **b.** Explica las medidas que tomará la ciudad para encontrar una solución al problema.
- **c.** ¿Ha sido esta solución experimentada en otras ciudades? Justifica tu respuesta.
- **d.** ¿Cómo hay que aplicar la medida para que sea eficaz y atractiva?

1. *étouffe*
2. *rendra plus cher*
3. la ciudad
4. aumentará
5. *une taxe*

expresión oral Destrucción de la naturaleza

> OBJECTIF A2+ : faire une description simple et donner des exemples.
> Temps de parole : 3 minutes

Observa la publicidad y contesta.

A2 a. Describe el anuncio y su composición.

A2+ b. Explica el juego de palabras del eslogan.

c. Da dos ejemplos de un comportamiento salvaje en la selva amazónica.

Salvaje no es
quien vive en la
naturaleza,
salvaje es
quien la
destruye.

Cartel según Ekological.net

interacción oral Detractores y defensores del proyecto Yasuní

> OBJECTIF B1 : débattre des avantages et des inconvénients d'un projet écologique.  En binôme

Participas en un debate sobre las ventajas y los inconvenientes del abandono del proyecto Yasuní en Ecuador. Por parejas, imaginad la conversación.

B1 **Alumno A:** eres un(a) indígena y te desespera el abandono del proyecto Yasuní.

Alumno B: eres un político y explicas el porqué del abandono del proyecto Yasuní y sus ventajas.

expresión escrita Iniciativas medioambientales para la tierra

> OBJECTIF A2+ : décrire brièvement une initiative en faveur de l'environnement. Nombre de mots : 100

Con motivo de la Cumbre para la Tierra, redacta un artículo para presentar una iniciativa de protección del medio ambiente en una ciudad muy contaminada como México DF.

A2 a. Describe un problema ecológico concreto en esta ciudad.

A2+ b. Presenta una iniciativa para combatir este problema.

c. Di por qué te parece una buena idea aplicar esta iniciativa.

Nuevos rumbos, nuevas voces

1 Día nacional de Galicia (*Día da Patria*). Desfile del BNG (Bloque Nacionalista Galego), 2013

Recursos

Sustantivos
- una comunidad autónoma: *une communauté autonome*
- la democracia
- un desfile
- el gallego: *le galicien*
- los particularismos
- un rascacielos: *un gratte-ciel*

Adjetivos
- anticuado(a) = arcaico(a)
- identitario(a)

Verbos y expresiones
- brotar = surgir
- crecer: *grandir*
- modernizarse
- reclamar

PROYECTO FINAL

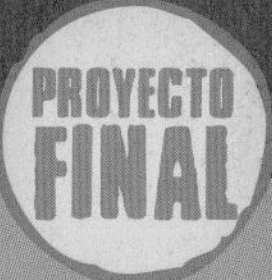

PROYECTO A **expresión escrita** **Redacta una octavilla para que cambien las cosas en España.**

PROYECTO B **interacción oral** **Participad en una mesa redonda sobre los recientes cambios positivos en Latinoamérica.**

Outils linguistiques

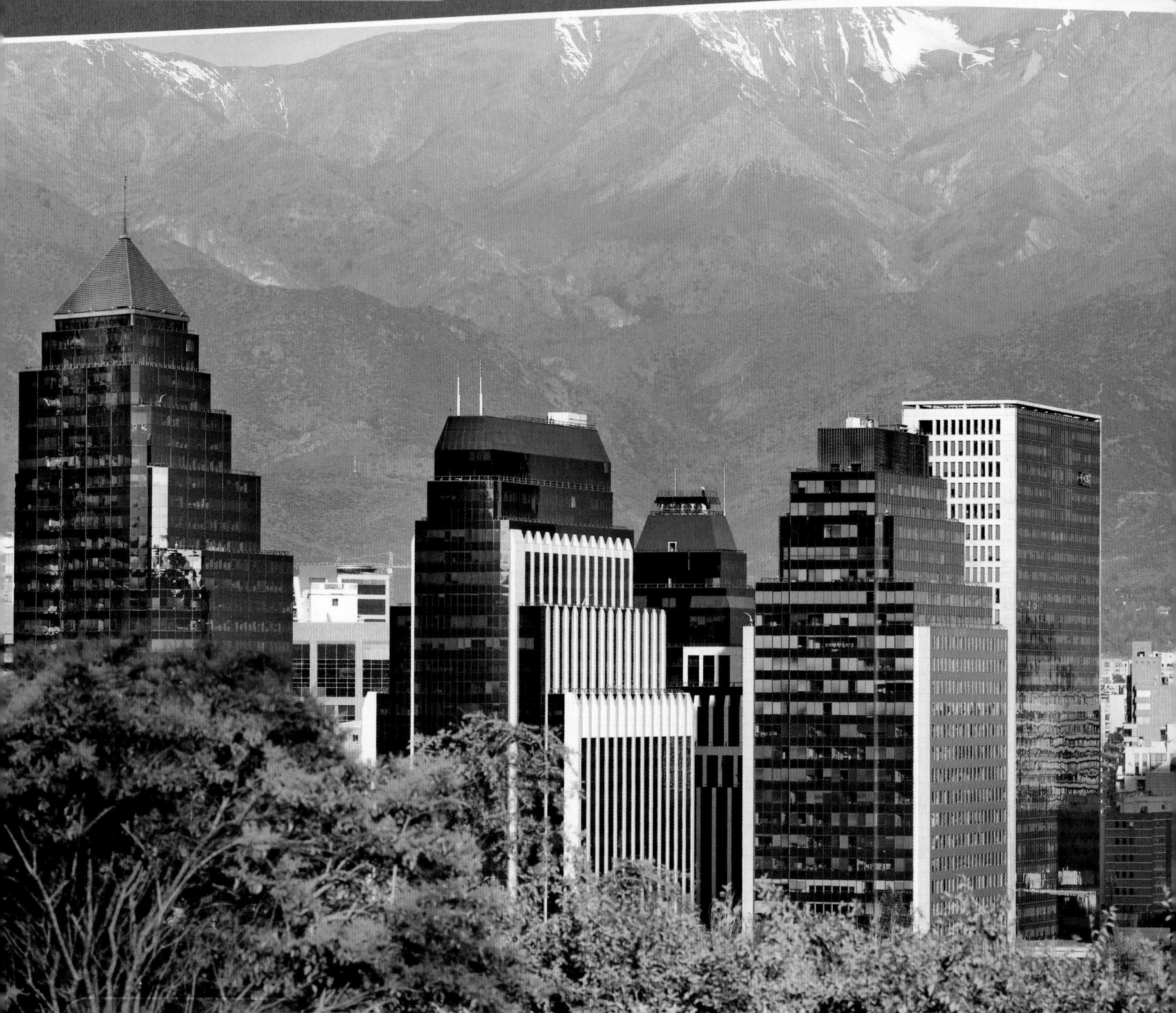

2 Parque Titanium en construcción, Santiago de Chile

Y tú, ¿cómo lo ves?

1. Imagina con qué motivo tuvo lugar la manifestación y qué piden los manifestantes.
2. Di lo que ves en la foto 2. ¿Con qué otras ciudades puedes comparar Santiago de Chile?
3. Determina qué imagen de la situación actual en España y en Latinoamérica se desprende de estas fotos.

expresión oral

A2+ Hacer turismo en Colombia es posible

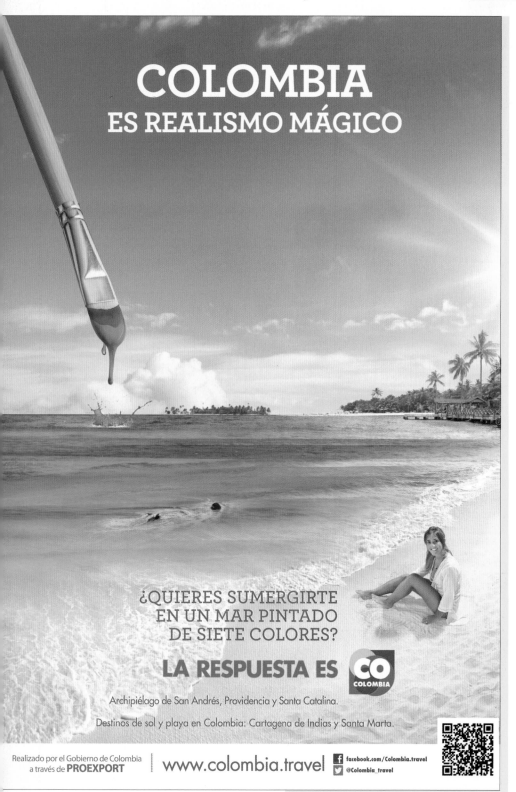

COLOMBIA
ES REALISMO MÁGICO

¿QUIERES SUMERGIRTE EN UN MAR PINTADO DE SIETE COLORES?

LA RESPUESTA ES CO COLOMBIA

Archipiélago de San Andrés, Providencia y Santa Catalina.

Destinos de sol y playa en Colombia: Cartagena de Indias y Santa Marta.

Realizado por el Gobierno de Colombia a través de PROEXPORT | www.colombia.travel | facebook.com/Colombia.travel | @Colombia_travel

Campaña turística 2013-2014 en Colombia

Mira y exprésate

a. Precisa a qué se parece esta publicidad. Justifica tu respuesta.
b. Describe lo que están haciendo las personas y el ambiente que se desprende de la escena.
c. Con la ayuda de la imagen y del texto, determina los objetivos del publicista. ¿Qué imagen de Colombia da este anuncio?

Recursos

Sustantivos
- la arena : *le sable*
- un(a) bañista: *un(e) baigneur(euse)*
- un cuadro
- un destino: *une destination*
- una isla
- las olas: *les vagues*
- una palmera: *un palmier*
- un pincel: *un pinceau*

Adjetivos
- apacible = tranquilo(a)
- idílico(a)
- turquesa: *turquoise*

Verbos y expresiones
- borrar: *effacer*
- bucear: *faire de la plongée*
- fomentar = desarrollar
- incitar a = dar ganas de
- pretender que + subj. = querer (ie) que + subj.
- tomar el sol

A2 Bogotá, una ciudad más moderna y más bella

El alcalde[1] de Bogotá [...] está modernizando y embelleciendo[2] la ciudad de Bogotá, [...] perfeccionando su sistema de transportes (ya excelente) y estimulando su vida cultural y artística de una manera ejemplar. Por ejemplo, incrementando[3] la red de bibliotecas –BiblioRed– que el ex alcalde Peñalosa sembró[4] en los barrios más deprimidos de la ciudad. [...]. Magníficamente diseñadas, funcionales, enriquecidas de videotecas, salas de exposiciones y auditorios donde hay todo el tiempo conferencias, conciertos, espectáculos teatrales, rodeadas[5] de parques, estas bibliotecas se han convertido en algo mucho más importante que centros de lectura: en verdaderos ejes[6] de la vida comunitaria de esos barrios humildes bogotanos, donde acuden[7] las familias en todos sus tiempos libres porque en esos locales, y en su entorno, viejos, niños y jóvenes se entretienen, se informan, aprenden, sueñan, mejoran.

Mario VARGAS LLOSA (escritor hispanoperuano), *Diccionario del amante de América Latina*, 2006

1. *Le maire*
2. haciendo bella
3. desarrollando
4. instaló
5. *entourées*
6. *(ici)* lugares privilegiados
7. van

Líneas 1 a 7

a. Apunta el nombre de la ciudad a la que se refiere el autor.
b. Explica si el actual alcalde está aportando algo a la ciudad. ¿Se le puede atribuir todo el mérito de los cambios?

Líneas 8 al final

c. Muestra que las nuevas bibliotecas permiten que los bogotanos accedan a la cultura.
d. Precisa lo que hacen posible más allá del enriquecimiento cultural.

Expresión oral

PREPARA EL PROYECTO A la hora de preparar las vacaciones, un(a) amigo(a) duda en planear un viaje a Colombia. Convéncelo/la para que lo haga, enumerando las ventajas (4 ejemplos) que supone.

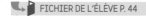

FICHIER DE L'ÉLÈVE P. 44

Recursos

Sustantivos
- el aislamiento: *l'isolement*
- la convivencia
- un papel: *un rôle*
- un vínculo: *un lien*

Adjetivos
- excluido[a] ≠ integrado[a]
- multigeneracional

Verbos y expresiones
- difundir: *diffuser*
- escapar: *échapper*
- intercambiar: *échanger*
- más allá de: *au-delà de*

Lengua activa

PRÉCIS 30.A

La forme progressive avec *estar* + gérondif

*El alcalde **está modernizando y embelleciendo** la ciudad.*

Emploie la forme progressive. Attention aux temps !

a. El alcalde mejora los transportes públicos.
b. Yo descubría las bibliotecas y visitaba los centros culturales.
c. Las familias acuden a los centros de lectura.

LÉXICO Aportes culturales

Complète avec : *las videotecas, las salas de exposiciones, los auditorios, las bibliotecas.*

a. En ..., podemos leer libros.
b. En ..., podemos ver cuadros.
c. En ..., podemos ver películas.
d. En ..., podemos asistir a conciertos.

EXERCICES P. 208-209

Enfoque sobre la noción
Visiones de futuro

Para muchos países latinoamericanos, como Colombia, dar una imagen que se aleje de la violencia y del narcotráfico es un reto. Apoyándote en la publicidad y en el texto, muestra cómo ilustran esta noción.

- Cita las medidas que se están tomando en Colombia para mejorar la imagen del país.
- Di quiénes son los que se están beneficiando con los cambios. Justifica tu respuesta.

B1 Nuevos comportamientos en Cuba

Conde y su socio Yoyi están investigando la desaparición de una muchacha.

Su socio lo había invitado a matar el tiempo matando el hambre en El Templete, la vieja fonda[1] portuaria renacida como el restaurante más caro de la ciudad, y cuya clientela, en un 99,99 por ciento de los casos, eran personas nacidas o vividas allende[2] los mares, o los nuevos empresarios cubanos. [...]. Comidos como príncipes[3] caminaron por la calle. En varias ocasiones Conde había observado, desde la velocidad de un auto o una guagua[4], siempre con la más absoluta displicencia[5], la concentración de muchachos que, en especial los fines de semana, se habían adueñado[6] de las noches de la calle. Desde el principio le pareció un espectáculo curioso, poco comprensible y bastante singular. [...]

–Lo que pasa con todos esos muchachos es que no quieren parecerse a la gente como tú, Conde. Ni siquiera a la gente como yo. Tratan de ser distintos, pero, sobre todo, quieren ser como ellos decidieron ser y no como les dicen que tienen que ser, como hace rato pasa en este país, donde siempre están mandando a la gente. Ellos nacieron cuando todo estaba más jodido[7] y no se creen ningún cuento chino[8] y no tienen la menor intención de ser obedientes... [...]

Aquello era La Habana: una ciudad que por fin se alejaba de su pasado y, entre sus ruinas físicas y morales, prefiguraba un futuro imprevisible.

Leonardo PADURA (escritor cubano), *Herejes*, 2013

1. *auberge*
2. al otro lado de
3. *Ayant très bien mangé*
4. (amer.) autobús
5. indiferencia
6. *s'étaient emparés*
7. (vulg.) difícil
8. mentira

Líneas 1 a 5

a. Sitúa y describe el restaurante donde Yoyi y Conde comieron. ¿Cuál de los dos eligió el sitio?

b. Presenta a los que suelen frecuentar ese restaurante. ¿Qué cambios de la sociedad cubana ilustra claramente su presencia?

Líneas 6 a 20

c. Di si Yoyi y Conde comieron bien y precisa lo que hicieron después.

d. Determina si los protagonistas tienen la misma opinión de "esos muchachos" que ocupan las calles de La Habana. Justifica tu respuesta.

Líneas 21 al final

e. Explica por qué opina Conde que la ciudad y los jóvenes cubanos por fin se alejan de su pasado.

DATOS *Culturales*

En 1959, Fidel Castro derroca al dictador Fulgencio Batista. En 1960, en plena guerra fría, se inicia el deterioro de las relaciones diplomáticas con EE. UU. que imponen **un embargo a la isla de Cuba** que continúa hasta hoy. La economía de la isla ha sufrido graves crisis y la política de Fidel Castro es considerada por muchos como antidemocrática. En 2008 dejó el poder a su hermano Raúl, que empezó una **política de apertura**.

Recursos

Sustantivos
- el asombro: *l'étonnement*
- el dinero: *l'argent*
- un(a) extranjero(a): *un(e) étranger(ère)*
- la incomprensión
- el menosprecio: *le mépris*

Adjetivos
- contrastado(a)
- exiliado(a)
- lujoso(a): *luxueux(euse)*

Verbos y expresiones
- alejarse: *s'éloigner*
- (no) caerle bien a uno: *(ne pas) plaire à quelqu'un*
- elegir (i): *choisir*
- para uno ... para otro
- recorrer: *parcourir*
- salir a: *sortir dans*
- sorprenderle a uno que (+ subj.)
- tener (ie) miedo: *avoir peur*

MP3 

B1 Observando los cambios en Cuba desde Miami

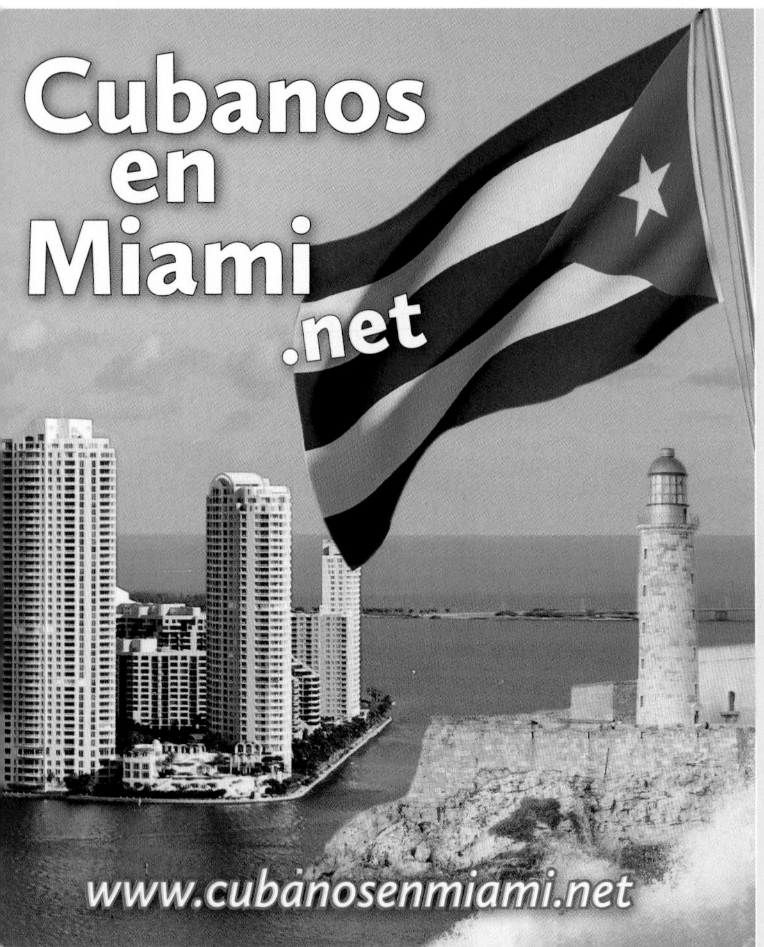

Portal de la página web de la asociación *Cubanos en Miami*

Fíjate, escucha y apunta

a. Di lo que ves en la foto.

b. Explica cuál es la situación de muchos cubanos. ¿A qué se debe?

Primera escucha

c. Di a quién entrevista el periodista y de dónde acaba de llegar.

d. Apunta la primera pregunta que le hace el periodista y por qué la hace.

Segunda escucha

e. Enumera lo que pudo observar el entrevistado en el país que visitó.

f. Las nuevas leyes de emigración provocaron un fuerte éxodo. ¿Verdad o mentira? Justifica.

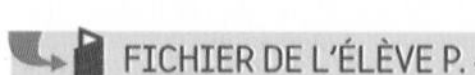
FICHIER DE L'ÉLÈVE P. 42

g. Redacta todo lo que has entendido.

Expresión oral

PREPARA EL PROYECTO — Eres empresario(a) cubano(a) y participas en un programa de radio sobre las nuevas oportunidades económicas en Cuba. Alabas los méritos de la nueva política de apertura reconociendo que todavía quedan cosas por cambiar.

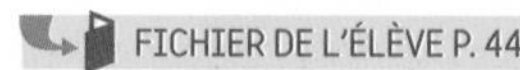
FICHIER DE L'ÉLÈVE P. 44

Recursos

Sustantivos
- un oponente
- el régimen

Adjetivos
- exiliado[a]

Verbos y expresiones
- discrepar de = estar en desacuerdo con
- marcharse = irse
- estar al tanto = estar informado[a]
- fuera de = al exterior de

Lengua activa

PRÉCIS 10

Les démonstratifs *ese(os), esa(s), eso/ aquel(los), aquella(s), aquello*

- ***Esos muchachos*** *no quieren parecerse a la gente como tú.*
- ***Aquello era*** *La Habana...*

Complète avec *esos* ou le neutre *aquello*.

a. No comprendían muy bien ... comportamientos.

b. ... significaba un gran cambio.

c. Muchos cubanos consideraban que ... restaurantes eran lugares de corrupción.

LÉXICO Vida en Cuba

Complète les phrases avec : *es un autobús en Cuba – viven lejos de su país natal – restringe la libertad – dirigen una empresa*

a. Los empresarios ...

b. Una guagua ...

c. Los exiliados ...

d. Un régimen autoritario ...

EXERCICES P. 208-209

Enfoque sobre la noción
Visiones de futuro

Cuba intenta salir de su aislamiento internacional y hacer que la población se sienta más libre. Apoyándote en el texto y en la grabación, muestra cómo ilustran esta noción.

- Da cuatro ejemplos que confirman que Cuba está cambiando.
- Precisa lo que no ha cambiado todavía.
- Recuerda en qué parte de Estados Unidos existe una fuerte concentración de exiliados cubanos. ¿Qué pueden hacer desde enero de 2013?

comprensión oral

A2+ Lo que reclaman los pueblos indígenas de Latinoamérica MP3 CD CLASSE

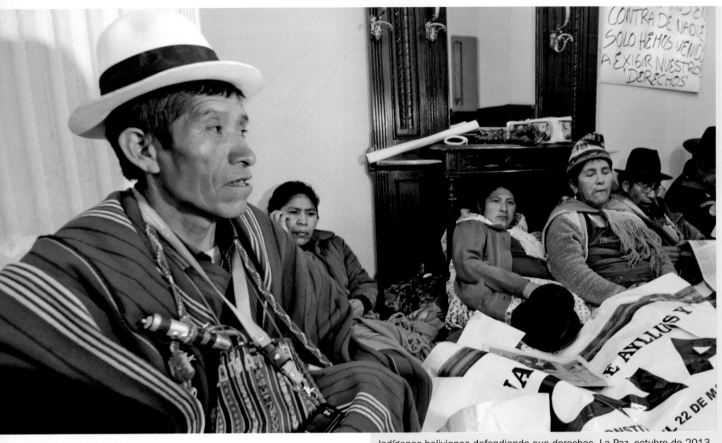

Indígenas bolivianos defendiendo sus derechos, La Paz, octubre de 2013

1 Fíjate, escucha y apunta

a. Di qué situación muestra la foto y quiénes son los participantes.

b. A partir de lo que está escrito en la pancarta, precisa lo que reclaman.

Primera escucha completa

c. Indica con qué motivo y dónde se reunieron los representantes de varios pueblos indígenas latinoamericanos. ¿Cuántos eran?

Segunda escucha

d. Apunta la cifra que corresponde a la población indígena total y precisa de qué discriminaciones es víctima desde hace siglos.

Tercera escucha

e. Enumera las reclamaciones de los indígenas.
Piden que... Afirman que ... Su objetivo es que...

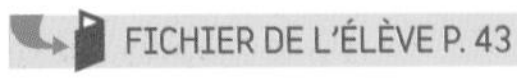
FICHIER DE L'ÉLÈVE P. 43

2 Resume

Redacta todo lo que has entendido de la grabación.

Recursos

Sustantivos
- el acceso
- las costumbres = las tradiciones
- la exclusión
- las reticencias

Adjetivos
- ancestral
- descontento(a)
- opuesto(a): *opposé(e)*

Verbos y expresiones
- dejar de = cesar de
- otorgar = dar
- al margen de : *en marge de*
- estar harto(a): *en avoir assez*
- tener (ie) en cuenta: *prendre en compte*

Fonética

MP3 CD CLASSE

a. **Escucha las palabras y di si llevan el sonido [j] o el sonido [r].**

b. **Repite estas palabras en voz alta.**

comprensión escrita

A2+ El conflicto mapuche en Chile

Temuco capital de la Araucania es una ciudad moderna donde abundan los grandes centros comerciales. Pero los lugareños[1] prefieren el mercado por la calidad y variedad de sus productos. Por tanto[2] es seguro que Juan Catrillanca, campesino y líder de la comunidad mapuche[3], y Emilio Taladriz, arquitecto y miembro de una familia de propietarios rurales de origen español, se cruzaron más de una vez en esa intersección de razas y costumbres. [...]
Emilio Taladriz de 50 años admite que los mapuches han sido los grandes postergados[4] de la sociedad chilena, lo cual no justifica que hayan reducido a cenizas[5] la casa donde él se crió con sus cuatro hermanos.

Catrillanca y sus vecinos trabajan las tierras que ocuparon por la fuerza en 1988. "¡Falso! Los que usurparon estas tierras son los empresarios de las multinacionales de la madera. Ellos talaron[6] el bosque nativo para plantar pinos y envenenaron las aguas de nuestros ríos con sus desechos químicos. Desde el mar hasta la montaña no hay una legua de tierra que no pertenezca al mapuche" exclama en un español sonoro.

A su juicio, el primer paso hacia cualquier solución consiste en que los no mapuches los traten como iguales.

Ramy WURGAFT (corresponsal en Argentina), *El Mundo*, 20/1/2013

1. los habitantes
2. Por consiguiente
3. comunidad indígena que se reparte entre Chile y Argentina
4. *laissés pour compte*
5. *qu'ils aient réduit en cendres*
6. destruyeron

Líneas 1 a 12

a. Presenta la ciudad de Temuco y describe el lugar que prefieren los que viven allí.
b. Di quiénes son Juan Catrillanca y Emilio Taladriz.
c. Aclara la opinión de Taladriz sobre los mapuches. *Admite que... Les reprocha a los mapuches que...*

Líneas 13 al final

d. Indica lo que hacen los mapuches en Temuco desde 1988 y explica por qué se justifica según Catrillanca.

Expresión oral

PREPARA EL PROYECTO Como líder mapuche, prepara un breve discurso que presente las reivindicaciones de tu pueblo.

FICHIER DE L'ÉLÈVE P. 44

Recursos

Sustantivos
- el empeño: *l'acharnement*
- la humillación
- una reivindicación
- la supremacía = la superioridad

Adjetivos
- ambivalente
- determinado(a)
- dócil
- extremo(a)

Verbos y expresiones
- no poder (ue) más: *ne plus en pouvoir*
- recurrir a = faire appel à
- reprocharle a uno que (+ subj.)

Lengua activa

PRÉCIS 27.B

Les complétives au subjonctif

- *No hay una legua de tierra que no* ***pertenezca*** *al mapuche.*
- *El primer paso consiste en que los no mapuches los* ***traten*** *como iguales.*
- *No justifica que* ***hayan reducido*** *a cenizas la casa.*

Conjugue les verbes entre parenthèses au subjonctif présent.

a. Los mapuches no creen que las multinacionales (cambiar) de rumbo.
b. Ustedes no admiten que los mapuches (tener) derechos.
c. Es necesario que los poderosos (reconocer) los derechos de los mapuches.

LÉXICO Derechos ancestrales

Forme une phrase avec les éléments suivants : *y que – de la que sufren – el resto de la población latinoamericana – la discriminación – los indígenas quieren que – reconozca sus derechos – termine.*

EXERCICES P. 208-209

Enfoque sobre la noción

Visiones de futuro

Los indígenas ya no se esconden y piden a viva voz más protagonismo. Apoyándote en la grabación y en el texto, muestra cómo ilustran esta noción.

- Cita las frases que indican que los indígenas ya no quieren ser los postergados de la sociedad latinoamericana.
- Haz un balance de los valores que hoy se atreven a defender.
- Enumera las distintas características de su lucha.

Texto 1

B1 La Corona, objeto de polémica y crítica

Por primera vez es casi unánime la opinión de quienes defienden cambios en la institución. Los matices[1] de esos cambios van desde los que proponen retoques[2] legales y de funcionamiento en la Casa del Rey, pasando por quienes hablan abiertamente de la abdicación de don Juan Carlos, hasta llegar a los que cuestionan[3] la propia Monarquía. [...] Para el ex presidente José Luis Rodríguez Zapatero, pese a todo, la Monarquía es una institución consolidada: "En nuestra memoria aún reciente está el papel desempeñado por el Rey en el impulso de la Transición, en la elaboración y aprobación de una Constitución que garantiza los principios del Estado de derecho, en la propia salvaguarda de esa democracia recién conquistada frente a la amenaza que supuso el golpe del 23-F. Está también el aprecio e identificación exterior de la España democrática con la figura del Rey. Por eso, creo que la democracia parlamentaria española está tan ligada a la Monarquía, y en concreto a la trayectoria de Juan Carlos I [...]. La pregunta es si es posible modernizar o mejorar la imagen de la Corona."

Fernando GAREA (periodista español), *El País*, 07/04/2013

1. *Les nuances* 2. *des retouches* 3. *remettent en cause*

Texto 1

Líneas 1 a 6

a. Di cuál es la opinión de la mayoría de los españoles sobre la Corona. Apunta los tres matices que existen.

Líneas 7 al final

b. Presenta al político que se pronuncia tanto a favor del Rey como de la Monarquía. Enumera sus argumentos.

Recursos

Sustantivos
- la actuación = la intervención
- el artífice = el instigador
- el peligro = la amenaza

Adjetivos
- agradecido(a): *reconnaissant(e)*

Verbos y expresiones
- arriesgarse a: *se risquer à*
- encarnar: *incarner*
- pedir que (+ subj.)
- posibilitar = hacer posible
- simbolizar

Texto 2

B1 ¿Ha llegado la hora del Príncipe?

En el caso de este peculiar negocio[1] familiar que es la monarquía (por aquello de que el título se hereda de padres a hijos) está claro que se encuentra en un periodo de pérdida de clientes. [...] Los hay que[2], habiendo sido fieles a eso que se dio en llamar el Juancarlismo, no entienden hoy por qué el viejo patrón no reconoce en su hijo un sustituto con más cualidades para lidiar[3] con este complicado presente. Mientras al Príncipe se le aprecia cada vez mayor desenvoltura[4] en su labor diplomática, al Rey se le advierten unas dificultades físicas [...].

Si no lo remedian pronto, al Príncipe solo le quedará la opción de presentarse como candidato a la presidencia de la III República.

Elvira LINDO (escritora y periodista española), *El País*, 29/09/2013

1. *affaire* 2. *Il y en a qui* 3. luchar 4. *aisance*

Texto 2

c. Di por qué hoy, en España, muchos se preguntan si ha llegado la hora del Príncipe.

d. Fíjate en la palabra "juancarlismo", explica cómo está formada y deduce en quién confían los juancarlistas. ¿Qué motivos tienen?

e. Di qué otra opción que la monarquía podrían elegir los españoles. ¿Sería legítima?

Textos 1 y 2

f. Enumera las preguntas que se hacen los españoles que hoy no están contentos con el funcionamiento de España.

• **La Transición** → Para más información, p. 222

B1 Jaque al Rey

Manifestación en las calles de Madrid en 2013 en contra de la monarquía

a. Apunta los elementos que hacen referencia a la monarquía.
b. Precisa a quién representan los peones y para qué se usa el símbolo del peón.
c. Define cuál es el estado de ánimo de los manifestantes y qué piden en consecuencia. ¿Te parece violenta la manera de protestar?

Expresión escrita

PREPARA EL PROYECTO Después de leer muchos artículos que critican al Rey de España, decides escribir un comentario lo más imparcial posible sobre la conducta y el papel del Rey. Das tres argumentos a favor y tres en contra.

 FICHIER DE L'ÉLÈVE P. 45

Recursos

Sustantivos
- una bandera: *un drapeau*
- el/la ciudadano[a]: *le/la citoyen[ne]*
- los peones: *les pions*
- una pieza del ajedrez: *une pièce du jeu d'échecs*

Adjetivos
- descontento[a]
- desilusionado[a]

Verbos y expresiones
- dar jaque mate: *mettre échec et mat*
- rechazar: *rejeter*
- terminar con: *mettre un terme à*

Lengua activa

PRÉCIS 4, 37.A

Les mots interrogatifs avec *preguntar* (demander)

- *No entienden hoy* ***por qué*** *el viejo patrón no reconoce un sustituto.*
- ***La pregunta es si es posible*** *modernizar la imagen de la Corona.*

Imite l'exemple.
¿Por qué no abdica el rey? → Preguntan por qué no abdica el rey.

a. ¿Quiénes son los que hablan de república?
b. ¿Qué ha impulsado el Rey en España?
c. ¿Todos están de acuerdo?

LÉXICO La monarquía española

Associe les mots suivants aux définitions : *la constitución, el príncipe, la democracia, el presidente del gobierno, el rey.*

a. Reina en España.
b. Gobierna.
c. Es hijo del rey.
d. Garantiza los derechos de los ciudadanos.
e. Los hombres luchan por ella.

EXERCICES P. 208-209

Enfoque sobre la noción
Visiones de futuro

La monarquía española tiene fieles seguidores y también cada vez más detractores. Apoyándote en los textos y en la foto, muestra cómo ilustran esta noción.

- Explica por qué muchos siguen apoyando el sistema monárquico en España.
- Cita algunos reproches que se le hacen a la monarquía en general y al Rey en particular.
- Di qué opciones existirían en España si Juan Carlos se retirara.

comprensión escrita

Texto 1

A2 ¿Es posible hablar español en Cataluña?

Adelina y Constantino se encuentran en Barcelona.

Habla en un catalán empecinado[1], como un español al que le sobran eles[2] y le faltan sílabas. No le importa que el pobre señor que tiene delante se haya dirigido a ella en castellano. No, no le importa. Lanza el largo discurso en un catalán inverosímil[3]. La arenga termina con una pregunta [...].

–*¿Com et dius?*

Por suerte, no carezco[4] de cultura.

–Constantino Augusto de Moreas –digo [...].

Sin inmutarse[5], la señora hace otra pregunta. Esta vez no la entiendo.

–¿Podría hablarme en castellano[6], por favor? –le pido.

Adelina Patti [...] ríe como si yo hubiera preguntado algo gracioso y comenta:

–¿Sabe lo que pasa?, soy distraída, y a veces creo que el catalán es la única lengua del universo, la perfecta, el idioma de los idiomas, a pesar de que tan pocos lo hablemos en el mundo, disculpe usted, le preguntaba..., nada, olvídelo, no tiene importancia.

–Perdone usted –me justifico–, el catalán no es un idioma que se hable mucho en Cuba.

Abilio ESTÉVEZ (escritor cubano), *El bailarín ruso de Montecarlo*, 2010

1. obstinado 2. *qui a des "l" en trop* 3. *invraisemblable* 4. *je ne manque pas* 5. *Nullement troublée* 6. español

Texto 1

Líneas 1 a 8

a. Presenta a la protagonista y evidencia lo que no le importa. ¿Qué imagen da de ella el narrador?

b. Apunta la pregunta que le hace a su interlocutor. ¿La entiende él? Justifica tu respuesta.

Líneas 9 al final

c. Di de qué se da cuenta de repente Adelina y cómo justifica su comportamiento.

d. Fíjate en la advertencia final de Constantino y destaca en qué tono se dirige a ella. Le habla como si…

Recursos

Sustantivos
- la cortesía
- el sentido: *le sens*

Adjetivos
- despectivo(a): *méprisant(e)*
- equivocado(a): *dans l'erreur*
- indiferente
- ninguno(a): *aucun(e)*
- terco(a) = obstinado(a)

Verbos y expresiones
- empeñarse en = obstinarse en
- enterarse de = tomar conciencia de
- reparar en = observar

Texto 2

B1 Nacionalistas catalanes y vascos

Los nacionalistas catalanes y vascos aprovechan el marasmo[1] [...] para avanzar en su hoja de ruta hacia una afrenta[2] rupturista que les pueda conducir algún día a la independencia.[...] El presidente de la Generalitat[3] se aferra a la soberanía[4] y al día siguiente a la necesidad de crear al menos un Estado libre asociado como el de Puerto Rico con Estados Unidos.[...] Los vascos [...] aspiran a que Euskadi sea reconocido como un país pleno, integrado en Europa, sin que ellos vayan a plantear el divorcio, sino la convivencia con el Estado español. La multitudinaria manifestación independentista celebrada en Barcelona con motivo de la Diada la utiliza el presidente[5] [...]. Se propone convocar un referéndum sobre la independencia a pesar de que sea prohibido desde el Estado central.

Diego CABALLERO (periodista español), *Cambio 16*, 1/12/12

1. *profitent de la crise économique* 2. un conflicto 3. nombre del gobierno de la Comunidad Autónoma de Cataluña 4. *s'accroche à la souveraineté* 5. Artur Mas, presidente de la Generalitat

Texto 2

e. Apunta los puntos comunes y las diferencias que existen entre los nacionalistas catalanes y vascos.

Textos 1 y 2

f. Di qué imagen dan los dos textos de los catalanes.

B1 España y Cataluña, siglos de desencuentros

ESTOY ABURRIDA DE TI
Y YO DE TI
PUES ENTONCES LO MEJOR SERÍA LARGARSE
INTÉNTALO
CONSTITUCIÓN
MAYO / C.DaCOL
www.e-faro.info

Dibujo humorístico de A. Faro y César Da Col, (www.e-faro/info), 09/02/2012, Diari de Tarragona

DATOS Culturales

La **Constitución** vigente en España fue aprobada por referéndum el 6 de diciembre de 1978. Ratificó el paso a la democracia e hizo de España una monarquía parlamentaria. El país se organizó en 17 Comunidades Autónomas con estatutos propios.

- Estoy aburrida de ti (fam.): *J'en ai marre de toi*

a. Describe la escena precisando quién ocupa cada sillón.
b. Determina lo que experimenta y lo que desea cada personaje.
c. Explica cuál de los dos no puede hacer lo que quiere.
d. Muestra cómo ridiculiza este dibujo lo que está pasando en España.

Expresión escrita

PREPARA EL PROYECTO Para un informe sobre la cuestión vasca y catalana, debes presentar las reivindicaciones de los nacionalistas: di quiénes son, qué cambios piden, cómo dan a conocer sus reivindicaciones y qué obstáculos existen.

FICHIER DE L'ÉLÈVE P. 45

Recursos

Sustantivos
- una cadena: *une chaîne*
- un enemigo
- la hostilidad
- la ruptura ≠ la unidad

Adjetivos
- atado(a): *attaché(e)*
- cruzado(a): *croisé(e)*
- tenso(a): *tendu(e)*

Verbos y expresiones
- formar parte de ≠ separarse
- mirarse mal: *se regarder de travers*
- odiar: *détester*
- poner cara de pocos amigos: *faire la tête*

Lengua activa

PRÉCIS 26.D

Como si + imparfait ou plus-que-parfait du subjonctif

*Ríe **como si yo hubiera preguntado** algo gracioso.*

Conjugue les verbes à l'imparfait du subjonctif.
a. El señor habla español como si no (ser) extranjero.
b. La señora lo mira como si no (existir).
c. Le habla como si él (poder) comprenderla.

LÉXICO Catalanidad

Complète avec : *los catalanes, los independentistas, el catalán, la Generalitat, Cataluña.*
a. El Parlamento catalán se llama … .
b. Barcelona es la capital de … .
c. Son … los que hablan … .
d. Los que están a favor de la independencia son …

EXERCICES P. 208-209

Enfoque sobre la noción
Visiones de futuro

Apoyándote en los textos y en el dibujo humorístico, muestra cómo ilustran esta noción.

- Di lo que puede justificar la existencia de un fuerte sentimiento nacionalista en Cataluña y en el País Vasco.
- Explica si los nacionalismos constituyen una amenaza para el futuro de España.

PANORAMA

América Latina cambia de imagen

A Jóvenes músicos para otra imagen de Ciudad Juárez

Clase de música por un voluntario de CCOMPAZ

Ciudad Juárez es la ciudad fronteriza de México con EE. UU., conocida como una de las más violentas del país. El colectivo de la Nueva Ola Fronteriza, formado por músicos y productores, está luchando junto a otros como CCOMPAZ [Ciudadanos Comprometidos con la Paz] por crear espacios que les gusten más a los jóvenes que las drogas y la violencia. Su arma para combatir la cultura de la muerte es la música. El fundador del colectivo y del proyecto es Rodolfo Ramos Castro, un estudiante de 20 años cuyo mote[1] es **Pájaro Sin Alas**.

1. *dont le surnom*

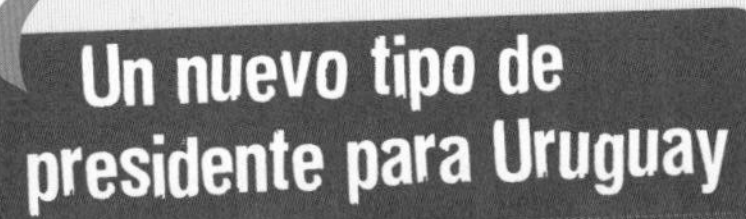

B Un nuevo tipo de presidente para Uruguay

Uruguay, cuyo pasado reciente fue marcado por la dictadura [1973-1985], es un país culto, civilizado y acogedor.Ex guerrillero del Movimiento Tupamaro [Movimiento que hizo autocrítica y aceptó la vía democrática], **José Mujica**, al que todos llaman "Pepe", ganó limpiamente por mayoría absoluta en la segunda vuelta las elecciones de Uruguay en 2009.

Pepe Mujica con sus perros

Baño de masas para Pepe Mujica por las calles de la capital

C ¡Bienvenidos a Chilecon Valley!

Chile está a punto de crear su propio *Silicon Valley*. El programa estatal Start-Up guía el cambio. Esta iniciativa selecciona ideas de jóvenes talentos de cualquier rincón del planeta y les ofrece 40.000 dólares, un visado de un año, una oficina y seis meses para que desarrollen su idea. La fórmula seduce, convirtiendo a **Chile** en **paraíso de "start-ups"**.

Construcción del parque Titanium, Chile

D Todos conectados en Argentina

CONECTAR IGUALDAD_
WWW.CONECTARIGUALDAD.GOB.AR
+ POSIBILIDADES
PARA ESTUDIANTES SECUNDARIOS DE TODO EL PAÍS
3,5 MILLONES DE NETBOOKS
ANSES

El Programa de Naciones Unidas para el Desarrollo (PNUD) premió al programa **Conectar Igualdad**. Gracias a éste, en las aulas argentinas se entregaron hasta el momento más de 2,1 millones de netbooks que sólo pueden ser utilizadas con fines educativos y con restricciones hasta que el alumno termine sus estudios. Si aprueba, el alumno puede llevarse la computadora desbloqueada. El 25 % de los estudiantes secundarios que recibieron las netbooks no solían utilizar computadoras, y un 26,5 % no usaba Internet antes del desembarco del programa Conectar Igualdad.

Ciberencuesta

Conéctate a http://www.spleenjournal.com/index.php?option=com_content&view=article&id=213

1. Busca quién es el fundador del proyecto Nueva Ola Fronteriza y haz su retrato.
2. Di si lo tiene fácil para llevar a cabo este proyecto. Justifica.

Conéctate a http://www.terra.com/infografia/presidentes-latinos/jose-mujica/

3. Enumera las grandes etapas de la trayectoria política de José Mujica. ¿Cuáles fueron sus principales decisiones? ¿Qué es lo que sorprende?

Conéctate a http://economia.elpais.com/economia/2013/06/07/actualidad/1370624610_023924.html

4. Apunta las grandes características del programa Start-up Chile. ¿Qué otro país ha tomado la misma iniciativa? ¿Qué indica sobre la situación actual de Latinoamérica?

Conéctate a http://www.infobae.com/2013/09/29/1512323-latinoamerica-la-region-donde-mas-crece-el-uso-internet

5. Determina si se usa mucho Internet en América Latina comparando los diferentes países y precisando para qué se usa.

comprensión oral

Escucho una canción sobre la identidad latinoamericana

Canción *Latinoamérica*, Calle 13

> **OBJECTIF** A2+ : comprendre le contenu revendicatif d'une chanson.

Conéctate al aula virtual *Próxima parada* para rellenar la ficha

Antes de escuchar

a. Di lo que representa la foto.

Primera escucha

b. Apunta todas las frases que permiten conocer mejor al cantante. Dice: *"Soy ... Soy ..."* ¿De qué se siente orgulloso?

c. Enumera los bienes que dice poseer. ¿Qué es lo que le importa de verdad?

Segunda escucha

d. Fíjate en las voces femeninas para determinar el estribillo de la canción. ¿A quién se dirigirá el "tú" repetido?

Tercera escucha

e. Además del español, ¿en qué lengua se canta el estribillo? Explica por qué.

La wiphala, símbolo del poder indígena

Recursos

Sustantivos
- los agravios = las ofensas, las humillaciones
- la capacidad
- el emblema
- un(a) explotador(a)

Adjetivos
- dirigido(a): *adressé(e)*
- potente: *puissant(e)*

Verbos y expresiones
- mandar: *commander*
- sobrevivir

expresión escrita

Escribo un artículo reivindicativo

> **OBJECTIF** A2+ : écrire un court article pour rendre compte d'une revendication socio-culturelle.

Nombre de mots : 110

Eres el líder de un partido político en una Comunidad Autónoma. Basándote en la ley de uso y promoción de la lengua regional y en el modelo, escribe una columna en un periódico a favor del reconocimiento de esta lengua y de la cultura de tu comunidad.

a. Sitúa la zona de la lengua que defiendes.

b. Di lo que se puede pedir comparando la situación de esta lengua con otras lenguas regionales.

c. Explica por qué son legítimas tus reivindicaciones.

d. Anuncia que habrá una manifestación para apoyar las reivindicaciones (fecha, lugar, eslóganes).

Recursos

Sustantivos
- la cooficialidad (de dos lenguas)
- un hecho cultural
- la pertenencia

Adjetivos
- obligatorio(a) ≠ optativo(a)
- propio(a)

verbos y expresiones
- tener (ie) derecho a

Bable, ¡lengua asturiana oficial!

El Estatuto de Autonomía para Asturias establece en su artículo 4: "El bable gozará de protección. Se promoverá su uso, su difusión en los medios de comunicación y su enseñanza". El mismo artículo también señala como una de las competencias del Principado: "El fomento de la investigación y de la cultura, con especial referencia a sus manifestaciones regionales y a la enseñanza de la cultura autóctona". Bajo este punto de vista, el bable constituye un legado histórico-cultural que es necesario defender y conservar. Es, además, evidente que la defensa de la pluralidad lingüística y cultural de una región favorece la revitalización de la identidad de los pueblos que conforman la nación española.

Internet TICE Escribo una carta de protesta

Conéctate a: http://www.survival.es/indigenas

1 Busca información

a. Observa el mapa: di a qué corresponden los puntos rojos en América del Sur y lo que deduces.
b. Explicita lo que denuncia la frase escrita en blanco, a la izquierda del mapa.
c. Pincha en Indígenas aislados de Perú. Puedes leer lo que está escrito, ver los vídeos y sacar apuntes para determinar su situación: dónde viven, qué peligros corren, por qué quieren permanecer aislados, quiénes son los que les amenazan...
d. Al final de la página, haz clic en "Escribir una carta" para encontrar un modelo.

2 Redacta tu carta de protesta

e. Basándote en tus apuntes, denuncia la situación que sufren los pueblos aislados de Perú y enumera los cambios que tienen que ocurrir.
f. No te olvides de precisar a quién va dirigida la carta mi de despedirte.

Recursos

Sustantivos
- los derechos
- el/la propietario(a)

Adjetivos
- autóctono(a)
- legítimo(a)

Verbos
- permanecer: *rester*
- dejar en paz: *laisser tranquille*

Vídeo Me informo sobre la Diada, el Día de Cataluña

Conéctate al aula virtual *Próxima parada* para rellenar la ficha

Reportaje, TVE, 2013

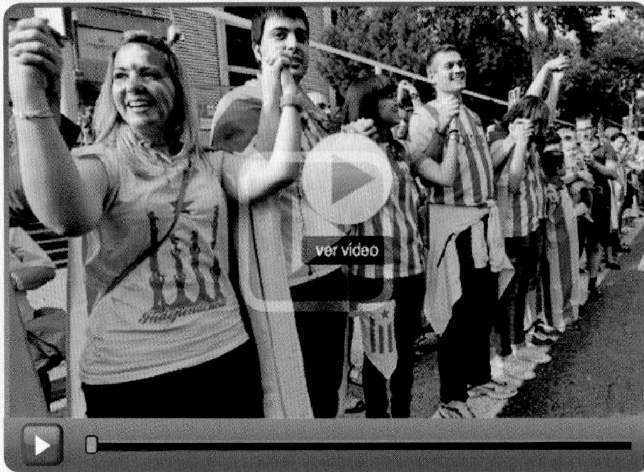

Cadena humana por la independencia de Cataluña

1 Fíjate

a. Describe el fotograma. ¿Qué hace la gente?

2 Primer fragmento

b. Determina a qué corresponden en el mapa la zona azul y la línea naranja.

3 Segundo fragmento

c. Presenta a las dos mujeres que salen en la pantalla y enumera las informaciones que dan sobre la celebración: cifras, ambiente, itinerario, dificultades. Di qué banderas reconoces y cuál te llama más la atención. Explica por qué.

4 Final

d. Identifica a las tres personas entrevistadas y apunta lo que dice cada una. ¿De qué están convencidas respectivamente?

5 Resume

e. Redacta todo lo que has entendido del vídeo.

Recursos

Sustantivos
- la pertenencia
- un testimonio: *un témoignage*

Adjetivos
- reivindicativo(a)
- unido(a)

Verbos y expresiones
- aparte: *à part*
- apoyar = respaldar = estar a favor de
- conseguir (i) = obtener
- en dirección de: *à l'attention de*
- hacer visible

Gramática activa

LENGUA ACTIVA p. 195
PRÉCIS 30.A

La forme progressive avec *estar* + gérondif

1 Mets les verbes à la forme progressive.

a. Ancianos y jóvenes aprovechan el desarrollo cultural.
b. Los cambios prefiguran un nuevo estilo de vida.
c. Nosotros comemos en el restaurante más conocido del barrio.
d. Me alejo del centro ciudad y me dirijo hacia las afueras.
e. Hacen el discurso en catalán.
f. Te vales de los cambios para exigir más libertad.

2 Remplace les autres formes progressives par *estar* + gérondif.

a. Voy asistiendo a los espectáculos y a las conferencias.
b. El teatro va renaciendo gracias a las iniciativas públicas y privadas.
c. Seguimos prefiriendo el mercado por la variedad de sus productos.
d. Vais trabajando las tierras como vuestros antepasados.
e. Siguieron talando los árboles sin preocuparse por los habitantes de la zona.
f. Los hay que van defendiendo la monarquía y los hay que van criticando a los reyes.

LENGUA ACTIVA p. 197
PRÉCIS 10

Les démonstratifs *ese(os),esa(s), eso/aquel(los), aquella(s), aquello*

3 Choisis parmi *ese(os), esa(s), eso / aquel(los), aquella(s), aquello* et précise la notion : laudative ou péjorative.

a. Me entusiasma ... actitud porque se deben defender los derechos.
b. A la gente ... le da miedo.
c. Las familias se reúnen en ... lugar fantástico que les permite acceder a la cultura.
d. Algunas familias mapuches fueron expulsadas por ... multinacional.
e. Son difíciles ... responsabilidades para el Príncipe.
f. Vosotros habláis mal de ... sin conocer realmente el problema.

LENGUA ACTIVA p. 199
PRÉCIS 27.B

Les complétives au subjonctif

4 Complète avec le subjonctif.

a. En Colombia, el riesgo es que tú (quedarte).
b. Es importante que los cambios (mejorar) la vida de todos.
c. Los rebeldes se niegan a que otros (imponerles) obligaciones.
d. El objetivo es que los políticos (escuchar) sus reclamaciones.
e. En lo que dicen, no hay nada que nosotros (comprender).
f. Los separatistas aspiran a que el gobierno (ceder).

5 Complète avec le subjonctif. Attention à la concordance des temps !

a. Los indígenas no creen que (ser) posible tal cambio.
b. Era imposible que tú no (enterarte) de lo que pasaba en el país.
c. No había reivindicaciones que (exigir) más cultura.
d. Me gusta que vosotros (preocuparse) por la igualdad entre los pueblos.
e. Nos hacía ilusión que (haber) más democracia en aquel país.
f. Es difícil que los indígenas (obtener) derechos.

LENGUA ACTIVA p. 201
PRÉCIS 4, 37.A

Les mots interrogatifs avec *preguntar*

6 Passe du style direct au style indirect en commençant les phrases par *Preguntan...*

a. ¿Es popular el alcalde de Bogotá?
b. ¿En qué es particular Cuba?
c. ¿Quiénes son los empresarios de las grandes empresas del país?
d. Señor, ¿cómo se llama usted?
e. ¿Cuál es el papel desempeñado por el Rey?
f. ¿Dónde se reúnen los jóvenes cubanos?

LENGUA ACTIVA p. 203
PRÉCIS 26.D

Como si + imparfait ou plus-que-parfait du subjonctif

7 Conjugue les verbes à l'imparfait du subjonctif.

a. El príncipe hablaba como si (ser) el rey.
b. Los jóvenes quieren libertades como si no (vivir) en Cuba.
c. Actuamos como si (poder) cambiar las cosas.
d. La señora le hablaba catalán como si no (conocer) otra lengua.
e. Hablas como si no (estar) de acuerdo con estas decisiones.
f. Los mapuches hacen reivindicaciones como si no (tener) miedo.

8 Conjugue comme il convient les verbes à l'imparfait ou au plus-que-parfait du subjonctif.

a. La gente miraba los edificios como si nunca (verlos).
b. A los mapuches los tratan como si (tener) que obedecer.
c. La ciudad se convertía en ciudad turística como si antes no (ser) peligrosa.
d. El rey sigue reinando como si no (querer) abdicar.
e. Los defensores de la monarquía actúan como si la monarquía siempre (existir) en España.
f. La Generalitat toma decisiones como si no (formar) parte de España.

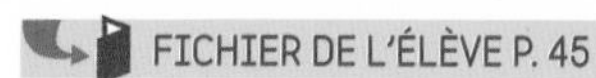

FICHIER DE L'ÉLÈVE P. 45

1. **Con ayuda de las palabras del Léxico, da ejemplos de cambios y mejoras en las ciudades. (columna I)**
2. **Di cuáles son los retos (*les défis*) del futuro a nivel social. (columna II)**
3. **Explica simplemente qué es España a nivel político y lo que se cuestiona a este respecto (*ce qui est remis en cause à ce sujet*) hoy día en España. (columna III)**
4. **¿Qué representa hablar catalán hoy día en Cataluña? (columna IV)**

I CAMBIOS Y MEJORAS
(changements et améliorations)

- los centros culturales: *les centres culturels*
- el impacto ambiental: *l'impact sur l'environnement*
- en vías de desarrollo: *en voie de développement*
- atender (ie) las necesidades: *satisfaire les besoins*
- estimular la vida cultural: *stimuler la vie culturelle*
- fomentar los intercambios: *favoriser les échanges*
- reducir las desigualdades: *réduire les inégalités*
- replantearse el urbanismo: *repenser l'urbanisme*
- soñar (ue) con: *rêver de*

II HACIA UN MUNDO MEJOR
(vers un monde meilleur)

- el acceso a la cultura: *l'accès à la culture*
- la democratización: *la démocratisation*
- el respeto: *le respect*
- beneficiarse de/con: *bénéficier de*
- erradicar la pobreza: *éradiquer la pauvreté*
- suprimir las desigualdades: *supprimer les inégalités*
- tener (ie) los mismos derechos: *avoir les mêmes droits*

III MONARQUÍA O REPÚBLICA
(monarchie ou république)

- la Corona: *la Couronne*
- la democracia: *la démocratie*
- el heredero al trono: *l'héritier du trône*
- el príncipe: *le prince*
- el rey, la reina: *le roi, la reine*
- abdicar a favor de: *abdiquer en faveur de*
- cambiar de régimen político: *changer de régime politique*
- garantizar nuevos derechos con un cambio de constitución: *garantir de nouveaux droits avec un changement de constitution*

IV COMUNIDADES AUTÓNOMAS – CC. AA.
(communautés autonomes)

- las corrientes independentistas: *les courants indépendantistes*
- los gobiernos autónomos/autonómicos: *les gouvernements autonomes*
- el Lehendakari: *le président du Parlement basque*
- el presidente de la Generalitat: *le président du Gouvernement catalan*
- independizarse: *accéder à l'indépendance*
- presionar a: *faire pression sur*
- reivindicar más autonomía: *revendiquer davantage d'autonomie*
- separatista: *séparatiste*
- tener (ie) tantos poderes como...: *avoir autant de pouvoirs que...*

Enfoque final: noción y documentos

FICHIER DE L'ÉLÈVE P. 46

La política: un medio para cambiar las cosas

→ **La acción política puede permitir aportar soluciones a los problemas de los ciudadanos.**

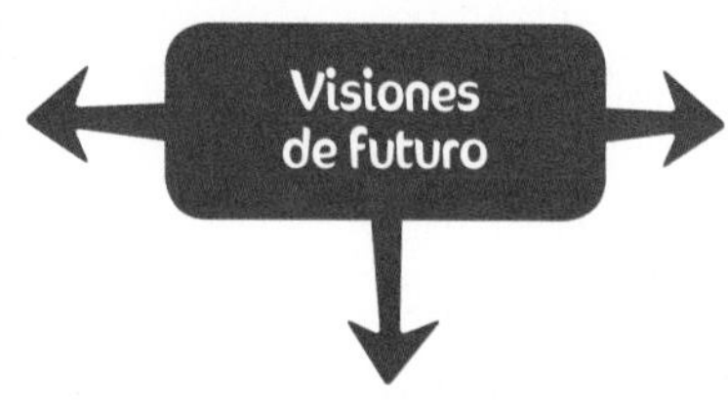

¿España en una encrucijada? *(un tournant de son histoire)*

→ **España en el futuro: ¿monarquía o república? ¿España con sus autonomías o sin ellas?**

Nuevos rumbos para la sociedad latinoamericana

→ **En Latinoamérica, comunidades indígenas y tribus urbanas reivindican sus diferencias y sus derechos y quieren un futuro con más libertades y más igualdad.**

Bellas Artes

Mural *Latinoamérica* en el museo a cielo abierto de San Miguel (Chile)

***Street art* en Chile:** En San Miguel, en 2010, nació una iniciativa para transformar la ciudad en una verdadera galería de arte público. Hoy es la mayor expresión colectiva de arte callejero en Chile, donde se entremezclan las técnicas del muralismo y grafiti, como en el mural *Latinoamérica*. El grupo de artistas que lo realizó piensa que hace falta "una unificación y democratización del trabajo artístico en Latinoamérica, reconocerse como hermanos, ver que tenemos una historia que nos une y que unidos podemos generar cambios profundos".

Recursos

Sustantivos
- una calavera: *une tête de mort*
- un papagayo: *un perroquet*

Adjetivos
- amerindio(a)
- libertario(a) = que defiende la libertad
- redondo(a): *rond(e)*

Verbos y expresiones
- al aire libre: *en plein air*
- ensalzar = hacer el elogio de

¿Puede el arte generar cambios? Dilo con lo que sabes...

1. Precisa el título de la obra, lo que representa y dónde fue realizada. ¿A qué hacen eco los colores?
2. Fíjate en lo representado. ¿A qué valores, tradiciones e ideas alude esta realización?
3. Apunta los cuatro verbos del mural y explica qué mensajes transmiten.
4. Observa la línea oblicua que aísla (*isole*) un triángulo a la derecha. ¿A qué zona geográfica corresponde? ¿Por qué está al mismo tiempo aparte y en el mapa?

Para saber más:
http://www.museoacieloabiertoensanmiguel.cl/murales/

PROYECTO A Redacta una octavilla para que cambien las cosas en España

expresión escrita

Eres español(a). Ya no puedes soportar lo que está pasando en tu país. Por eso quieres que haya un cambio. Decides dar a conocer tu punto de vista mediante una octavilla (*un tract*).

1 Prepárate

a. Elige el tema de tu protesta (Rey que sigue en el poder, movimientos separatistas que piden la independencia, etc.)
b. Busca dos argumentos para justificarte.
c. Propón un cambio (sustitución del Rey por el Príncipe, unidad de España frente a las opciones separatistas, etc.)

2 Redacta

d. Empieza con un lema reivindicativo.
e. Presenta la octavilla en dos columnas para oponer claramente lo que está pasando y cómo ves el futuro.

Manifestación por la independencia de Cataluña, septiembre de 2012

PROYECTO B Participad en una mesa redonda sobre los recientes cambios positivos en Latinoamérica

interacción oral

El programa *Informe Semanal* está dedicado a los cambios positivos que se dan en muchos países latinoamericanos. En grupos, participad en la mesa redonda del programa. Uno hace de periodista y otros dos de especialistas -un(a) sociólogo(a), un(a) historiador(a)- de los mundos hispanoamericanos.

1 Preparaos

a. Seleccionad cambios y países.
b. Haced el balance de lo que ha aportado y mejorado cada cambio.
c. Recordad cuál era la imagen tópica de los países antes.

2 Tomad la palabra

Periodista: Saluda, enumera los países y los cambios que se van a evocar. Presenta a los especialistas.
Especialista-Sociólogo(a): Contesta al saludo. Explica que estos cambios están transformando la sociedad en estos países mejorándola.
Especialista-Historiador(a): Contesta a los saludos. Recuerda cómo eran dichos países en el pasado, lo que no se podía hacer, lo que no existía.

Edificios modernos de La Habana

EVALUACIÓN

comprensión oral  ¿Monarquía o República?

> **OBJECTIF B1** : comprendre un reportage sur une situation politique.

Escucha la grabación y contesta.

A2
- **a.** Di a qué situación alude el periodista al principio. ¿Qué ruidos puedes oír al mismo tiempo? ¿Qué confirman?
- **b.** ¿Qué cree la primera persona entrevistada? ¿Tiene la misma opinión que el periodista sobre esa situación?

B1
- **c.** Apunta los argumentos que da a favor de la República el líder comunista entrevistado.

Manifestando a favor de la Tercera República

comprensión escrita Medellín: cultura y educación para combatir la barbarie

> **OBJECTIF A2+** : comprendre un texte court sur des changements urbanistiques et sociétaux.

No muy lejos queda en Medellín la pesadilla[1] vivida en los años de Pablo Escobar[2]. El narco marcó una época en la que consiguió que la pujante y orgullosa capital de Antioquia fuera la ciudad más violenta del mundo. La gravedad de la situación colocó[3] a sus ciudadanos en el otro lado de la balanza. Conscientes de aquella lacra[4], confiaron sus destinos a un equipo de políticos "outsiders" que con el matemático Sergio Fajardo al frente inyectaron una cura radical de cultura y educación. Hoy, Medellín va transformando su vergüenza[5] en autoestima.

[...] No es fácil. Instaurar valores cívicos se impone como tarea de generaciones. Y eso en Medellín se ha convertido en una obsesión. Programada. Inapelable. Montar en el orgullo local que supone el metro o ya el metrocable imponente teleférico con destino a los barrios más alejados es adentrarse en un espacio sujeto a permanentes mensajes constructivos.

Por las paredes y por los altavoces[6] saltan las indicaciones de solidaridad, respeto, urbanidad, limpieza... [...] En los barrios más violentos y marginales, instalaron infraestructuras de poderosa simbología: bibliotecas, centros culturales, iniciativas bienvenidas por un vecindario que cuida lo que se le ha legado como si fueran templos.

Jesús Ruiz MANTILLA (periodista español), *El País Semanal*, 17/11/2013

Lee el texto y contesta.

A2
- **a.** Di qué ciudad se evoca y sitúala.
- **b.** Enumera los cambios (ambiente, infraestructuras) que se produjeron entre los años 90 y hoy. ¿A quiénes se deben?

A2+
- **c.** Precisa cómo se sienten los habitantes hoy y qué están cuidando.
- **d.** Explica en qué medida se puede considerar aquella ciudad como un ejemplo para el resto del país.

1. *le cauchemar*
2. famoso y potente narcotraficante de los años 80
3. situó
4. *ce fléau*
5. *sa honte*
6. *les haut-parleurs*

expresión oral Lo que une a los españoles

> OBJECTIF A2+ : décrire la une d'un journal et décrypter le message transmis.
Temps de parole : 3 minutes

Observa la portada y contesta.

A2
a. Describe la portada: elementos que la componen y colores.

A2+
b. Precisa a qué situación actual hace referencia.
c. Explica cuál es el punto de vista del periódico *ABC* sobre la cuestión.
d. ¿Qué es lo que une a los españoles según tú?

Cartilla
Tablet con pantalla capacitiva de 7"
ABC
España
Lo que nos une
Frente al desafío separatista, ABC pone en valor la solidaria e imprescindible idea de España

Portada del periódico *ABC*

interacción oral Debate: ¿A favor o en contra de la independencia de Cataluña?

> OBJECTIF B1 : donner son opinion sur les événements qui marquent l'actualité.
Temps de parole : 3 minutes
En binôme

Por parejas, imaginad la conversación.

B1
Alumno(a) A: Eres catalán(ana) y estás a favor de la independencia porque para ti representa un futuro mejor para Cataluña. Explica primero lo que le reprochas al sistema actual (a la monarquía, al gobierno…) y luego cómo ves el futuro diferenciándote de lo que piden los vascos.

Alumno(a) B: También eres catalán(ana) pero estás en contra de la ruptura con la España que nació de la Constitución del 78. Recuerdas en qué circunstancias se elaboró y en qué se basa su legitimidad. Luego destaca lo que une a todos los españoles y por qué es necesaria la solidaridad.

expresión escrita Redacto un comentario sobre los cambios en América Latina

> OBJECTIF B1 : rédiger un post sur les réalités géographiques, sociales et politiques d'un pays.
Nombre de mots : 150 mots

Vives en España pero naciste en un país latinoamericano. Decides reaccionar después de leer un reportaje en una revista que presenta únicamente una imagen negativa de América Latina.

A2
a. Di de dónde eres y describe los cambios que hubo en tu país.
b. Da unos cuantos ejemplos de cambios que se produjeron en otros países latinoamericanos. Precisa por qué mejoran la vida de la gente.

B1
c. Insiste en lo que ya no se acepta en América Latina.
d. Explica lo que compartes con todos los latinoamericanos y expresa tu orgullo.

Unidad 1 Somos jóvenes, señas de identidad

Estudiar en España

La **Educación Secundaria Obligatoria** (ESO) se compone de cuatro años escolares que se realizan entre los 12 y los 16 años. En Francia corresponde a los cursos de 5e, 4e, 3e y 2de. El **Bachillerato** no es obligatorio y consta de dos cursos que se realizan entre los 16 y 18 años de edad (1re y Tle en Francia). Tiene como finalidad ofrecer a los alumnos una preparación adecuada a sus perspectivas de formación y les permite acceder a la educación superior. Existen tres modalidades de Bachillerato: Artes, Ciencias y Tecnología, Humanidades y Ciencias Sociales. La Prueba de Acceso a la Universidad (PAU) es un examen de selección que permite acceder a la Universidad. En función de la nota obtenida, los alumnos pueden elegir la carrera que quieren estudiar.

Disfrutar del tiempo libre

En su tiempo libre, más del 80% de los jóvenes españoles suele usar el ordenador (93,1%), salir o reunirse con amigos y amigas (85,7%), escuchar música (83,9%) y ver la televisión (81%). Entre el 50 y el 60% de los jóvenes lee revistas/periódicos/libros, escucha la radio, hace deporte, va al cine y juega con videojuegos y consolas. Sin embargo, menos del 40% viaja, va de copas o de discotecas, realiza excursiones y asiste a conciertos. Los jóvenes que asisten a espectáculos deportivos, museos, teatro y conferencias o coloquios son minoritarios.

Según http://www.injuve.es/

Las prioridades de los jóvenes

Los jóvenes se preocupan primero por la vivencia individual. Para el 90% de los jóvenes, lo más importante es **la amistad (96,8%), la familia (93,9%) y la salud (92,8%)**. Después, el trabajo (89,5%), el tiempo libre (89,3%), los estudios (88,6%), el dinero (86,3%). El aspecto físico preocupa al 70,7% de los jóvenes españoles. Pero también se interesan por cuestiones sociales y/o comunitarias (64%). Sin embargo, la política (37%) y la religión (24%) les importan menos.

Según http://www.injuve.es/

¿Sentirse español o ciudadano del mundo?

Desde el punto de vista del sentimiento de pertenencia, el sentimiento localista (pertenencia al pueblo/ciudad, provincia o comunidad autónoma) predomina (59,4%). El sentimiento cosmopolita es menor (13,7%). El sentimiento de pertenencia a la Unión Europea es de tan solo un 4,5%, mientras que el sentimiento de pertenencia global es del 9,2%.

Todos los jóvenes españoles tienen móvil

Todos los jóvenes españoles cuentan ya con un teléfono móvil y un 95% de ellos trabaja con ordenador propio, un 84% posee una cámara digital, un 77% equipo de música, un 73% MP3, un 69% Internet de alta velocidad, un 62% videoconsola y un 57% webcam.

Chicos y chicas hacen un mismo uso de las nuevas tecnologías aunque a ellos les gusta más estar informados sobre novedades o saber cómo funcionan los aparatos y ellas valoran mucho más el diseño que la innovación tecnológica en el móvil, sin renunciar sin embargo a disfrutar de una cámara y del bluetooth.

Los jóvenes afirman que el móvil es un elemento importante de la imagen que dan de ellos, como la ropa y el peinado.

Según http://www.elpais.com/

Desfilando con música en San Sebastián

España, el líder indiscutible de la FIFA

En la clasificación mundial de la FIFA 2013, España aparece como el líder indiscutible al ser el equipo del año por sexta ocasión consecutiva. En enero y febrero de 2014 **la Roja** sigue encabezando la clasificación por delante de grandes naciones futboleras como son Alemania o Argentina.

Hay que relacionar esta posición de liderazgo con el hecho de que en España se encuentran los clubes más ricos y poderosos del mundo. En el "top 20" 2013 el Real Madrid Club de Fútbol y el Fútbol Club Barcelona ocupan el primero y segundo puestos de la clasificación, con volúmenes de negocios de unos 510 millones de euros para el Madrid y 480 millones para el Barcelona. Gracias a lo cual estos clubes pueden fichar a los jugadores más prestigiosos del mundo, como el portugués Cristiano Ronaldo (Real Madrid) o el argentino Lionel Messi (F. C. Barcelona).

Según http://www.marca.es

Corridas de toros: ¿prohibir o conservar?

Aunque la tauromaquia pertenece al patrimonio cultural español, la corrida sigue suscitando polémica entre **aficionados** y **antitaurinos**. Para evitar que se pudieran prohibir los toros en las comunidades autónomas de España, como ocurrió en Cataluña en 2010, los defensores de las corridas han propuesto declarar los toros como Bien de Interés Cultural. En noviembre de 2013, el Senado español ha aprobado la Proposición de Ley que califica a la Tauromaquia como **"patrimonio cultural"**: "La Tauromaquia conforma un incuestionable patrimonio cultural inmaterial español, que no ostentamos en exclusiva, sino que compartimos con otros lugares como Portugal, Iberoamérica y el sur de Francia", dice expresamente el texto. Dice también que el Gobierno central impulsará "los trámites necesarios para la solicitud de la inclusión de la Tauromaquia en la lista de la Unesco de Patrimonio Cultural Inmaterial de la Humanidad".

Según http://www.20minutos.es/

Fernando Botero: un icono del arte latinoamericano

El **pintor** y **escultor** colombiano Fernando Botero (Medellín, Colombia, 1932) posee uno de los estilos más reconocibles de la tradición latinoamericana, con contornos redondeados y sensuales.

La gran variedad de temas caracteriza su obra: retratos, autorretratos, desnudos, bodegones, paisajes, corridas, santos, militares, eclesiásticos...

Muchas influencias y referencias se aprecian en las variaciones que el artista realiza a partir de obras de artistas contemporáneos como Henri Matisse, Henry Moore, Paul Cézanne, así como de los grandes muralistas mexicanos, en especial de José Clemente Orozco. También está presente en su obra la tradición artística española con obras de Diego Velázquez y Francisco de Goya.

Fernando Botero posando junto a tres de sus monumentales esculturas

Botero es uno de los pocos artistas que expone sus obras en las avenidas y plazas más famosas del mundo, como los Campos Elíseos en París, la Gran Avenida de Nueva York, el Paseo de Recoletos de Madrid, la Plaza del Comercio de Lisboa, la Plaza de la Señoría en Florencia y hasta en las Pirámides de Egipto.

Protesta antitaurina

Unidad 3 ¿Nuevas solidaridades?

Evolución de la familia española

Los estragos de la crisis económica han convertido a la familia en el colchón que permite amortiguar las dificultades económicas de muchas personas. Por lo cual está apareciendo un nuevo tipo de familia: la familia multigeneracional o familia "sándwich". Es decir, familias donde conviven los abuelos (que no tienen medios suficientes para estar en una residencia), los padres y los hijos (que no consiguen emanciparse por la falta de trabajo). En este tipo de familias son las personas de la generación intermedia, o sea los padres, quienes asumen más obligaciones al tener que cuidar tanto a los ancianos como a sus hijos ya mayores.

Según http://www.20minutos.es

Las monedas sociales y el trueque

Una moneda social es una herramienta creada y utilizada por comunidades para facilitar intercambios de productos, servicios o conocimientos.

En un contexto de grave crisis económica este fenómeno se está desarrollando en España. Sirve como moneda de pago para alimentos, libros, ropas, servicios de todo tipo, etc., y permite potenciar la economía local. Se estima que actualmente existen unas 50 monedas sociales en España, como por ejemplo el boniato en Madrid, el zoquito en Cádiz o el puma en Sevilla.

Existen diferentes maneras de crear monedas sociales. La más corriente es la de los bancos de tiempo. Pero también se recurre a **mercados de trueque en los que se intercambian objetos o servicios sin recurrir al dinero**. Un ejemplo emblemático: para la vuelta al cole de septiembre de 2013, las asociaciones de padres de alumnos han organizado mercados de trueque en centros escolares para permitir que los alumnos tengan sus libros de texto sin desembolsar nada.

Las ONG ante la crisis

La Fundación Lealtad, una institución sin ánimo de lucro, creada en 2001, que analiza el funcionamiento de las ONG, ha publicado un estudio titulado ***Las ONG españolas ante la crisis** (2007-2013)*. Según este estudio, las ONG más vulnerables son las de tamaño grande o mediano, ya que dependen de financiaciones públicas que han disminuido en el momento en que las necesidades sociales eran más elevadas. Así sucede, por ejemplo, con organizaciones de tipo "bancos de alimentos" que tienen que hacer frente a una demanda cada vez mayor.

Las pequeñas ONG resisten mejor a la crisis porque se financian mayoritariamente a través de donaciones privadas.

Las ONG muy grandes también resisten mejor, ya que han dedicado en torno al 8% o 9% de sus presupuestos (*budgets*) a la captación de fondos privados, mientras que las grandes o medianas solo le han dedicado una media de un 3% a 4% de sus presupuestos.

Hazte voluntario

El *crowdfunding* o micromecenazgo

Esta manera de financiar proyectos ha pasado de ser una moda a convertirse en una realidad cada vez más concreta. Una de las principales plataformas de *crowdfunding*, Verkami, ha permitido la realización de más de 1.700 proyectos en cuatro años. Pueden ser presupuestos modestos o importantes. El récord en la materia lo detiene el proyecto *L'Endemá* (El día después), un documental sobre cómo sería Cataluña en caso de independencia, que gracias a Verkami consiguió una recaudación de más de 350.000 euros.

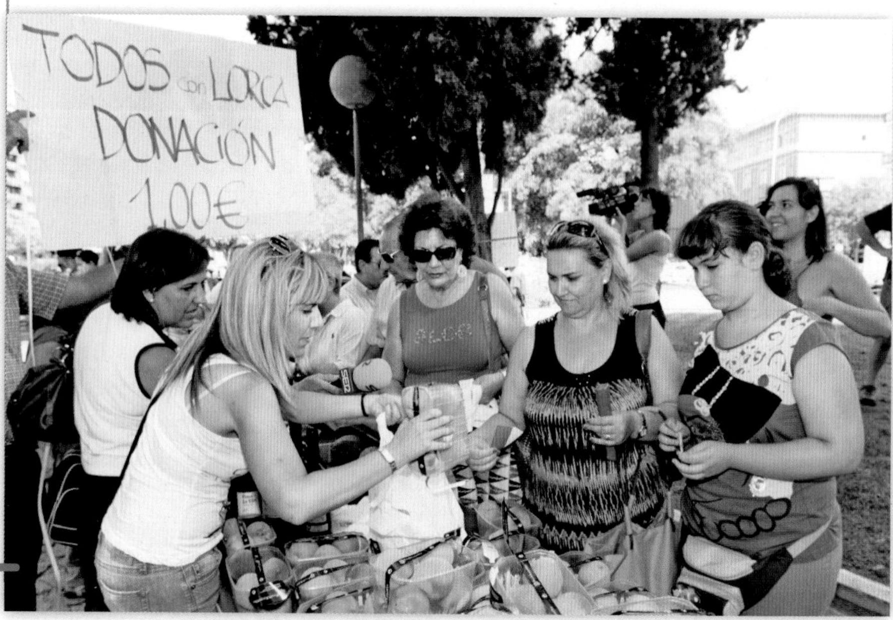

Mercado solidario en Murcia

El reino nazarí de Granada

La formación del reino nazarí de Granada [1238] se produjo por el declive almohade en al-Ándalus, y su caída definitiva ante los Reyes Católicos en 1492 supuso el final del Islam en la península. **La Alhambra era una ciudad autosuficiente donde residía la familia real**, la guardia personal del rey, personal de la corte y artesanos destacados que trabajaban exclusivamente para el rey. En total podría suponer una población de unas 1300 personas. El agua es el elemento fundamental, y alrededor de ésta se construye el jardín y alrededor de éste los palacios.

Los Reyes Católicos quedaron impresionados por la magia y la grandiosidad de la Alhambra, dejando la reina Isabel escrito en su testamento que debía conservarse para la posteridad tan bello palacio. Actualmente es uno de los monumentos más visitados del mundo, recibiendo más de 3 millones de visitas al año.

Según http://www.paisajistasmarbella.com/

Patio de los Leones, Alhambra de Granada

Los árabes transformaron España dominando el agua

La mayor transformación del territorio español es mérito de los árabes, que entre los siglos VIII y XV se establecieron en la península y para conjurar su desierto de origen dominaron el agua en acequias, albercas y aljibes. Para el mundo islámico, el agua es un "bien divino" que representa la pureza y a la que se debe tener un acceso equitativo. Es "sadaqa", una bendición, proveer agua a los demás y una obligación asistir a los sedientos, sean humanos, animales o la misma tierra.

Los árabe-beréberes encontraron en la antigua Hispania el legado romano de acueductos y puentes, que aprovecharon y potenciaron con nuevas técnicas de construcción de presas y artilugios de elevación hidráulica para la captación de agua e irrigación.

Según efe/Madrid

La música en al-Ándalus

Una parte importante de esta cultura desarrollada en al-Ándalus es la musical. En el año 711 los primeros árabes que entraron en España trajeron consigo **la poesía árabe tradicional oriental que solía acompañarse de música**. Igualmente eran de gran importancia las esclavas cantoras que fueron conocidas con el nombre de Qaina-s. Era habitual que los hombres más ricos dispusieran de cierto número de Qaina-s a su servicio, que recitaban y cantaban versos en honor a sus amos.

El principal responsable del gran desarrollo musical de los siglos IX a XII en al-Ándalus, es el gran músico, cantor, poeta y tañedor de laúd llamado Ziryab. En Córdoba introducirá Ziryab gran cantidad de refinamientos orientales, creando, asimismo, importantes escuelas musicales que serán el germen de la denominada música andalusí, extendida a otros centros de al-Ándalus como Sevilla y Granada, desde donde pasará finalmente, tras la Reconquista, a los países del Magreb.

Según http://www.miciudadreal.es/

El saber de al-Ándalus en el siglo XXI

Durante la Edad Media, las ciencias, en especial la medicina, alcanzaron en al-Ándalus un alto grado de perfeccionamiento, superior, incluso, al resto de Europa. "Los médicos de la época no solo se centraban en los aspectos científicos básicos, sino que eran también filósofos, haciendo hincapié en el desarrollo de la conciencia del ser humano". Tanto creían en la vinculación entre el cuerpo y el alma, que, entre sus maestros, destacaba el hakim, "médico y sabio andalusí que curaba a través de recursos naturales". Así lo explica Luis Jiménez, especialista en naturopatía y divulgador de la Terapia Floral de Edward Bach, que, en 2007, fundó la Escuela Andalusí, un centro docente que busca recuperar el pensamiento de la época andalusí, con el fin de que sus alumnos conozcan "el esplendor de las leyes de la naturaleza y la verdadera naturaleza humana, favoreciendo así su evolución en los ámbitos personales y sociales".

Según http://www.diariodesevilla.es/

Acequia en Granada

Los mayas: tradiciones preservadas

La llamada área maya se extiende a través de casi 300.000 km^2 desde el sureste de **México** e incluye **Belice**, **Guatemala**, **El Salvador** y parte de **Honduras**.

En la actualidad la población maya es de entre 4 y 5 millones de personas distribuidas en varios grupos étnicos que hablan alrededor de treinta lenguas nativas. Entre ellos: los lacandones, zoques, tzotziles y tzetzales en Chiapas, los chontales en Tabasco y los quiches ubicados en Guatemala.

Los mayas están intentando preservar sus tradiciones originarias, que se revelan en su vestimenta, la alimentación, la lengua y las creencias que mantienen.

El Camino Inca, ¿Patrimonio de la Humanidad?

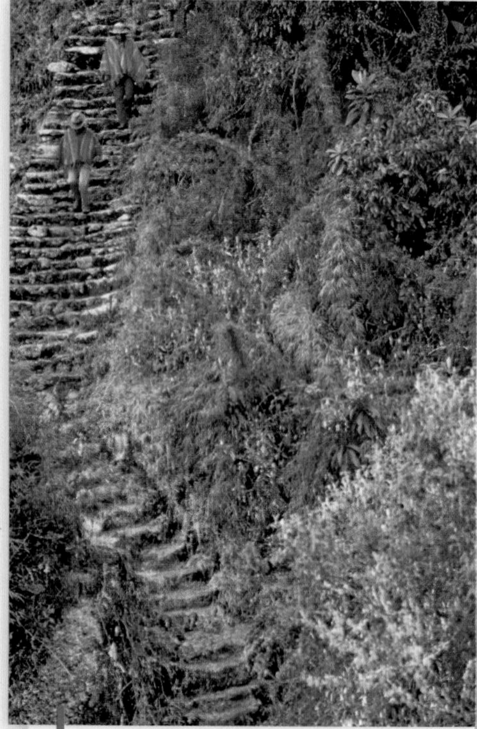

Camino del Inca, Perú

Perú se ha propuesto recuperar su patrimonio arqueológico prehispánico, que va más allá de las ruinas de Machu Picchu o de las líneas de Nazca. Su objetivo inmediato se centra en restablecer el Camino Inca a su paso por el país andino. El Qhapaq Ñan -en quechua- es un complejo sistema de comunicación vial que **une Perú, Chile, Colombia, Ecuador, Argentina y Bolivia**. Solo en Perú se han registrado miles de kilómetros de esta red que unía todo el **Imperio inca** o **Tahuantinsuyo**. La Unesco ha aprobado la candidatura, que firman los seis países, para que el antiguo Camino Inca sea declarado Patrimonio de la Humanidad, un hecho que permitirá conseguir nuevas fuentes de financiación internacional para la investigación, restauración y conservación de estas vías.

Esta iniciativa ha permitido recuperar un tramo del Camino Inca que pasaba por el sur de Lima, la capital del país, y 350 de los 1.250 muros que componían este tramo del Camino Inca.

Según http://www.unesdoc.unesco.org/

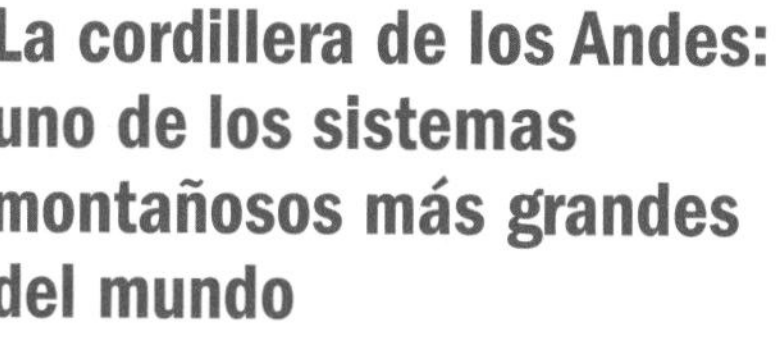

La cordillera de los Andes: uno de los sistemas montañosos más grandes del mundo

La cordillera de los Andes es una cadena montañosa de Sudamérica que se extiende casi paralela a la costa del Pacífico, desde el cabo de Hornos hasta las proximidades de Panamá.

La cadena tiene 7.240 km de longitud, 241 km de ancho y un promedio de 3.660 m de altura. Desde su estrechamiento final al sur de Chile, los Andes se extienden en cadenas paralelas por Argentina, Bolivia, Perú, Ecuador y Colombia. En Venezuela se divide en tres cadenas distintas. A lo largo de su extensión, la cordillera se levanta abruptamente desde la costa del Pacífico.

Los Andes albergan numerosos **volcanes**, entre los que destacan el Cotopaxi (5.897 m) y el Chimborazo (6.267 m), en Ecuador; el Nevado de Tolima (5.215 m), en Colombia; y el Llullaillaco (6.723 m), en la frontera entre Argentina y Chile. Otras cumbres importantes son el Ancohuma (6.550 m), en Bolivia y el Aconcagua (6.959 m), en Argentina, la montaña más alta del continente americano.

Dentro de la cadena existen **altiplanos**, como el de Quito y el que se encuentra en el lago Titicaca (3.960 m).

Según http://www.buenastareas.com/

Laguna colorada en el altiplano boliviano

Turismo sostenible en América Latina y el Caribe

A través del apoyo técnico y financiero que brinda a América Latina y el Caribe, el **Banco Interamericano de Desarrollo (BID)** se convierte en un socio estratégico para el desarrollo del turismo sostenible. El BID respalda proyectos que contribuyen a mejorar la calidad de vida de la población con menores recursos, al tiempo que garantiza la conservación del medio ambiente y los valores sociales y culturales de las comunidades.

En 2006, el BID y el Fondo para el Medio Ambiente Mundial (FMAM) aprobaron dos proyectos para ayudar a Guatemala a avanzar en sus esfuerzos por proteger y desarrollar de manera sostenible la Reserva de la Biosfera Maya, el área protegida más grande de Centroamérica, que alberga un complejo sistema de bosques naturales, magníficos sitios arqueológicos y una biodiversidad única. Cerca de 85.000 personas viven en la Reserva.

Según http://www.iadb.org/

Cristóbal Colón y el Descubrimiento de América

El navegante **Cristóbal Colón** y su tripulación, apoyados por los Reyes Católicos, salieron del puerto de Palos (Huelva) con **tres carabelas: La Niña, La Pinta y La Santa María**. Llegaron el 12 de octubre de 1492 a una isla de las Antillas llamada Guanahaní. Sin embargo, Colón creía que había llegado a las Indias (Asia) navegando hacia el oeste, y murió sin saber que había descubierto un nuevo continente.

El descubrimiento de América supuso un momento clave en la Historia Universal ya que fue un encuentro entre dos mundos, dos civilizaciones, dos culturas que hasta entonces se habían desarrollado independientemente.

Según http://www.artehistoria.jcyl.es/

Las tres carabelas de Colón en el litoral cubano

La Conquista de América

Fue el proceso de exploración, invasión y colonización después del Descubrimiento de América en 1492. Se inició a partir del siglo XVI en el Nuevo Mundo por parte de los europeos, esencialmente españoles y portugueses. Al considerar que los indígenas eran personas dotadas de alma, los españoles se dedicaron a convertirlos al cristianismo.

La aportación de ambas civilizaciones fue enorme. Por un lado, **los españoles importaron a Europa nuevos productos agrícolas como el tomate, la patata o el cacao**. Los minerales de mucho valor como el oro y la plata permitieron impulsar la economía europea. Por otro lado, los nuevos territorios, al formar parte de la corona española, se beneficiaron de la llegada de artesanos, misioneros, profesores..., y se construyeron iglesias, catedrales, escuelas..., que hoy en día forman parte del patrimonio cultural de América.

Vista de la Plaza Central de Veracruz, México

Los conquistadores

Fueron los soldados y exploradores españoles quienes conquistaron y colonizaron los territorios de América durante los siglos XVI y XVII para la Corona española. Entre ellos cabe destacar las figuras de **Hernán Cortés** y **Francisco Pizarro**. Hernán Cortes dirigió la expedición que derrocó al poderoso imperio azteca. Llegó a la ciudad de Tenochtitlán en 1519. Al mismo tiempo que mantenía relaciones con los aztecas y su emperador, Moctezuma, avivaba contra ellos la sublevación de otros pueblos. Cortés decidió entonces sitiar (*assiéger*) la ciudad, que cayó en su poder en 1521. La Conquista de México dio lugar a la formación del Virreinato de Nueva España, del que fue capitán general de 1522 a 1528.

En 1531, Francisco Pizarro inició la conquista del Perú aprovechando que los incas estaban envueltos en guerras civiles. Pizarro secuestró a Atahualpa, uno de los soberanos incas. Desde su prisión Atahualpa mandó ejecutar a su enemigo Huáscar, lo que permitió a Pizarro seguir la conquista sin dificultad. Después de matar a Atahualpa, tomó el control del imperio.

Según http://www.educ.ar/

Las ciudades coloniales

Las ciudades españolas en el Nuevo Mundo fueron fundadas como centros de poder militar, político y eclesiástico. Las ciudades interiores se complementaron con una serie de puertos bien comunicados con la patria española. El modelo básico era un espacio en forma de ajedrez con plaza en el centro y calles perpendiculares y paralelas. En la Plaza Mayor o Plaza de Armas tenía lugar la vida urbana, las actividades sociales, oficiales y religiosas. Alrededor estaban los edificios oficiales y la iglesia o catedral. El edificio religioso era siempre el primero en edificarse con varios estilos arquitectónicos: el gótico, el barroco, el renacentista mezclados con variedades locales. El cabildo, lo que sería hoy el ayuntamiento, desempeñaba un papel clave en la organización colonial española al ser el representante legal de la ciudad. Se construyeron fortificaciones, sobre todo en las ciudades portuarias, para proteger el comercio y defender las ciudades coloniales de los ataques de la piratería.

Debido a su riqueza arquitectónica, numerosas ciudades coloniales son hoy Patrimonio de la Humanidad.

Según http://www.artehistoria.jcyl.es/

Miquel Barceló, el artista vivo más cotizado

Miquel Barceló (Felanitx, Mallorca, 1957) comparte con su madre, Francisca Artigues, su pasión por la pintura. Muy joven destaca como uno de los mejores artistas de su tiempo y su obra se da a conocer a través de las más prestigiosas muestras internacionales de Arte. A finales de los años 80 se instala en Malí, país que, con el Mediterráneo, ejerce claras influencias sobre su producción artística. Su trabajo explora disciplinas como la pintura, la escultura y la cerámica.

Sus obras han sido expuestas en grandes centros de arte, entre los que destaca el museo del Louvre de París (2004) donde fue el primer artista contemporáneo vivo en exponer sus obras.

En 2011 Barceló se convierte en el artista vivo más cotizado tras la venta de uno de sus cuadros, *Faena de muleta*, por 4,4 millones de euros. A lo largo de su carrera ha recibido muchos premios, como el Premio Príncipe de Asturias (2003) y últimamente el Premio Nacional de Arte Gráfico (2014) concedido por la Real Academia de Bellas Artes de San Fernando (Madrid).

Según http://cultura.elpais.com/

Arte y tecnología

Las evoluciones tecnológicas de las últimas décadas no podían dejar de invadir el campo de la expresión artística. Como los robots utilizados por Blanca Li para su creación, la industria digital sigue inventando nuevos instrumentos creativos, particularmente en el campo de la creación musical. Un ejemplo de ello es el *Reactable* desarrollado por el Grupo de Tecnología Musical de la Universidad española Pompeu Fabra de Barcelona. Se trata de un instrumento electrónico que permite crear música de forma visual e intuitiva. Consiste en una mesa redonda luminosa sobre la que se pueden poner unos módulos. Estos módulos generan sonidos que, adecuadamente combinados, componen obras musicales. Las interacciones entre módulos se materializan en la superficie de la mesa, convirtiendo la música en algo visible. Este aparato ha recibido en 2008 el premio *Golden Nica* del festival *Ars Electronica* de Linz (Austria), el premio más importante del mundo en arte digital. Uno de sus inventores, Sergi Jordá, piensa que esta invención puede revolucionar la música popular del siglo XXI. La famosa cantante islandesa Björk lo utilizó en su gira mundial en 2007.

Según http://edant.revistaenie.clarin.com/

Miguel BARCELÓ, *Gran comida española*, 1985, Museo Reina Sofía

Animayo, un festival que genera talento

Animayo es un Festival Internacional de Cine de Animación, Efectos Especiales y Videojuegos cuya primera edición se hizo en 2006 en la isla de Gran Canaria. Este festival que se celebra en el mes de mayo, de ahí su nombre, recibe cada año unos mil cortometrajes. Un centenar son seleccionados y diez de ellos reciben un premio.

Es el único festival español en haber abierto una sede en Los Ángeles. Desde hace dos años ***Animayo*** presenta lo mejor del festival en dos de los estudios más prestigiosos del mundo de la animación: Dreamworks Animation y Walt Disney Studios. Su director, Damián Perea estima que el festival está ganándose mucho prestigio en el sector y que esto le permitirá lograr una de sus metas: que su palmarés posibilite a sus ganadores ser preseleccionados para los Oscar.

Damián Perea explica también que "no se trata de un festival que pone películas y ya está, sino que genera talento. Hemos concedido seis becas a jóvenes para que estudien fuera. No es un festival al uso, sino un festival-universidad".

Según http://labohemia.es/

España: primer país donde la eólica se convierte en la mayor fuente de energía

El viento ha sido la primera fuente de electricidad de España en 2013, algo inédito hasta ahora tanto en España como en el mundo. A finales de diciembre, la cobertura de la demanda con eólica ha sido del 20,9%, frente al 20,8% de la nuclear.

En total, las renovables cubrieron el 42,4% de la demanda eléctrica de 2013, 10,5 puntos más que el año anterior. Por tipo de tecnología, tras la eólica y la nuclear se situó la hidráulica, que duplicó su contribución a la cobertura de la demanda. La energía solar fotovoltaica se quedó en el 3,1%, solo un punto más que en 2012.

La producción eólica de 2013 ha sido la más alta de la historia, lo que supone un aumento del 13,2% respecto a 2012. Esta generación es suficiente para abastecer a 15,5 millones de hogares españoles, el 90% del total.

Según http://www.elpais.com/

Instalación de aerogeneradores, España

La pesca sostenible crece en España

España es uno de los principales consumidores de pescado del mundo. Cada español consume de media anual 36,4 kilos. Pero los recursos marinos no son ilimitados. La mayoría del sector, desde las grandes flotas a los pequeños pescadores artesanales, es consciente de que pescar de forma sostenible es la única vía para garantizar su presente y futuro. La pesca española se realiza de forma sostenible y procura proteger **los recursos y el medio marino** a través de la creación de áreas marinas protegidas. Se prevé para 2014 la creación de diez nuevas áreas, lo que hará de España uno de los países de mayor superficie marina protegida de la UE.

Además, España ha reducido en los últimos quince años más del 42% del número de buques. España es también "pionera" en preservación de ecosistemas marinos vulnerables: los buques españoles ya no trabajan sobre fondos sensibles y su actividad no afecta a otras especies marinas de lenta recuperación.

Según http://www.consumer.es/

Buenos Aires (Argentina): Basura Cero

En la ciudad de Buenos Aires la basura es uno de los problemas más importantes. Ante la grave situación Greenpeace Argentina presentó en 2004 un **"Plan de Basura Cero para Buenos Aires"**, que propone una serie de medidas a tomar, basadas en experiencias llevadas a cabo en distintos lugares del mundo.

Varios legisladores presentaron un proyecto titulado "Ley de gestión integral de residuos sólidos urbanos". El proyecto fue debatido y la ley fue aprobada en 2005.

El plan propuesto por la ley es la progresiva reducción de la cantidad de basura que se entierra, el desarrollo del reciclaje y la reducción en la generación de residuos. En 2010 Buenos Aires llegó a una reducción del 30% del total de residuos enviados a los rellenos[1], de un 50% en 2012 y el objetivo es llegar a un 75% en 2017.

"Basura Cero" permite compatibilizar economía, trabajo y limpieza. Genera una actividad económica que demanda una importante mano de obra y crea un circuito de materiales y energía ambientalmente sostenibles.

Según http://www.greenpeace.org/

1. *décharges*

Cartel de la campaña Basura Cero en Buenos Aires

Colombia y la perspectiva de paz

Invertir en la paz es clave para Colombia y su desarrollo. Tras medio siglo de conflicto armado, la apertura de negociaciones con las FARC en octubre de 2012 supuso un punto de inflexión histórico para el país. Y ese proceso comienza a dar sus frutos, según el presidente de Colombia, Juan Manuel Santos [...].

Solo el hecho de que se haya iniciado un diálogo ya ha tenido su efecto en la economía, que el año pasado recibió un récord de unos 16.000 millones de dólares en inversión extranjera directa.

El objetivo es que los grupos violentos dejen las armas y "continúen persiguiendo sus ideales por vías democráticas". [...] Ahora, se está negociando en torno al narcotráfico. Colombia ha sido en los últimos 40 años uno de los mayores proveedores de cocaína del mundo. Llegar a un acuerdo para que la guerrilla, en lugar de ayudar al narcotráfico, ayude al Gobierno a combatirlo, sería un tema vital para hacer que "la paz sea viable y duradera".

Según http://www.elpais.com/

Desfilando por la paz

La Transición y el protagonismo del rey Juan Carlos

La Transición (1975-1978) es el periodo en el cual España pasó de la dictadura a la democracia, una democracia que se vio amenazada el 23 de febrero de 1981 (23-F) cuando unos miembros de la Guardia Civil irrumpieron en el Congreso y secuestraron a los diputados elegidos en las elecciones libres de 1977 y reunidos allí. El papel del Rey para mantener la democracia durante aquel periodo fue decisivo pero ya antes de que la transición se iniciara, existía un sentimiento difuso en la sociedad española que consistía en el generalizado deseo de entenderse. Juan Carlos I abdicó el 2/06/2014.

Juan Carlos I es coronado rey, 22/11/1975

Un reconocimiento diplomático para el gobierno castrista

Cuba se consolida en la escena diplomática regional como actor de primera fila con la celebración en 2014 y en La Habana de la cumbre de la CELAC (Comunidad de Estados de Latinoamérica y del Caribe) que incluye a todos los países del continente, salvo Canadá y Estados Unidos.

La isla celebra la cita entre tímidos **gestos de apertura económica**, como el levantamiento de la prohibición de alquilar inmuebles, la autorización de la compraventa de viviendas, y la ampliación de las condiciones de trabajo por cuenta propia, pero sin signos de apertura política. Por ello, desde la oposición se ha deplorado la celebración de una cumbre que se ve como una legitimación del régimen cubano.

El Gobierno de Cuba ha aprovechado también la celebración de la cumbre para mostrar al mundo los primeros 700 metros del megapuerto de Mariel, un paso hacia la modernización y a la inversión extranjera masiva.

Según http://www.elpais.com/

¿El derecho a realizar un referéndum separatista?

Los catalanes, orgullosos de su cultura e idioma, reclaman el derecho a decidir si quieren separarse. Durante el debate, unas 150 personas frente al Parlamento agitaban banderas independentistas, mientras un grupo menor entonaba la consigna "Cataluña es España".

El presidente del Gobierno, Mariano Rajoy, ha dicho reiteradamente que no permitirá un referéndum catalán porque la constitución de 1978 establece un Estado español unificado y ordena que los referéndums que afectan al país sean nacionales, no regionales. Su partido tiene mayoría absoluta en el Parlamento y el Partido Socialista, principal partido de oposición, también se opone.

Según http://www.infobae.com/

Index précis grammatical

Les points de grammaire sont référencés par rapport aux encadrés.

Précis grammatical

1 L'alphabet

A	*a*	[a]	F	*efe*	[efe]	L	*ele*	[ele]	P	*pe*	[pe]	U	*u*	[u]
B	*b*	[ƀe]	G	*ge*	[xe]	LL	*elle*	[eʎe]	Q	*cu*	[ku]	V	*uve*	[uβe]
C	*ce*	[θe]	H	*hache*	[atʃe]	M	*eme*	[eme]	R	*ere*	[ere]	W	*uve doble*	[uβe doƀle]
CH	*che*	[tʃe]	I	*i*	[i]	N	*ene*	[ene]	RR	*erre*	[erre]	X	*equis*	[ekis]
D	*de*	[de]	J	*jota*	[xota]	Ñ	*eñe*	[eɲe]	S	*ese*	[ese]	Y	*i griega*	[igrjega]
E	*e*	[e]	K	*ka*	[ka]	O	*o*	[o]	T	*te*	[te]	Z	*zeta*	[θeɫa]

■ Les lettres sont du genre féminin : *la a, la efe, una u.*

■ Les voyelles conservent leur son : *an, en, in.*

■ Dans les dictionnaires, les lettres ***ch*** et ***ll*** sont inclues aux lettres ***c*** et ***l***.

■ On ne doit pas séparer les lettres ***ch, ll*** et ***rr*** à la fin d'une ligne :

valle → *va-lle*
perro → *pe-rro*

2 L'accentuation

A L'accent tonique

■ Tous les mots espagnols portent un accent tonique :
• sur l'avant-dernière syllable lorsque les mots se terminent par une voyelle, un ***n*** ou un **s** *: una playa, unas playas.*
• sur la dernière syllable lorsque les mots se terminent par une consonne sauf ***n*** et **s** *: venir, la capital, la mujer, feliz.*

B L'accent écrit

■ Lorsque l'accent est écrit, il peut porter sur la dernière syllabe, l'avant-dernière ou l'antépénultième : *el jardín, difícil, el teléfono.*

■ Lorsque la syllabe finale d'un mot singulier se termine par une consonne et comporte un accent écrit, cet accent écrit disparaît au pluriel : *un jardín, unos jardines; la civilización, las civilizaciones.*

■ **Attention :** certains mots qui ne comportent pas d'accent écrit au singulier en prennent un au pluriel afin de conserver l'accent tonique à la place qui lui échoit :

joven → *jóvenes*

C L'accent diacritique

■ On appelle accent diacritique ou pronominal l'accent graphique qui sert à distinguer deux mots de même forme mais de nature et/ou de sens différents :
de (préposition) ≠ ***dé*** (verbe ***dar***)
el (article) ≠ ***él*** (pronom)
se (pronom) ≠ ***sé*** (verbe ***saber***)
que (pronom relatif) ≠ ***qué*** (interrogatif ou exclamatif)

■ **Remarque :** *La nueva ortografía 2010* (RAE) prévoit de supprimer les accents pour certains mots. Les cas les plus fréquents sont les pronoms démonstratifs ainsi que l'adverbe ***solo*** que l'on peut trouver avec ou sans accent.

3 La ponctuation

,	*la coma*	**...**	*los puntos suspensivos*	**¿ ?**	*los signos de interrogación*
;	*el punto y coma*	**-**	*el guión*	**¡ !**	*los signos de exclamación*
.	*el punto*	« »	*las comillas*		
:	*los dos puntos*	**( )**	*los paréntesis*		

4 L'interrogation

■ L'interrogation est précédée d'un point interrogatif à l'envers qui peut être placé en tête de phrase ou dans la phrase directement devant les éléments de la question :

¿Cómo** te llamas**? (U1, p. 16) Comment t'appelles-tu ?
*Son los partidos del año, **¿sabes?*** (U2, p. 36)
Ce sont les matchs de l'année ; te rends-tu compte ?

■ Les mots interrogatifs portent un accent qui les différencie graphiquement des pronoms relatifs (à l'exception de *si*) ; certains s'accordent en nombre ou en genre et en nombre :

qué	*por qué*	*para qué*	*a qué*
dónde	*adónde*	*cuándo*	*cómo*

quién *quiénes* *cuál* *cuáles*
cuánto *cuánta* *cuántos* *cuántas*

*¿**Cuánto tiempo** lleváis en Donosti?* (U1, p. 17) Cela fait combien de temps que vous êtes à Saint Sébastien ?

■ Dans les propositions interrogatives indirectes, le mot interrogatif conserve l'accent écrit :

*Me han contado **cómo** eras a mi edad.* (U1, p. 21)
Ils m'ont raconté comment tu étais à mon âge.

■ Puisqu'il s'agit d'une interrogation – ***una pregunta*** –, c'est très souvent le verbe ***preguntar*** qui introduit ces phrases :

*Te falta **preguntarme si** estudio o trabajo.* (U1, p. 17)
Il ne te reste plus qu'à me demander si je suis étudiante ou si je travaille.

5 L'exclamation

■ Comme l'interrogation, l'exclamation est précédée d'un point d'exclamation à l'envers qui peut être placé en tête de phrase ou dans la phrase devant l'exclamation :

¡Pues claro! (U2, p. 36) Bien sûr !

■ Le mot exclamatif ***qué*** introduit généralement l'exclamation lorsque celle-ci porte sur un nom, un adjectif, un participe ou un adverbe.

■ ***Cuánto(s), cuánta(s)*** impliquent une notion de nombre :

*¡**Cuánta** sofisticación, **cuánto** misterio!* (U5, p. 108)
Que de sophistication, que de mystère !

6 Les articles

A Les articles définis

1. Les articles définis masculins et féminins

	Masculin	Féminin
Singulier	***el*** *(el libro)*	***la*** *(la playa)*
Pluriel	***los*** *(los libros)*	***las*** *(las playas)*

■ Devant un nom féminin singulier commençant par ***a***- ou ***ha***- toniques, on emploie un article masculin pour éviter un hiatus : *el hambre* (la faim), *el agua* (l'eau), *el arma* (l'arme).

El área mediterránea. (U3, p. 60)
La zone méditerranéenne.

■ En revanche, on retrouve l'article féminin au pluriel : *las aguas* ou lorsque l'article ne précède pas directement le nom :

La misma arma. (U1, p. 18) La même arme.

■ Précédé des prépositions ***a*** ou ***de***, l'article défini masculin singulier se soude et se contracte :

*Se ofrecía a llevarme **al** estadio.* (U2, p. 36)
Il proposait de m'emmener au stade.
*Ciudadana **del** mundo.* (U1, p. 17) Citoyenne du monde.

2. Emplois de l'article défini

■ Les articles définis sont utilisés dans **l'expression de l'heure, des jours de la semaine ou de moments déterminés :** l'article singulier exprime un moment précis, l'article pluriel indique une periodicité ou une fréquence.

*A **la una de la mañana.*** (U1, p. 21) À 1 h du matin.
Los martes y jueves *va a hacer sesiones.*
Los lunes, miércoles y viernes *sale a correr.* (U1, p. 15)
Le mardi et le jeudi, il va s'entraîner. Le lundi, le mercredi et le vendredi il va courir.

■ Les articles définis sont utilisés dans **l'expression de l'âge :**

*Entre **los** 18 y 30 años.* (U1, p. 18) Entre 18 et 30 ans.

■ L'article défini devant **un nom de pays**

• L'espagnol n'emploie généralement pas l'article défini devant un nom de pays ; certains noms de pays continuent de s'employer avec un article défini comme ***el Perú, el Ecuador, el Paraguay, el Uruguay, la Argentina*** mais l'usage tend à une simplification et à une harmonisation avec le non-emploi de l'article.

***España** resiste la crisis.* (U3, p. 60)
L'Espagne fait face à la crise.

• En revanche, lorsque le pays, de même que la ville, la région ou le continent, sont considérés sous un aspect particulier et accompagnés d'un adjectif qualificatif ou d'un complément, l'article est employé. Dans ce cas-là, les noms de pays – de même que les noms de ville – n'ayant pas de genre défini, l'usage en fait des masculins ou des féminins, selon leur terminaison :

***El México anterior** a la conquista.* (U5, p. 108)
Le Mexique d'avant la conquête.

■ L'article défini devant **les noms propres géographiques**
Les noms propres géographiques – noms de fleuve, de mer et de montagne – sont généralement précédés de l'article masculin puisque sont sous-entendus *el río, el mar, el océano, el monte* qui sont des mots masculins : ***los Andes, el Amazonas, el Mediterráneo, el Cantábrico***.

*La urbe más importante de todo **el Caribe.*** (U6, p. 132)
La ville la plus importante des Caraïbes.

■ L'article défini devant **les mots *señor, señora, señorita***
L'espagnol emploie l'article défini devant ***señor, señora, señorita*** lorsqu'il évoque cette (ces) personne(s) :

*Le llaman **el señor** ONG.* (U3, p. 59)
On l'appelle Monsieur ONG.

■ L'article défini peut précéder **un prénom** sans valeur péjorative :

El Julián es un buen tipo. (U3, p. 59)
Julián est quelqu'un de bien.

B. Les articles indéfinis

1. Les articles indéfinis masculins et féminins

	Masculin	Féminin
Singulier	*un (un chico)*	*una (una chica)*
Pluriel	*unos (unos chicos)*	*unas (unas chicas)*

■ Comme pour l'article défini, on emploie l'article indéfini masculin singulier devant un nom féminin singulier commençant par ***a***- ou ***ha***- toniques : *un hambre* (une faim).

2. Emploi de l'article indéfini

■ L'article indéfini est employé lorsque le nom qu'il détermine est accompagné d'éléments qui le précisent :

*Recibe **una** ayuda simbólica de cien euros.* (U3, p. 62)
Elle reçoit une aide symbolique de cent euros.

3. Cas de non-emploi de l'article indéfini

■ Les articles indéfinis n'accompagnent pas obligatoirement les noms :

*Tengo derecho a **tener vida social**, a **tener amigos**.* (U1, p. 21) J'ai le droit d'avoir une vie sociale, des amis.

■ L'espagnol n'emploie pas l'article indéfini devant ***igual, medio, otro, semejante, tal*** :

*Mi tío Juan, **otro** de mis infinitos parientes.* (U2, p. 42)
Mon oncle Jean, un autre de mes innombrables parents.
*No le había mostrado nunca su imaginación **semejante** portento.* (U5, p. 112) Son imagination ne lui avait jamais montré pareille merveille.

C. Les partitifs

■ L'espagnol ne rend pas le partitif français « du », « de la », « des » :

Tengo trabajo. (U2, p. 36) J'ai du travail.

D. Le neutre lo

■ Pour donner une valeur de substantif à un adjectif, l'espagnol emploie ***lo*** :

*Era la representación de **lo** maravilloso.* (U5, p. 112)
C'était la représentation du merveilleux.
***Lo** único que quiero, es cumplir 18 años.* (U1, p. 21)
La seule chose que je veux, c'est avoir 18 ans.

■ On peut aussi traduire ***lo*** par « ce qui est » :

***Lo** importante es participar.* (U1, p. 16)
Ce qui est important, c'est de participer.

7 La numération

A. Les numéraux cardinaux

0 *cero*	8 *ocho*	16 *dieciséis*	24 *veinticuatro*	40 *cuarenta*	101 *ciento uno*	900 *novecientos(as)*
1 *uno*	9 *nueve*	17 *diecisiete*	25 *veinticinco*	41 *cuarenta y uno*	200 *doscientos(as)*	1 000 *mil*
2 *dos*	10 *diez*	18 *dieciocho*	26 *veintiséis*	50 *cincuenta*	300 *trescientos(as)*	1 001 *mil uno*
3 *tres*	11 *once*	19 *diecinueve*	27 *veintisiete*	60 *sesenta*	400 *cuatrocientos(as)*	2 000 *dos mil*
4 *cuatro*	12 *doce*	20 *veinte*	28 *veintiocho*	70 *setenta*	500 *quinientos(as)*	10 000 *diez mil*
5 *cinco*	13 *trece*	21 *veintiuno*	29 *veintinueve*	80 *ochenta*	600 *seiscientos(as)*	100 000 *cien mil*
6 *seis*	14 *catorce*	22 *veintidós*	30 *treinta*	90 *noventa*	700 *setecientos(as)*	1 000 000 *un millón*
7 *siete*	15 *quince*	23 *veintitrés*	31 *treinta y uno*	100 *ciento (cien)*	800 *ochocientos(as)*	100 000 000 *cien millones*

■ La conjonction **y** ne s'emploie qu'entre les dizaines et les unités : *ochenta **y** tres*. De 16 à 29, l'usage fait que les formes contractées sont privilégiées : *dieciséis*,...

*Tengo **diecinueve** años.* (U1, p. 22) J'ai 19 ans.

■ ***Uno*** s'apocope en ***un*** devant un nom masculin ; il devient ***una*** devant un nom féminin : *treinta y **un** capítulos; veinti**una** páginas.*

Un** número **uno (U1, p. 15) Un numéro 1.

■ ***Ciento*** s'apocope en ***cien*** devant un nom et devant ***mil*** :

***Cien** euros mensuales* (U3, p. 62)
Cent euros mensuels.

■ À partir de 200, les centaines s'accordent avec le nom qui suit ou qui est sous-entendu : *trescient**as** personas.*

***Cuatrocientos** noventa euros para la matrícula.* (U3, p. 62) 490 euros pour l'inscription.

■ ***Mil*** peut se mettre au pluriel lorsqu'il a la valeur d'un substantif (« des milliers ») :

***Miles** de personas desfilan.* (U2, p. 41)
Des milliers de personnes défilent.

B. Les numéraux ordinaux

primero segundo tercero cuarto quinto sexto
séptimo octavo noveno décimo undécimo duodécimo...

*La **tercera** edad.* (U3, p. 62) Le troisième âge.

■ ***Primero*** et ***tercero*** s'apocopent en ***primer*** et ***tercer*** devant un nom masculin singulier :

***Primer** intento, **segundo** intento, **tercer** intento, **cuarto** intento, **quinto** intento.* (U1, p. 16)
Première tentative, deuxième tentative, troisième tentative, quatrième tentative, cinquième tentative.

■ Au-delà de ***décimo***, le numéral cardinal est préféré à l'ordinal : *José I [primero], Carlos V [quinto], Fernando VII [séptimo], Alfonso XIII [trece].*

C. Les pourcentages

■ Les pourcentages sont précédés d'un article masculin singulier ; de ce fait, le verbe qui les accompagne doit être au singulier :

__El 95%__ de los jóvenes españoles confies__a__ que nunca sale sin su "smartphone". (U1, p. 18)
95 % des jeunes Espagnols avouent ne jamais sortir sans leur « smartphone ».

D. L'expression de l'heure

■ La notion de l'heure s'exprime avec l'article défini féminin, le mot ***hora(s)*** étant sous-entendu : *es la una* [hora]; *son las dos* [horas].

*Les dejan volver a casa a **la una** de la mañana.* (U1, p. 21) On les laisse rentrer à 1 heure du matin.

8 Les indéfinis

A. Les adjectifs indéfinis

■ Les adjectifs indéfinis fournissent des informations sur la quantité, l'intensité et l'identité du nom qu'ils déterminent.

■ **Attention :** le français peut utiliser des adverbes alors que l'espagnol utilise des adjectifs qui s'accordent en genre et en nombre avec le substantif – explicite ou implicite – qu'ils déterminent.

1. La notion de quantité

■ ***Poco(s), poca(s)*** = peu de
__Poco__ trabajo. Peu de travail.

■ ***Alguno(s), alguna(s)*** = quelque(s)
__Algunas__ mujeres. (U2, p. 44) Quelques femmes.

■ ***Ninguno, ninguna*** = aucun, aucune
__Ningún__ club de lectura. (U1, p. 15) Aucun club de lecture.

• Au singulier, ***alguno*** et ***ninguno*** s'apocopent. (→ Précis 15)

■ ***Bastante(s)*** = assez de
__Bastantes__ explicaciones. Assez d'explications.

■ ***Demasiado(s), demasiada(s)*** = trop de
__Demasiadas__ casas. Trop de maisons.

■ ***Mucho(s), mucha(s)*** = beaucoup de, de nombreux, de nombreuses
__Mucha__ tecnología. (U1, p. 22) Beaucoup de technologie.

■ ***Todo(s), toda(s)*** = tout(tous), toute(s)
__Todos__ mis amigos llevan tatuajes. (U1, p. 21)
Tous mes amis ont des tatouages.

■ ***Varios(as)*** = plusieurs
__Varias__ veces. (U5, p. 106) Plusieurs fois.

■ ***Cierto(s), cierta(s)*** = certain(s), certaine(s)
__Ciertas__ plazas. (U2, p. 42) Certaines places.

■ ***Tanto(s), tanta(s)*** = tant de
__Tanta__ energía. (U6, p. 138) Tant d'énergie.

■ ***Cada*** = chaque
__Cada__ día. (U1, p. 18) Chaque jour.

• ***Cada*** + nom peut se traduire aussi par « tous les », « toutes les » pour exprimer la fréquence d'une action :
*Una alineación de planetas que se repide **cada** veintiséis mil años.* (U5, p. 106) Un alignement de planètes qui se repète tous les 26,000 ans.

2. La notion d'identité ou d'appartenance

■ ***Cualquiera*** = n'importe quel, quelle
__Cualquier__ proyecto. (U3, p. 66) N'importe quel projet.

• Au singulier ***cualquiera*** s'apocope. (→ Précis 15)

■ ***Otro(s) , otra(s)*** = un autre, une autre, d'autres
__Otro__ tema. (U3, p. 60) Un autre sujet.

■ ***Mismo(s), misma(s)*** = même(s)
*Usan la **misma** arma.* (U1, p. 18)
Ils utilisent la même arme.

■ ***Propio(s), propia(s)*** = propre(s), même(s)
*Reconoció su **propia** derrota.* (U2, p. 36)
Il reconnut sa propre défaite.

■ **Attention :** certains de ces mots peuvent être aussi adverbes en espagnol et, de ce fait, ils sont invariables (→ Précis 40.F) :

B. Les pronoms indéfinis

■ Les déterminants indéfinis peuvent être utilisés sans que le nom qu'ils déterminent, de façon plus ou moins explicite, soit exprimé :

uno(s), una(s)	***ambos(as)***	***cualquiera***
alguno(s), alguna(s)	***otro(s), otra(s)***	***todo(s), toda(s)***
ninguno(a)		

__Todo__ es nuevo. (U1, p. 22) Tout est neuf.
__Algunos__ le llaman el señor ONG. (U3, p. 59)
Certains l'appellent Monsieur ONG.

■ Le pronom indéfini ***alguien*** (quelqu'un) a un pendant négatif avec ***nadie*** (personne) et le pronom indéfini ***algo*** (quelque chose) a un pendant négatif avec ***nada*** (rien).

• **Attention : *Alguien*** et ***nadie*** ne peuvent désigner que des personnes.
*No hay la posibilidad de que **alguien** se endeude.* (U3, p. 65) Il n'est pas possible que quelqu'un s'endette.
__Nadie__ hubiera dicho. (U7, p. 158) Personne n'aurait dit.
*¿Es **algo** urgente?* (U6, p. 132)
C'est quelque chose d'urgent?
__Nada__ se tira. (U8, p. 172) On ne jette rien.

■ Lorsque le pronom ***todo*** est employé comme un complément d'objet direct, il est normalement accompagné du pronom neutre ***lo*** pour lequel s'applique la règle de l'enclise (→ Précis 31) :
*Quiere saber**lo todo.*** (U5, p. 108) Il veut tout savoir.

9 Les possessifs

A. Les adjectifs possessifs

■ Les adjectifs possessifs s'accordent en genre et en nombre avec le nom qu'ils introduisent :

	Singulier	Pluriel
1res personnes	*mi*	*mis*
	nuestro *nuestra*	*nuestros* *nuestras*
2es personnes	*tu*	*tus*
	vuestro *vuestra*	*vuestros* *vuestras*
3es personnes	*su*	*sus*

Nuestros orígenes. (U3, p. 66) Nos origines.
Mi cultura, tus ideas. (U1, p. 21) Ma culture, tes idées.

■ Un nom suivi d'une forme tonique peut être précédé par un autre déterminant ; cette tournure peut avoir alors une valeur affective ou d'insistance :

Un compatriota suyo. (U3, p. 62) Un compatriote à lui.

B. Les pronoms possessifs

■ Les pronoms possessifs, précédés ou non de l'article, s'accordent en genre et en nombre avec le substantif auquel ils se rapportent :

	Singulier	Pluriel
1res personnes	*mío* *mía*	*míos* *mías*
	nuestro *nuestra*	*nuestros* *nuestras*
2es personnes	*tuyo* *tuya*	*tuyos* *tuyas*
	vuestro *vuestra*	*vuestros* *vuestras*
3es personnes	*suyo* *suya*	*suyos* *suyas*

■ Les pronoms possessifs peuvent être précédés d'un article défini :

***La suya** es una de las historias reales sobre los éxitos.* (U3, p. 66) Son histoire, c'est l'une de ces histoires vraies sur les succès.

10 Les démonstratifs

■ Les adjectifs et les pronoms démonstratifs se répartissent en trois grands groupes, en fonction de l'éloignement dans le temps, dans l'espace et par rapport à la personne.

■ Les pronoms démonstratifs ont la même forme que les adjectifs (cf. nouvelle règle d'accentuation → Précis 2.C).

***Este** le había regalado uno de los trajes de luces.* (U2, p. 42) Celui-ci lui avait offert un des habits de lumière.

*¿Por qué no habrían derruido todo vestigio de **aquella religión**?* (U4, p. 90) Pourquoi n'auraient-ils pas détruit tous les vestiges de cette religion ?

■ D'autres emplois – à valeur laudative ou péjorative – sont rattachés aux démonstratifs ***ese(os), esa(s), aquel(los), aquella(s)***. Ils permettent ainsi de nuancer un discours en exprimant la volonté de magnifier ou, au contraire, de rejeter :

	Masculin		Féminin	
	Singulier	Pluriel	Singulier	Pluriel
aquí / yo / temps présent	**este**	**estos**	**esta**	**estas**
ahí / tú / passé ou futur proches	**ese**	**esos**	**esa**	**esas**
allí / él / passé ou futur très éloignés	**aquel**	**aquellos**	**aquella**	**aquellas**

***Esos** muchachos no quieren parecerse a la gente como tú.* (U9, p. 196) Ces jeunes-là ne veulent pas ressembler aux gens comme toi.
***Esa** joya que es Acho, la plaza de Toros.* (U2, p. 42) Ce bijou que sont les arènes d'Acho.
***Aquellas** horas épicas.* (U2, p. 36) Ces heures épiques.

■ Les démonstratifs ***este(os), esta(s)*** sont généralement employés par le sujet qui s'exprime, au présent, pour désigner un élément proche :

*Han protestado **este** jueves.* (U2, p. 42)
Ils ont protesté ce jeudi.

■ Les démonstratifs ***ese(os), esa(s)*** sont généralement employés par un interlocuteur pour désigner un élément relativement éloigné dans l'espace et dans le temps. Ils permettent également d'introduire une distance par rapport à un autre interlocuteur :

***Ese** vestido se guardaba como una reliquia.* (U2, p. 42)
Ce vêtement était conservé comme une relique.

■ Les démonstratifs ***aquel(los), aquella(s)*** sont généralement employés par ou pour quelqu'un ou quelque chose n'intervenant pas dans la relation sujet-interlocuteur et établissent clairement une distance dans l'espace et le temps :

■ Il existe une forme neutre – ***esto, eso, aquello*** – obéissant aux mêmes valeurs que les adjectifs et les autres pronoms :

*Me dicen Lu, como si fuera china y **eso** me gusta.* (U1, p. 22) Ils m'appellent Lu, comme si j'étais chinoise et cela me plaît.
***Aquello** era La Habana.* (U9, p. 196)
C'était cela La Havane.

11 Les adjectifs qualificatifs

A. Le féminin des adjectifs qualificatifs

■ Les adjectifs qualificatifs se terminant par **-o** ont un féminin en **-a** : *nuevo* → *nueva.*

*Mi ambición secret**a**.* (U1, p. 22)
Mon ambition secrète.

■ Certains adjectifs qualificatifs se terminant par une consonne peuvent prendre un **-a** :

*La Liga Españo**la** de la Educación.* (U1, p. 22)
La Ligue Espagnole de l'Education.

■ **Attention :** une nouvelle syllabe se constituant, l'accent écrit qui pouvait se trouver au masculin sur la dernière syllabe disparaît naturellement au féminin : *musulmán* → *musulmana.*

■ Les autres adjectifs ont une forme commune au masculin et au féminin : *familiar, pobre, feliz.*

B. Le pluriel des adjectifs qualificatifs

■ Les adjectifs qualificatifs se terminant par une voyelle non accentuée ont un pluriel en **-s** : *content**o*** → *content**os**, content**a*** → *content**as**, libre* → *libr**es**.*

*Amplio**s** sombreros.* (U2, p. 44) De larges chapeaux.

■ Les adjectifs qualificatifs se terminant par une consonne ou une voyelle accentuée ont un pluriel en **-es**.

*Los guías oficial**es**.* (U5, p. 112) Les guides officiels.

■ Les adjectifs se terminant par un **-z** ont un pluriel en **-ces** : *capaz* → *capa**ces**.*

12 Les comparatifs

■ Les comparatifs établissent des rapports de supériorité, d'infériorité ou d'égalité.

- Le comparatif de supériorité s'exprime avec ***más… que***

*La rapidez es **más** determinante **que** el contenido.* (U1, p. 18) La rapidité est plus importante que le contenu.

- Le comparatif d'infériorité s'exprime avec ***menos… que***

*La rapidez es **menos** determinante **que** el contenido.*
La rapidité est moins importante que le contenu.

- Le comparatif d'égalité s'exprime avec ***tan… como***

*La ciudad soportó los asaltos de piratas **tan** infames **como** Robert Baal.* (U6, p. 137)
La ville subit les assauts de pirates aussi infames que Robert Baal.

*Nunca he visto un país **tan** fanático **como** España.* (U2, p. 41) Je n'ai jamais vu un pays aussi fanatique que l'Espagne.

■ **Attention :** Le « que » français du comparatif d'égalité se traduit en espagnol par ***como***.

■ Il existe des adjectifs comparatifs de forme propre qui s'accordent en nombre avec le nom qu'ils déterminent :

- ***mejor*** (mieux, meilleur) ≠ ***peor*** (pire)
- ***mayor*** (plus grand) ≠ ***menor*** (plus petit)

*La **mejor** nota.* (U1, p. 15) La meilleure note.

13 Les superlatifs

A. Les superlatifs relatifs

■ Les superlatifs relatifs de supériorité : ***el más, la más, los más, las más.***

■ Les superlatifs d'infériorité : ***el menos, la menos, los menos, las menos.***

■ **Attention :** contrairement au français, l'article employé devant le nom n'est pas répété devant l'adjectif ; l'article n'est employé que lorsque ce nom est éloigné :

***La urbe más importante** de todo el Caribe.* (U6, p. 132)
La ville la plus importante des Caraïbes.

*Aquellas horas épicas resultaban ser **las más adecuadas**.* (U2, p. 36) Ces heures épiques étaient les plus à propos.

B. Les superlatifs absolus

■ Le superlatif ***muy*** (« très ») sert à intensifier ou à nuancer un adjectif ou un adverbe :

*Un chico mexicano **muy** agradable.* (U3, p. 62)
Un jeune Mexicain très agréable.

■ Pour signifier l'intensité ou l'excellence, l'espagnol emploie également assez fréquemment le suffixe ***-ísimo(s), -ísima(s)*** qui s'ajoute à l'adjectif lorsque celui-ci se termine par une consonne : *difícil* → *dificilísimo(a)* ou remplace la voyelle finale : *cansado(a)* → *cansadísimo(a).* Ce superlatif est proche de ***muy*** + adjectif :

*Es important**ísimo**.* (U8, p. 177) C'est très important.

- **Attention** à certains changements d'orthographe : *ri**c**o* → *ri**qu**ísimo, velo**z*** → *velo**c**ísimo.*

14 Les suffixes

A. Les diminutifs

■ Les diminutifs nuancent les mots auxquels ils se rattachent. Ils peuvent avoir une simple valeur diminutive, mais une valeur affective ou une valeur péjorative sont également souvent liées à leur emploi.

■ Parmi les très nombreux suffixes espagnols, les plus courants sont les diminutifs ***-ito/-ita, -illo/-illa, -uelo/-uela*** :

*Hola, **señorita** Peralta.* (U5, p. 108)
Bonjour Mademoiselle Peralta.
***Platillos** típicos.* (U2, p. 44) Des petits plats typiques.

■ Les diminutifs ont parfois une forme singulière :

*Las **callejuelas**. Un **cafetucho**.* (U6, p. 130)
Les ruelles. Une espèce de café.

B. Les suffixes

■ Les suffixes ***-azo, -ada*** indiquent un coup, dans une acception concrète ou abstraite.

*Tuvo una **corazonada**. Un simple **vistazo**.* (U4, p. 83)
Elle eut un coup au cœur. Un simple coup d'œil.

■ Les suffixes ***–acho*** ou ***–ucho*** ont une valeur essentiellement péjorative.

*Un viejo **cafetucho** desvencijado.* (U6, p. 130)
Un vieux café décrépi.

15 L'apocope

■ L'apocope est la chute, devant un nom masculin singulier, d'une voyelle ou d'une syllabe à la fin de certains mots comme ***grande, bueno, malo, uno, primero, tercero, alguno*** (quelque), ***ninguno*** (aucun), ***cualquiera*** (n'importe quel/quelle) :

*Ese **gran** desconocido.* (U7, p. 157) Ce grand inconnu.
*El **tercer** país europeo.* (U7, p. 157) Le troisième pays européen.

• **Attention :** l'apocope est facultative devant un nom féminin singulier mais l'usage tend à rendre systématique l'apocope des adjectifs ***grande*** et ***cualquiera***.

*Ha sido impresionante, de una **gran** belleza.* (U2, p. 44)
Cela a été impressionnant, d'une grande beauté.

■ Le sens de certains adjectifs peut varier selon qu'ils sont placés devant le nom (et s'apocopent) ou derrière le nom :

cualquier festival (n'importe quel festival) ;
un festival cualquiera (un festival quelconque).

■ Le cas de ***ciento***

• L'adjectif numéral ***ciento*** perd sa syllabe finale devant un nom ou devant ***mil*** ou ***millones*** : *cien mil, cien millones.*

***Cien** surtidores.* (U4, p. 86) Cent jets d'eau.

• En revanche, on dit : ***ciento dos, doscientos, quinientos...***

■ Le cas de ***tanto***

L'adverbe ***tanto*** s'apocope devant un adjectif.

*Un territorio **tan** vasto.* (U6, p. 138)
Un territoire aussi vaste.

■ Le cas de ***santo***

• L'adjectif ***santo*** s'apocope généralement devant un nom propre masculin : *San Pedro, San Juan, San Diego...*

*La iglesia de **San Miguel**.* (U4, p. 90)
L'église de San Miguel.

• Il existe quelques exceptions : *Santo Domingo, Santo Tomás, el santo Job* :

*Llegamos a la plaza de **Santo Domingo**.* (U6, p. 137)
Nous arrivâmes à la place Santo Domingo.

16 Les pronoms

A. Les pronoms personnels sujets

yo	***nosotros(as)***
tú	***vosotros(as)***
él, ella, usted	***ellos, ellas, ustedes***

■ **Attention :** les pronoms personnels sujets s'emploient avec une valeur d'insistance ou pour lever un doute.

***Yo** no las quiero.* (U1, p. 21) Moi, je ne les aime pas.

■ La 1re et la 3e personne de l'imparfait étant identiques, il est souvent nécessaire de préciser le pronom sujet : *yo / él / ella / usted.*

***Yo quedaba** abatido y **él trataba** de convencerme.* (U2, p. 36) J'étais déprimé et il essayait de me convaincre.

■ **Attention :** il existe un pronom neutre ***ello*** (« cela ») qu'il ne faut pas confondre avec le pronom masculin singulier ***él***.

B. Les pronoms personnels compléments

1. Les pronoms personnels compléments non introduits par une préposition

COD	COI	Réfléchi
me	*me*	
te	*te*	
lo,la	*le*	*se*
nos	*nos*	
os	*os*	
los, las	*les*	*se*

■ Les pronoms personnels compléments directs et indirects peuvent avoir une forme commune ou une forme différente suivant les personnes verbales.

***Lo** observa.* (U3, p. 59) Il l'observe.

*No **le** había mostrado nunca su imaginación semejante portento.* (U5, p. 112) Son imagination ne lui avait jamais montré pareille merveille.

■ **Attention :** l'enclise est obligatoire pour les pronoms compléments à l'infinitif, au gérondif et à l'impératif affirmatif (Précis → 31).

■ Lorsqu'un pronom indirect de 3e personne, ***le*** ou ***les***, se trouve devant un pronom direct de 3e personne, il prend la forme ***se*** :

Se lo han dicho. (U3, p. 59) On le lui a dit.

■ En espagnol, l'emploi du pronom personnel pour rendre l'idée de possession est systématique lorsque l'on parle du corps ou de ce que l'on porte sur soi :

*Aprovecha para **quitarse la camiseta.*** (U1, p. 15)
Il en profite pour enlever sa chemise.

2. Les pronoms personnels compléments introduits par une préposition

	Singulier	Pluriel
1re pers.	*mí*	*nosotros, nosotras*
2e pers.	*ti*	*vosotros, vosotras*
3e pers.	*él, ella, usted*	*ellos, ellas, ustedes*
réfléchis	*sí*	*sí*
neutre	*ello*	

*No oyó una puerta tras **ella.*** (U2, p. 44)
Elle n'entendit pas une porte derrière elle.

■ Avec la préposition ***con***, l'espagnol emploie des formes spéciales à la 1re et à la 2e personne du singulier : ***conmigo, contigo*** ainsi qu'à la forme réfléchie : ***consigo***.

*Quiero que juegues en el equipo, **conmigo.*** (U2, p. 36)
Je veux que tu joues dans l'équipe, avec moi.

C. Les pronoms relatifs

Parmi les pronoms relatifs :

■ ***Que*** est le pronom relatif le plus fréquemment employé.

*Lo único **que** quiero es cumplir 18 años.* (U1, p. 21)
La seule chose que je veux, c'est avoir 18 ans.

• ***El(los) que, la(s) que*** (celui/ceux qui, celle/celles qui) ainsi que ***lo que*** (ce que, ce qui) peuvent représenter des personnes ou des choses et être sujet ou complément :

*Se han hallado 50 cintas en **las que** la ciudad sirve como decorado.* (U4, p. 85) On a retrouvé 50 pellicules dans lesquelles la ville sert de décor.
***Lo que** sentía era una verdadera aversión.* (U2, p. 36)
Ce qu'il ressentait était une véritable aversion.

■ On trouve également les formes ***el/la cual, los/las cuales*** :

*El director de policía **al cual** estaba subordinado su departamento.* (U6, p. 132) Le directeur de la police duquel dépendait son service.

■ ***Quien(es)*** peut être sujet ou complément.

*Recuerda su director para **quien** la filmación fue muy complicada.* (U4, p. 85) Son directeur, pour qui le tournage fut très compliqué, s'en souvient.

■ ***Cuyo(os), cuya(as)*** sont des équivalents de « dont ». Ils s'accordent en genre et en nombre avec le nom qui les suit et excluent l'article devant ce nom :

*Civilizaciones **cuyos** templos hay que reconstruir con la imaginación.* (U5, p. 111) Des civilisations dont il faut reconstruire les temples grâce à notre imagination.

■ **Attention :** certains pronoms relatifs ont la même forme que les pronoms interrogatifs ou exclamatifs ; ces derniers se différencient par leur accent graphique. (→ Précis 4)

17 Le vouvoiement

■ En espagnol, le pronom sujet « vous » se traduit différemment selon que l'on s'adresse à une ou plusieurs personnes que l'on vouvoie individuellement ou à plusieurs personnes que l'on tutoie individuellement.

■ Le « vous » français se traduit par ***vosotros(as)*** pour s'adresser à plusieurs personnes que l'on tutoie individuellement. Il correspond à la 2e personne du pluriel.

*¿Cuánto tiempo **lleváis** en Donosti?* (U1, p. 17)
Cela fait combien de temps que vous êtes à Saint Sébastien ?

■ Il se traduit par ***usted/ustedes*** lorsqu'il correspond au « vous » de politesse pour s'adresser à une ou plusieurs personnes que l'on vouvoie.

Usted et ***ustedes*** correspondent aux 3e personnes du singulier et du pluriel.

*Ellos quieren que **usted forme** parte de la expedición.* (U5, p. 105) Ils veulent que vous fassiez partie de l'expédition.

■ Comme pour les autres pronoms sujets, ***usted*** et ***ustedes*** peuvent ne pas apparaître. Il faut donc les différencier par rapport aux autres 3e personnes du singulier (***él/ella***) et du pluriel (***ellos/ellas***) : ***sabe(n)*** peut se traduire par : il(s) sait(savent), elle(s) sait(savent), vous savez. (→ Précis 16A)

■ Attention à employer les pronoms compléments et les possessifs qui correspondent.

18 L'indicatif

A. Le présent

■ **Formation des verbes réguliers**

- Verbes en *-ar* : **-o, -as, -a, -amos, -áis, -an**
- Verbes en *-er* : **-o, -es, -e, -emos, -éis, -en**
- Verbes en *-ir* : **-o, -es, -e, -imos, -ís, -en**

  *Cuando aparec**en** las chicas, aprovech**a** para quitarse la camisa.* (U1, p. 15) Quand les filles apparaissent, il fait exprès d'enlever sa chemise.

B. Le futur

■ **Formation**

- Verbes en *-ar, -er, -ir* : infinitif + **-é, -ás, -á , -emos, -éis, án**

  *El AVE **será** un ejemplo.* (U7, p. 151)
  L'AVE sera un exemple.

■ **Attention** à la modification orthographique du radical de certains verbes :

Decir: **diré, dirás...** *Poner:* **pondré, pondrás...**
Haber: **habré, habrás...** *Salir:* **saldré, saldrás...**
Hacer: **haré, harás...** *Tener:* **tendré, tendrás...**
Poder: **podré, podrás...** *Venir:* **vendré, vendrás...**

__Podré__ vivir como me dé la gana. (U1, p. 21)
Je pourrai vivre comme j'en aurai envie.

C. Le passé composé

■ **Formation**

Haber au présent : **he, has, ha, hemos, habéis, han** + participe passé (→ Précis 22)

*El "smartphone" **ha revolucionado** la forma de comunicarse.* (U1, p. 18) Le "smartphone" a révolutionné la façon de communiquer.

■ Le passé composé présente une action commencée dans le passé qui se prolonge dans le présent et n'est pas considérée comme terminée.

*Su « smartphone » **se ha convertido en** un compañero inseparable.* (U1, p. 18) Leur « smartphone » est devenu un compagnon inséparable.

■ **Attention :** contrairement au français qui a deux auxiliaires (« être » et « avoir »), l'espagnol n'a qu'un seul auxiliaire : ***haber*** et le participe qui l'accompagne est toujours invariable.

D. L'imparfait

■ **Formation**

- Pour les verbes en *-ar* : radical + **-aba, -abas, -aba, -ábamos, -abais, -aban**
- Pour les verbes en *-er* et *-ir* : radical + **-ía, -ías, -ía, -íamos, -íais, -ían**

  *Elena observ**aba** desde la ventana.* (U2, p. 44)
  Elena observait depuis la fenêtre.

■ **Attention** aux imparfaits irréguliers :

- *ir:* **iba, ibas, iba, íbamos, ibais, iban**
- *ser:* **era, eras, era, éramos, erais, eran**
- *ver:* **veía, veías, veía, veíamos, veíais, veían**

■ Comme en français, l'imparfait est employé pour évoquer une action ou un état dans le passé qui s'inscrit dans la durée, la continuité ou l'habitude :

*La música y el murmullo de los invitados ofrec**ían** un aire festivo.* (U2, p. 44) La musique et le murmure des invités donnaient un air de fête.

■ Emploi particulier : Lorsque les verbes ***deber*** ou ***poder*** à l'imparfait sont suivis d'un infinitif passé, ils ont la valeur d'un conditionnel passé.

__Podían haber proyectado__ la construcción de una gran catedral. (U4, p. 90) Ils auraient pu envisager la construction d'une grande cathédrale.

E. Le passé simple

■ **Formation des verbes réguliers**

- Pour les verbes en *-ar* : **-é, -aste, -ó, -amos, -asteis, -aron**
- Pour les verbes en *-er* et *-ir* : **-í , -iste, -ió, -imos, -isteis, ieron**

  *Protest**ó** Sara. Le pareci**ó** que encajaba con las exigencias.* (U4, p. 83) Sarah protesta. Il lui sembla qu'elle correspondait aux exigences.

■ **Les passés simples irréguliers**

Certains verbes ont un passé simple irrégulier avec une 1re personne et une 3e personne du singulier dont l'accent tonique tombe sur le radical :

Hacer: **hice, hiciste, hizo, hicimos, hicisteis, hicieron** [*querer:* **quise...**, *venir:* **vine...**]
Saber: **supe, supiste, supo, supimos, supisteis, supieron** [*andar:* **anduve...**, *estar:* **estuve...**, *poder:* **pude...**, *poner:* **puse...**, *tener:* **tuve...**]
Traer: **traje, trajiste, trajo, trajimos, trajisteis, trajeron** [*decir:* **dije...**]
Ser/ir: **fui, fuiste, fue, fuimos, fuisteis, fueron**

*__Fueron__ los supuestos vencidos los que **hicieron** prevalecer su cultura.* (U4, p. 89) Ce furent les supposés vaincus qui firent prévaloir leur culture.

■ Le passé simple est employé pour une action terminée s'inscrivant dans un passé proche ou lointain.

*Se **produjo** un curioso fenómeno que **supuso** una inversión de tales roles.* (U4, p. 89) Un curieux phénomène se produisit qui supposa une inversion de ces rôles.

■ **Attention** : en espagnol, le passé simple s'emploie beaucoup plus fréquemment qu'en français, dès lors qu'une action n'a pas d'incidence dans le présent :

*Vengo de una familia platuda, quiero decir que **fui** la primera en llegar a clases con un iPod.* (U1, p. 22) Je viens d'une famille aisée, je veux dire que j'ai été la 1re à arriver en cours avec un iPod.

F. Le plus-que-parfait

■ **Formation**

Haber à l'imparfait + participe passé (→ Précis 22)

■ Le plus-que-parfait évoque une action antérieure à un événement annoncé par le passé simple.

■ **Attention :** comme pour le passé composé, le seul auxiliaire espagnol est ***haber*** et le participe qui l'accompagne est toujours invariable :

*La capital **se había convertido** en la urbe más importante del Caribe.* (U6, p. 132) La capitale était devenue la ville la plus importante des Caraïbes.

19 Le conditionnel

■ Formation du conditionnel présent

• Verbe à l'infinitif + ***-ía, -ías, -ía, -íamos, -íais, -ían***

• La terminaison est la même pour tous les verbes mais comme pour le futur, le radical de certains verbes est modifié : *decir* → ***diría***, *haber* → ***habría***, *hacer* → ***haría***, *poder* → ***podría***, *poner* → ***pondría***, *tener* → ***tendría***, *venir* → ***vendría***.

• **Attention :** le conditionnel du verbe ***querer*** (***querría***) est très peu usité. Il est généralement remplacé par l'imparfait du subjonctif (***quisiera***).

■ Emploi

Le conditionnel exprime une action en devenir, une éventualité ou une supposition :

*Se **diría** que..., **habrían** de alzarse la catedral, el palacio...* (U6, p. 130)
On dirait que..., la cathédrale, le palais devraient s'élever...

■ Formation du conditionnel passé (valeur d'antériorité et de virtualité) : auxiliaire ***haber*** au conditionnel + participe passé. (→ Précis 22)

■ Attention : comme pour le passé composé et le plus-que-parfait, le seul auxiliaire espagnol est ***haber*** et le participe qui l'accompagne est toujours invariable.

20 Le subjonctif

A. Les présents réguliers

■ Formation

• Pour les verbes en ***-ar*** : ***-e, -es, -e, -emos, -éis, -en***

• Pour les verbes en ***-er*** et ***-ir*** : ***-a, -as, -a, -amos, -áis, -an***

*Quiero que **juegues** en el equipo.* (U2, p. 36)
Je veux que tu joues dans l'équipe.

B. Les présents irréguliers

Certains verbes ont un présent du subjonctif irrégulier :
Haber: ***haya, hayas, haya, hayamos, hayáis, hayan***
Hacer: ***haga, hagas, haga, hagamos, hagáis, hagan***
Ir: ***vaya, vayas, vaya, vayamos, vayáis, vayan***
Mais aussi : *decir:* ***diga...***; *saber:* ***sepa...***; *tener:* ***tenga...***; *venir:* ***venga...***;

*Quieren que **vaya** enviando un resumen televisado.* (U5, p. 105) Ils veulent que vous envoyiez un résumé télévisé.

C. L'imparfait

■ Formation

• Il existe deux formes de subjonctif imparfait : une forme en ***-ra***, une forme en ***-se***.

• Il se forme à partir de la 3e personne du pluriel du passé simple.

• Pour les verbes en ***-ar*** : ***-ara, -aras, -ara, -áramos, -arais, -aran***
-ase,- ases,- ase, -ásemos, -aseis,-asen

• Pour les verbes en ***-er*** et ***-ir*** :
-iera, -ieras, -iera, -iéramos, -ierais, -ieran
-iese, -ieses, -iese, -iésemos, -ieseis, -iesen

*Hicieron que los vencedores **asumieran** la estética de vencidos.* (U4, p. 89)
Ils firent en sorte que les vainqueurs assument l'esthétique des vaincus.

■ La 3e personne du pluriel des passés simples irréguliers sert également à former l'imparfait du subjonctif :
haber: ***hubieron*** → ***hubiera/hubiese***
ir: ***fueron*** → ***fuera/fuese***
poder: ***pudieron*** → ***pudiera/pudiese***
querer: ***quisieron*** → ***quisiera/quisiese***

D. Le plus-que-parfait

■ Formation

Haber à l'imparfait du subjonctif + participe passé :

*Nadie **hubiera dicho** que la catedral albergaría el fondo del mar.* (U7, p. 158) Personne n'aurait dit que la cathédrale abriterait le fond de la mer.

E. Emplois particuliers du subjonctif

■ Le subjonctif peut être employé dans une proposition principale, notamment après un adverbe de doute. (→ Précis 41)

*Posiblemente **fuera** El Cuzco la ciudad en que con mayor claridad **pudiera** advertirse el choque de dos mundos.* (U6, p. 130) Cuzco était sans doute la ville où l'on pouvait voir le plus clairement le choc de 2 mondes.

■ Le subjonctif est employé dans une proposition subordonnée lorsque le verbe de la principale est au futur ou au conditionnel. (→ Précis 26).

■ Le subjonctif dans une proposition subordonnée peut être rendu en français par un futur ou un conditionnel :

*Podré vivir como me **dé** la gana.* (U1, p. 21)
Je pourrai vivre comme j'en aurai envie.

21 Les impératifs

■ Pour exprimer l'ordre et la défense, l'espagnol a deux formes d'impératif :

• l'impératif d'ordre, affirmatif (appelé aussi positif), formé sur le subjonctif, sauf aux 2e personnes du singulier et du pluriel ;

• l'impératif de défense, négatif, formé uniquement sur le subjonctif.

■ Les irrégularités des verbes au subjonctif se retrouvent donc à l'impératif.

■ Les impératifs espagnols comptent cinq personnes à cause des trois formes de « vous » : ***usted, vosotros(as), ustedes.***

A. L'impératif affirmatif

Formation

	Verbes en -**ar**	Verbes en -**er**	Verbes en -**ir**
tú	*trabaja*	*aprende*	*vive*
usted	*trabaje*	*aprenda*	*viva*
nosotros,as	*trabajemos*	*aprendamos*	*vivamos*
vosotros,as	*trabajad*	*aprended*	*vivid*
ustedes	*trabajen*	*aprendan*	*vivan*

***Enjuga** el llanto.* (U4, p. 86) Sèche tes larmes!

Certaines 2e personnes du singulier ont des formes irrégulières :
decir: ***di****; hacer:* ***haz****; ir:* ***ve****; poner:* ***pon****; salir:* ***sal****; ser:* ***sé****; tener:* ***ten****; venir:* ***ven****.*

***Ven** al Faro.* (U6, p. 132) Viens au Phare.

• **Attention :** l'enclise est obligatoire à l'impératif affirmatif. (→ Précis 31)

*¡**Vuélveme** a mi padre!* (U4, p. 86)
Rends-moi à mon père !

B. L'impératif négatif

Formation

	Verbes en -**ar**	Verbes en -**er** et -**ir**
tú	*no pienses*	*no permitas*
usted	*no piense*	*no permita*
nosotros,as	*no pensemos*	*no permitamos*
vosotros,as	*no penséis*	*no permitáis*
ustedes	*no piensen*	*no permitan*

***No** me atormentes.* (U4, p. 86) Ne me tourmente pas!

22 Le participe passé

Formation

• Pour les verbes en -**ar :** radical + -**ado**
• Pour les verbes en -**er** et -**ir :** radical + -**ido**
• **Attention :** certains verbes ont un participe passé irrégulier : *abrir:* ***abierto****; decir:* ***dicho****; escribir:* ***escrito****; ver:* ***visto****...*

*Nadie hubiera **dicho...** La capilla estaba **cubierta.*** (U7, p. 158) Personne n'aurait dit... La chapelle était couverte.

Lorsqu'il est employé avec l'auxiliaire **haber**, le participe passé est toujours invariable :

*Se **habían adueñado** de las noches de la calle.* (U9, p. 196) Ils s'étaient emparés des nuits de la rue.

Avec d'autres verbes ou lorsqu'il prend la valeur d'un adjectif, le participe passé s'accorde avec le sujet du verbe ou le substantif qu'il détermine :

*Es la energía **obtenida** del viento* (U8, p. 181)
C'est l'énergie obtenue grâce au vent.

23 Le gérondif

Formation

• Pour les verbes en -**ar** : radical + -**ando**
• Pour les verbes en -**er** et -**ir** : radical + -**iendo**

Le ***i*** de -**iendo** se change en -**y** lorsqu'il se trouve entre deux voyelles, c'est-à-dire lorsque le radical du verbe se termine par une voyelle : *cre**er*** → *cre**yendo**.*

*35 países, **incluyendo** Estados Unidos.* (U7, p. 157)
35 pays, en incluant les Etats-Unis.

Emplois

• L'action dans son développement

*Reparé en los viejos sentados en taburetes, **tomando** el fresco y **conversando** con los vecinos.* (U6, p. 137)
Je remarquai les vieux assis sur des tabourets, en train de prendre l'air et de discuter avec les voisins.

• L'action avec une valeur de manière

Le gérondif est souvent employé pour expliquer et préciser l'action énoncée par le verbe conjugué :

*Recorrió las callejuelas estrechas **buscando** restos del templo del Sol.* (U6, p. 130) Elle parcourut les ruelles étroites, cherchant les restes du temple du Soleil.

24 L'infinitif sujet réel

Pour l'espagnol, l'infinitif placé derrière un verbe conjugué peut être également le sujet réel, ce qui explique qu'il n'y ait pas de préposition *de* comme en français.

*Es mucho más lógico **sacar** arena que esté cercana a Cancún.* (U8, p. 175)
Il est beaucoup plus logique d'enlever du sable qui soit proche de Cancún.

25 L'irrégularité du radical de certains verbes

A. L'irrégularité de certains verbes aux présents

■ L'irrégularité du radical de la 1re personne du singulier de l'indicatif de certains verbes se retrouve à toutes les personnes du subjonctif présent :
caer: ***caigo*** → ***caiga****; decir:* ***digo*** → ***diga****; hacer:* ***hago*** → ***haga****; poner:* ***pongo*** → ***ponga****; salir:* ***salgo*** → ***salga****; tener:* ***tengo*** → ***tenga****; traer:* ***traigo*** → ***traiga****; venir:* ***vengo*** → ***venga****...*

Me ***pongo*** *una hora, no* ***tengo*** *un método.* (U1, p. 15) Je travaille pendant une heure, je n'ai pas de méthode.

■ Verbes avec une 1e personne se terminant par -**oy** :
Dar : ***doy, das, da, damos, dais, dan***
Estar : ***estoy, estás, está, estamos, estáis, están***
Ir : ***voy, vas, va, vamos, vais, van***
Ser : ***soy, eres, es, somos, sois, son***

Soy *de Cádiz.* (U1, p. 17) Je suis de Cadix.

B. Les verbes qui diphtonguent *: e → ie (pensar) ; o → ue (poder)*

■ Le **e** et le **o** du radical tonique de certains verbes se transforment respectivement en ***ie*** et ***ue***, au présent de l'indicatif et au présent du subjonctif, généralement aux trois personnes du singulier et à la 3e personne du pluriel.
*Pensar: p**ie**nso, p**ie**nsas, p**ie**nsa, pensamos, pensáis, p**ie**nsan.*
*Poder: p**ue**do, p**ue**des, p**ue**de, podemos, podéis, p**ue**den.*

Quiero *que juegues en el equipo.* (U2, p. 36)
Je veux que tu joues dans l'équipe.

• **Attention :** ces diphtongues se retrouvent à l'impératif.

■ La diphtongue n'empêche pas d'autres irrégularités :
*Tener: tengo, t**ie**nes, t**ie**ne, tenemos, tenéis, t**ie**nen*

C. Les verbes à affaiblissement : *e → i ; o → u*

■ Certains verbes comme ***pedir, seguir, servir, repetir, gemir*** ont un **e** au radical qui se change en ***i*** à certaines personnes et à certains temps :

• Présent de l'indicatif : *s**i**rvo, s**i**rves, s**i**rve, servimos, servís, s**i**rven*
• Présent du subjonctif : *s**i**rva, s**i**rvas, s**i**rva, s**i**rvamos, s**i**rváis, s**i**rvan*
• Passé simple : *serví, serviste, s**i**rvió, servimos, servisteis, s**i**rvieron*
• Participe présent : *s**i**rviendo*

Pide *su trago.* (U2, p. 39) Il demande à boire.
Elena ***siguió*** *visitando.* (U5, p. 108) Elena continua de visiter.

■ Seul le verbe ***podrir*** subit un affaiblissement dans les mêmes conditions.

D. Les modifications orthographiques : *z → c, g → gu* devant un e

■ Un certain nombre de verbes subissent une modification orthographique du radical afin de conserver le son de la consonne finale.

■ Lorsque l'on ajoute un **e** après un **z**, celui-ci se change en **c** ; c'est le cas des verbes comme *comen**zar*** qui, au subjonctif présent et à la 1re personne du prétérit prennent un **c** :
• Présent du subjonctif : *comien**c**e, comien**c**es, comien**c**e, comen**c**emos, comen**c**éis, comien**c**en*
• Passé simple : *comen**cé**, (comenzaste, comenzó, comenzamos, comenzasteis, comenzaron)*

■ Lorsque l'on ajoute un **e** après un **g**, on intercale un ***u*** ; c'est le cas des verbes comme *pa**gar*** au subjonctif présent et à la première personne du prétérit.

Présent du subjonctif : *pa**gu**e, pa**gu**es, pa**gu**e, pa**gu**emos, pa**gu**éis, pa**gu**en*
Passé simple : *pa**gué** (pagaste, pagó, pagamos, pagasteis, pagaron)*
*Quiero que jue**gues** en el equipo.* (U2, p. 36) Je veux que tu joues dans l'équipe.

26 Les subordonnées circonstancielles

■ Les subordonnées circonstancielles sont, comme en français, de temps, de manière, de cause, de condition, de comparaison et de concession. L'espagnol se différencie par l'emploi des modes : indicatif ou subjonctif, suivant la notion de réalité ou de non-réalité qu'il veut énoncer.

A. La subordonnée de temps

1. Action simultanée

■ L'action simultanée peut s'exprimer avec ***cuando*** :

Cuando *son las fiestas de su pueblo nosotros vamos a jugar allí.* (U2, p. 36)
Quand ce sont les fêtes de leur village, nous allons jouer là-bas.

■ La conjonction de subordination ***mientras*** permet d'exprimer une simultanéité :

¿De verdad...? –preguntó ***mientras*** *ponía (yo) en marcha la música.* (U7, p. 153) Vraiment? -demanda-t-elle pendant que je mettais la musique.

■ **Attention :** La simultanéité se rend également par ***al*** suivi de l'infinitif. (→ Précis 32)

2. Action antérieure à celle de la principale

■ L'action antérieure à la principale peut être exprimée par des locutions conjonctives comme ***desde que***, ***después (de) que*** :

Desde que comenzó la crisis, se han lanzado monedas sociales. (U3, p. 65) Depuis que la crise a commencé, des monnaies sociales sont apparues.

3. Action postérieure à celle de la principale

■ L'action postérieure à celle de la principale peut être exprimée par la locution conjonctive ***antes (de) que*** :

*Un siglo **antes de que** esto apareciese en Angloamérica.* (U6, p. 138) Un siècle avant que cela n'apparaisse en Amérique du Nord.

■ La locution conjonctive temporelle ***hasta que*** peut également annoncer une action postérieure à celle de la proposition principale :

*Apareció Ruth con la que espero compartir mi vivienda **hasta que** termine sus estudios.* (U3, p. 62) Est arrivée Ruth avec laquelle j'espère partager ma maison jusqu'à la fin de ses études.

B. La subordonnée de cause

■ La subordonnée de cause est introduite généralement par ***porque, ya que, puesto que*** :

*Comparte su vivienda **porque** sus cinco hijos están así más tranquilos.* (U3, p. 62) Elle partage sa maison parce que ses 5 enfants sont ainsi plus tranquilles.

C. La subordonnée de condition

■ Les subordonnées de condition sont introduites par les conjonctions et locutions conjonctives ***si, como, a menos que, a no ser que, con tal que, siempre que*** :

*Mi padre evitaba las multitudes **siempre que** podía.* (U2, p. 36) Mon père évitait la foule s'il le pouvait.

■ Avec une proposition principale au conditionnel présent ou passé, le verbe de la subordonnée se met au subjonctif imparfait ou plus-que-parfait :

***Si** el Descubridor **levantase** la cabeza no **daría** crédito.* (U6, p. 132) Si le Découvreur levait la tête, il n'en croirait pas ses yeux.

D. La subordonnée de comparaison avec *como si*

■ Après ***como si***, l'espagnol emploie l'imparfait ou le plus-que-parfait du subjonctif, quel que soit le temps employé dans la proposition principale :

*Los más cercanos me dicen Lu, **como si fuera** China.* (U1, p. 22) Mes proches m'appellent Lu, comme si j'étais chinoise.

*Ríe **como si yo hubiera preguntado** algo gracioso.* (U9, p. 202) Elle rit comme si j'avais demandé quelque chose d'amusant.

E. La subordonnée de but

■ La proposition subordonnée de but est introduite le plus souvent par ***para que*** suivi du subjonctif, comme en français :

*Son los encargados de hacer de canguros **para que** los padres puedan ir a trabajar.* (U3, p. 60) Ils sont chargés de garder les enfants pour que les parents puissent aller travailler.

■ **Attention** à la concordance des temps (→ Précis 28).

F. La subordonnée de concession

■ La subordonnée de concession est généralement introduite par la locution de subordination ***aunque*** qui peut être suivie d'un verbe à l'indicatif ou au subjonctif.

• ***Aunque*** suivi de l'indicatif introduit une notion de concession qui porte sur un fait réel ; il se traduit alors par « bien que » :

***Aunque** es una ciudad sin personalidad, hay lugares hermosos.* (U2, p. 42) Bien que ce soit une ville sans personnalité, il y a de beaux endroits.

• ***Aunque*** suivi du subjonctif exprime la concession sur un fait hypothétique et correspond au français « même si ».

*El Julián es un buen tipo, **aunque** trabaje allí.* (U3, p. 59) Julián est un type bien, même s'il travaille là-bas.

■ **Attention** à respecter la concordance des temps (→ Précis 28).

G. La subordonnée de conséquence avec *así que*

■ ***Así que*** (« aussi », « donc », « et donc ») de même que ***así pues*** + indicatif (« ainsi donc »), introduisent une conséquence en insistant sur son caractère évident, attendu, puisqu'elle fait suite à un évènement déjà présenté :

*Lo único que me apetece es irme de casa, **así que** ya sabes.* (U1, p. 21) La seule chose dont j'ai envie, c'est de partir de la maison et donc tu es prévenue.

27 Les propositions complétives et le choix des modes

A. Les propositions complétives à l'indicatif

■ Lorsque le verbe de la proposition principale introduit un fait réel ou annoncé comme tel, le verbe de la proposition complétive est à l'indicatif, comme en français :

Parece claro que los recientes descubrimientos ***imponen*** *nuevas investigaciones.* (U5, p. 105) Il semble évident que les découvertes récentes imposent de nouvelles recherches.

B. Les propositions complétives au subjonctif

■ Par contre, le choix du mode subjonctif dans une proposition complétive met en évidence une non-réalité ou une action qui s'inscrit dans un devenir.

No hay una legua de tierra que no ***pertenezca*** *al mapuche.* (U9, p. 199) Il n'y a pas un lopin de terre qui n'appartienne pas aux Mapuches.

■ Les verbes de conseil, de prière, de demande, d'ordre – ***aconsejar*** (conseiller de), ***rogar*** (prier de), ***pedir*** (demander de), ***impedir*** (empêcher de), ***mandar*** (demander/ordonner de), etc... –, introduisent très souvent une proposition complétive au subjonctif, à la place d'un infinitif, notamment lorsque les sujets sont différents – ce qui permet de différencier les personnes et de gagner en clarté (→ Précis 37) :

Barceló ***pidió*** *a los operarios que* ***bajaran*** *la inmensa cortina negra.* (U7, p. 158) Barceló demanda aux ouvriers de baisser l'immense rideau noir.

■ **Attention** à respecter la concordance des temps (→ Précis 28).

28 La concordance des temps

■ Lorsque dans une proposition subordonnée, le verbe est au mode subjonctif, le temps de ce verbe dépend du temps du verbe de la proposition principale, obéissant ainsi à la règle de la concordance de temps.

Proposition principale	Subordonnée au subjonctif
Présent Futur Passé composé	présent
Imparfait Plus-que-parfait Passé simple Conditionnel	imparfait ou plus-que-parfait

■ Si le verbe de la proposition principale est au présent, au futur ou au passé composé (dont l'auxiliaire est au présent), le verbe de la proposition subordonnée au subjonctif est au présent :

Quiero que juegues *en el equipo.* (U2, p. 36)
Je veux que tu joues dans notre équipe.

■ Si le verbe de la proposition principale est à l'imparfait, au plus-que-parfait, au passé simple ou au conditionnel, le verbe de la proposition subordonnée au subjonctif est à l'imparfait ou au plus-que-parfait :

Habían permitido que *la memoria musulmana* ***perviviese.*** (U4, p. 90) Ils avaient permis que la mémoire musulmane continue de vivre.

29 Ser et estar

A. Le verbe *ser*

■ Le verbe ***ser*** est utilisé pour exprimer une qualité essentielle, définir, caractériser :

Soy *de Cádiz,* ***soy*** *licenciada en Filología.* (U1, p. 17)
Je suis de Cadix, je suis licenciée en philologie.

■ La voix passive est formée avec le verbe ***ser*** suivi du participe passé qui s'accorde en genre et en nombre avec le sujet du verbe :

El estudio ***ha sido elaborado por*** *la Liga Española de la Educación.* (U1, p. 22) L'étude a été élaborée par la Ligue Espagnole de l'Éducation.

■ Le complément d'agent introduit par la préposition ***por*** peut être explicite ou non :

La energía eólica ***ha sido aprovechada*** *desde la antigüedad.* (U8, p. 181) L'énergie éolienne a été utilisée depuis l'Antiquité.

■ ***Ser*** est toujours employé avec des adjectifs comme : ***cierto, evidente, fácil, frecuente, imposible, improbable, indispensable, interesante, necesario, posible, preciso, probable...***

Es importante *conservar los palacios.* (U6, p. 135)
Il est important de conserver les palais.

B. Le verbe *estar*

■ Le verbe ***estar*** est employé pour exprimer une situation dans le temps ou l'espace :

Hemos estado en *Asturias.* (U1, p. 17)
Nous sommes allés en Asturies.

■ Le verbe ***estar*** est utilisé lorsqu'est privilégié le résultat d'une action ou pour décrire un état, souvent passager, correspondant à une circonstance et sans valeur de caractérisation :

La iglesia de San Miguel ***está edificada*** *sobre la primera mezquita.* (U4, p. 90) L'église de San Miguel est édifiée sur la première mosquée.
Estaba dormido. (U7, p. 153) Il était endormi.

■ ***Estar*** + gérondif rend l'idée de durée d'une action (→ Précis 30.A).

30 Aspects de l'action

A. La forme progressive

■ Le fait d'utiliser ***estar, ir*** ou ***seguir*** + gérondif, là où le francais emploie le plus souvent le seul verbe disant l'action, donne un aspect particulier à l'action.

• Aspect de durée : ***estar*** + gérondif
Está modernizando y embelleciendo la ciudad. (U9, p. 195) Il modernise et embellit la ville.

• Aspect dynamique, d'évolution : ***ir*** + gérondif
*Los delfines **van entrando** en la trampa.* (U8, p. 178) Les dauphins entrent dans le piège.

• Aspect de continuité : ***seguir*** (***continuar***) + gérondif
*La familia **sigue siendo** el pilar.* (U3, p. 60) La famille est toujours le pilier.

B. Les semi-auxiliaires

■ Des verbes comme ***andar, ir, llegar, parecer, quedar, resultar, seguir, traer, venir*** peuvent être employés à la place des verbes ***ser*** ou ***estar*** pour donner un sens plus précis aux adjectifs ou aux participes passés choisis et marquer plus précisément un aspect de l'action.
*__Resulta__ mucho más que **positivo**.* (U8, p. 181) C'est beaucoup plus que simplement positif.
__Van armados__. (U1, p. 18) Ils sont armés.

C. Le déroulement de l'action

■ L'aspect de commencement peut être donné par des verbes comme ***comenzar, empezar*** suivis des prépositions ***a, por*** ou d'un gérondif ou par des verbes comme ***ir a, echar a, romper a*** suivis de l'infinitif :
*__Va a__ hacer sesiones, **sale a** correr.* (U1, p. 15) Il va s'entraîner et part courir.

■ L'aspect de fin d'une action peut être rendu par des verbes comme ***acabar, terminar*** :
*Un mundo nuevo **acabó por** formarse en las Américas.* (U6, p. 138) Un monde nouveau finit par se former aux Amériques.

■ La répétition de l'action est rendue avec ***volver(ue) a*** + verbe à l'infinitif ou verbe + ***de nuevo/ otra vez :***
__Volver a__ empezar. (U3, p. 60) Recommencer.
*Ponía en marcha **de nuevo** la música.* (U7, p. 153) Je remettais la musique.

■ L'idée de fréquence et d'habitude peut être rendue par le verbe ***soler (ue)*** + inf :
*La primera imagen que **suele** acudir a la mente.* (U5, p. 111) La première image qui vient habituellement à l'esprit.

31 L'enclise

■ L'enclise consiste à placer le pronom personnel après le verbe et à le souder à lui : à l'infinitif, au gérondif, à l'impératif affirmatif.
*Para **recogerlos**.* (U5, p. 108) Pour les ramasser.
__Deteniéndose__ ante las vitrinas. (U5, p. 108) S'arrêtant devant les vitrines.
__Olvídelo__. (U9, p. 202) Oubliez cela !

■ Le verbe devant conserver son accentuation initiale, l'ajout d'une ou deux syllabes peut donc provoquer l'apparition d'un accent écrit. (→ Précis 2)

■ Lorsque deux pronoms se rapportent au verbe, l'ordre est le suivant : d'abord le pronom indirect, ensuite, le pronom direct. (→ Précis 16)

32 La simultanéité

■ ***Mientras*** « pendant que » introduit une notion de simultanéité temporelle qui s'inscrit dans la durée :
*¿De verdad...? –preguntó **mientras** ponía (yo) en marcha la música.* (U7, p. 153) Vraiment? – demanda-t-elle pendant que je mettais la musique.

• **Attention** à ne pas confondre ***mientras*** avec ***mientras que*** (« tandis que ») qui introduit une notion d'opposition.

■ ***Al*** + infinitif rend une notion temporelle avec une valeur de cause à effet. Il peut être remplacé par une proposition temporelle commençant par ***cuando*** :
*Es una oportunidad para que nuestros hijos, **al abrir** la ventana, respiren aire puro.* (U8, p. 172) C'est une opportunité pour que nos enfants puissent respirer de l'air pur lorsqu'ils ouvrent la fenêtre.

■ ***Al*** + infinitif est privilégié lorsque l'action énoncée a une conséquence plus immédiate (= gérondif, "dès que") :
*Los crustáceos, **al verse** libres, corrían apresuradamente hacia el agua.* (U8, p. 178) Les crustacés, dès qu'ils se sentaient libres, fonçaient vers l'eau.

33 L'obligation

■ L'obligation peut s'exprimer de façon impersonnelle ou de façon personnelle.

■ Certaines formes n'indiquent pas une personne determinée ; l'**obligation impersonnelle** peut être rendue par ***ser necesario /preciso /menester*** + infinitif, ***hacer falta*** + infinitif, ***haber que*** [au présent : ***hay que***] + infinitif :

*No **hay que** olvidar.* (U8, p. 177) Il ne faut pas oublier.

*Solo **hay que** ir detrás de los bulldozers para recogerlos.* (U5, p. 108) Il n'y a qu'à suivre les bulldozers pour les ramasser.

■ À l'exception de ***haber que*** toujours suivi d'un infinitif, il est possible de transformer les autres formes impersonnelles en formes personnelles en rajoutant le relatif ***que*** + verbe conjugué au subjonctif.

■ Certains verbes admettent la personne ; l'**obligation personnelle** peut alors être rendue par :

- ***tener que*** + infinitif
- ***deber*** + infinitif

***Debes entrar** en nuestra página de Facebook.* (U1, p. 20) Tu dois entrer sur notre page Facebook.

34 La négation

■ Pour que le verbe ait un sens négatif, il doit toujours être précédé d'une négation : ***no, nunca, jamás*** (jamais), ***nada*** (rien), ***nadie*** (personne), ***ninguno,a*** (aucun,e), ***ni / ni siquiera*** (même pas).

■ L'adverbe ***no*** est toujours avant le verbe. Il peut être employé seul pour nier l'ensemble de la phrase :

***No respetas** mi cultura.* (U1, p. 21)
Tu ne respectes pas ma culture.

■ ***No*** peut être aussi employé avec les autres termes négatifs placés après le verbe :

*Sin el móvil **no** son **nada.*** (U1, p. 18)
Sans leur portable, ils ne sont rien.

■ Si d'autres termes négatifs que ***no*** comme ***nunca, nada, nadie, ninguno,a, ni/ni siquiera*** sont placés avant le verbe, ***no*** disparaît.

***Nunca** sale sin su "smartphone".* (U1, p. 18)
Il ne sort jamais sans son "smartphone".

■ ***Nunca*** / ***jamás*** = ne... jamais

***Nunca** he compartido un dormitorio ni mi baño.* (U1, p. 22) Je n'ai jamais partagé ma chambre ni ma salle de bains.

■ ***Ni*** = ne – ni

Ni peut être employé seul ou faire partie de locutions qui accentuent la négation.

***Ni** en Córdoba **ni** en Sevilla hay un parque como el mío.* (U4, p. 86) Ni à Cordoue ni à Séville il y a un parc comme le mien.

■ ***Tampoco*** = non plus

■ ***Casi no*** = presque pas ***Ya no*** = ne plus

Pour ajouter une notion de restriction, ***no*** peut être employé avec ***casi*** ou ***ya*** ou d'autres mots ou groupes de mots :

***Ya no** necesitan ayuda.* (U1, p. 18)
Elles n'ont plus besoin d'aide

■ ***No... sino*** = ne... mais

Lorsqu'un élément ou une phrase sont négatifs et que l'adversatif "mais" implique l'opposition de deux éléments, ce "mais" ne se traduit pas par *pero* mais par ***sino.***

*Habíamos ido a ver **no** tanto la colección de muebles **sino** los medios puntos de vidrio.* (U6, p. 135) Nous étions allés voir non pas la collection de meubles mais les vitraux.

35 La tournure restrictive « ne... que »

■ Pour traduire l'idée de restriction donnée en français par la tournure « ne ...que », l'espagnol peut employer l'adverbe ***solo*** devant le verbe :

***Solo** hay que ir detrás de los bulldozers para recogerlos.* (U5, p. 108) Il n'y a qu'à suivre les bulldozers pour les ramasser.

■ Lorsque la restriction porte plus particulièrement sur une notion de qualité ou de quantité, le verbe peut être encadré par les locutions ***no... más que*** ou ***no... sino.*** Ces locutions qui permettent d'introduire une restriction à l'élément présenté en premier lieu, énoncent néanmoins une réalité, malgré l'emploi de ***no***.

36 La construction unipersonnelle des verbes comme *gustar, apetecer, encantar, costar, faltar, doler...*

■ Pour exprimer une opinion, une préférence ou un sentiment, on peut utiliser certains verbes à la 3e personne du singulier ou du pluriel selon l'élément généralement placé après le verbe et qui est, en fait, le sujet réel :

*Lo único que **me apetece** es cumplir 18 años.* (U1, p. 21)
La seule chose dont j'ai envie c'est d'avoir 18 ans.
***A mí no me gustan** tus ideas.* (U1, p. 21)
Moi, je n'aime pas tes idées.

37 Les verbes de demande

■ Il ne faut pas confondre le verbe « demander » (poser une question) traduit par ***preguntar*** et le verbe « demander » (ordonner) traduit par ***pedir*** + ***que*** + subj.

A. Le verbe *preguntar*

■ Le verbe ***preguntar*** – « demander » (poser une question) – permet de passer du style direct au style indirect :

*Te falta **preguntarme si** estudio o trabajo.* (U1, p. 17)
Il ne te reste plus qu'à me demander si je suis étudiante ou si je travaille.

■ Si le mot interrogatif porte un accent dans l'interrogation directe, il le garde dans l'interrogation indirecte. (→ Précis 4)

*No entienden **por qué** el viejo patrón no reconoce un sustituto.* (U9, p. 200) Ils ne comprennent pas pourquoi le vieux patron n'accepte pas d'être remplacé.

B. Le verbe *pedir*

■ Le verbe ***pedir*** – « demander » (ordonner) – se construit avec ***que*** + subjonctif.

*Barceló **pidió** a los operarios **que bajaran** la inmensa cortina negra.* (U7, p. 158) Barceló demanda aux ouvriers de baisser l'immense rideau noir.

■ D'autres verbes de demande comme ***decir, (im)pedir, ordenar, mandar, prohibir*** se construisent de la même manière.

■ **Attention** à la conjugaison du verbe ***pedir*** et à la règle de la concordance des temps (→Précis 25.C, 28).

38 Les verbes comme *permitir, decidir, determinar, conseguir, lograr...*

■ Certains verbes espagnols se construisent directement, sans préposition, contrairement à l'usage français : parmi ces verbes, ***permitir*** (permettre), ***decidir*** (décider), ***determinar*** (déterminer), ***conseguir*** (obtenir), ***lograr*** (arriver à), ***intentar/procurar*** (essayer de), ***proponer*** (proposer)...

*Tras **decidir** formar parte de este proyecto.* (U3, p. 62)
Après avoir décidé de participer à ce projet.
*Los paneles solares **permitirán** ahorrar dinero.* (U8, p. 172) Les panneaux solaires permettront d'économiser de l'argent.

39 Les prépositions

A. La préposition *a*

■ La préposition ***a*** précède un complément d'objet dans le cas où celui-ci est un être animé :

*Los nuevos mecenas financian **al** artista.* (U3, p. 66)
Les nouveaux mécènes financent l'artiste.

■ La préposition ***a*** s'emploie après un verbe de mouvement comme ***ir, salir, viajar, dirigirse...*** :

*Sale **a** correr.* (U1, p. 15) Il va courir.

■ La préposition ***a*** sert à localiser dans l'espace et dans le temps :

***A** la una de la mañana* (U1, p. 21) À 1 h du matin.

■ La préposition ***a*** introduit des compléments de verbes de perception :

*Huele **a** pescado.* (U2, p. 39) Cela sent le poisson.

■ La préposition ***a*** se trouve également dans l'expression ***a casa*** avec le sens de « chez » :

*Les dejan volver **a casa** a la una de la mañana* (U1, p. 21) On les laisse rentrer chez eux à 1 h du matin.

B. La préposition *con*

■ La préposition ***con*** introduit une notion d'accompagnement, de manière ou de moyen :

*Van armados **con** una lanza.* (U1, p. 18)
Ils sont armés d'une lance.

C. Les prépositions *de, desde, hasta*

■ La préposition ***de*** introduit un complément déterminatif et indique la matière dont est faite une chose :

*Una estatua **de** cartón piedra.* (U2, p. 41)
Une statue en carton-pâte.

■ La préposition ***de*** introduit un élément essentiel, caractéristique :

*Un paisaje **de** cordilleras **de** cumbres enhiestas.* (U5, p. 111) Un paysage de cordillères aux sommets élevés.

■ La préposition ***de*** introduit une notion de provenance :

*Soy **de** Cádiz.* (U1, p. 17) Je suis de Cadix.

■ La préposition ***de*** se trouve dans l'expression d'une date, entre les jours et les mois et entre les mois et l'année :

*El 20 **de** noviembre.* (U2, p. 44) Le 20 novembre.

■ La préposition ***desde*** indique le lieu de départ, d'origine, dans l'espace comme dans le temps :

*Vinimos **desde** Galicia.* (U1, p. 17)
Nous sommes arrivés de Galice.
***Desde** la época colonial.* (U2, p. 42)
Depuis l'époque coloniale.

■ Les prépositions ***de*** et ***desde*** ont pour corrélatif la préposition ***hasta*** :

***De** primaria **hasta** el año pasado.* (U1, p. 15)
Du primaire jusqu'à l'année dernière.
***Desde** el mar **hasta** la montaña.* (U9, p. 199)
De la mer jusqu'à la montagne.

■ Pour traduire « depuis » + élément temporel rendant une notion de durée, l'espagnol emploie ***desde hace*** : (→ Précis 44)

***Desde hace** once años.* (U3, p. 62) Depuis 11 ans.

D. La préposition *en*

■ La préposition ***en*** sert à localiser lorsqu'il n'y a pas de mouvement :

*Me hallarás **en** La Habana.* (U2, p. 39)
Tu me trouveras à La Havane.
*El hijo **en** paro.* (U3, p. 60) Le fils au chômage.

■ La préposition ***en*** accompagne également des éléments temporels :

*Llego a la ciudad **en** viernes.* (U2, p. 41)
J'arrive en ville le vendredi.

■ La préposition ***en*** se trouve également dans l'expression ***en casa de*** avec le sens de « chez » :

*Ese vestido se guardaba **en casa de**l tío Juan.* (U2, p. 42) Ce vêtement était gardé chez mon oncle Jean.

E. La préposition *hacia* (vers)

■ La préposition ***hacia*** marque le mouvement :

*Vive con la cabeza vuelta **hacia** atrás.* (U5, p. 108)
Il vit en regardant vers le passé.

F. La préposition *para*

■ La préposition ***para*** introduit un complément d'objet indirect :

*Han abierto las puertas de sus casas **para** acoger a hijos y nietos.* (U3, p. 60) Ils ont ouvert les portes de leurs maisons pour accueillir enfants et petits-enfants.

■ La préposition ***para*** introduit aussi un point de vue :

***Para** mi padre, aquellas horas épicas resultaban ser las más adecuadas.* (U2, p. 36) Pour mon père, ces heures épiques étaient les plus à propos.

■ La préposition ***para*** exprime une idée de but, de destination et de finalité :

*Clases **para** conductores.* (U3, p. 65)
Cours pour conducteurs.
*Ha estudiado **para** los exámenes.* (U1, p. 15)
Il a étudié pour les examens.

G. La préposition *por*

■ La préposition ***por*** s'emploie dans l'expression de la cause :

*Hijos y nietos asfixiados **por** las hipotecas.* (U3, p. 60)
Enfants et petits-enfants asphyxiés par les dettes.

■ La préposition ***por*** introduit une notion d'espace en donnant une idée de mouvement et de passage :

*Con paseo **por** el campo.* (U3, p. 65)
Avec une promenade dans la campagne.

■ La préposition ***por*** peut marquer une notion de temps :

*Ese contrato de colaboración era **por** ocho meses.* (U5, p. 105) Ce contrat de collaboration était prévu pour 8 mois.

■ La préposition ***por*** introduit un complément d'agent, de manière, de moyen :

*Una encuesta realizada **por** el equipo.* (U1, p. 18)
Une enquête réalisée par l'équipe.

■ Dans la locution ***por primera vez***, l'article défini est omis :

*Allá llegaron **por primera vez.*** (U6, p. 128)
Ils arrivèrent là-bas pour la 1ère fois.

H. La préposition *sin*

■ La préposition ***sin*** signifie l'absence, le manque :

***Sin** rumbo fijo.* (U1, p. 17) Sans but précis.

I. La préposition *sobre*

■ La préposition ***sobre*** s'emploie dans une acception concrète, pour localiser, comme dans une acception plus abstraite :

*Tres panoramas únicos **sobre** el cañón del Urubamba.* (U5, p. 112) Trois panoramas uniques sur le canyon de l'Urubamba.
*Consultados **sobre** las preocupaciones de los adolescentes.* (U1, p. 22) Consultés sur les préoccupations des adolescents.

40 Les adverbes

A. Les adverbes de lieu *aquí, acá, ahí, allí, allá*

■ ***Aquí, acá*** s'utilisent pour désigner ce qui est proche du locuteur.

■ ***Ahí*** indique ce qui se trouve à moyenne distance.

■ ***Allí, allá*** indiquent ce qui est éloigné.

*Voy con mis amigos de **acá** para **allá**.* (U1, p. 17)
Je me balade avec mes amis, de-ci, de-là.
*Nosotros vamos a jugar **allí**, ellos vienen a jugar **aquí**.* (U2, p. 36) Nous, nous allons jouer là-bas et eux viennent jouer ici.
*No muy lejos de **ahí**.* (U2, p. 41) Pas très loin de là.

B. L'adverbe de temps *ya* (« déjà »)

*¿Ha visitado **ya** la sala dedicada a los mayas?* (U5, p. 108)
Avez-vous déjà visité la salle consacrée aux Mayas ?

C. Les adverbes *aún* et *todavía* (« encore » ou « toujours »)

*Mejor **aún**, ¿por qué no me acompañas?* (U2, p. 36)
Encore mieux : pourquoi ne m'accompagnes-tu pas ?

D. Les adverbes de manière *así, así pues* (« ainsi », « ainsi donc »)

*Solo **así** se explicaban su grandeza.* (U5, p. 106)
Ce n'est qu'ainsi qu'ils expliquaient leur supériorité.

E. Les adverbes de concession *hasta, aun, incluso, inclusive* (« même »)

■ L'idée de concession ou de restriction qui peut être traduite par « même » en français est rendue en espagnol par les adverbes ***hasta, incluso, inclusive, aun*** :

***Incluso** prolongan los festivos.* (U2, p. 41)
Ils prolongent même les jours fériés.
***Hasta** en los cementerios aparecen vasijas.* (U5, p. 108)
De la vaisselle apparaît même dans les cimetières.

F. Les adverbes de quantité et d'intensité *poco, mucho, tanto, demasiado, bastante*

■ ***Poco*** (« peu »), ***mucho*** (« beaucoup »), ***tanto*** (« tellement ») ***demasiado*** (« trop »), ***bastante*** (« assez »), modifient un verbe, un adjectif ou un adverbe et conservent en espagnol leur statut d'adverbe, ils sont donc invariables :

*Soy **bastante poco** católica.* (U1, p. 22)
Je suis assez peu catholique.
*Nadie ha construido **tanto**.* (U6, p. 134)
Personne n'a autant construit.

• **Attention :** devant un adjectif, ***tanto*** s'apocope. (→ Précis 15)

G. L'adverbe d'affirmation *sí* (« assurément », « par contre », « certes »)

*Ni pedante ni líder, pero **sí** totalmente integrado.* (U1, p. 15) Ni pédant, ni leader mais par contre parfaitement intégré.

H. Les adverbes en *-mente*

■ Certains adverbes se forment à partir des adjectifs qualificatifs au féminin auxquels s'ajoute la terminaison ***-mente.***

• **Attention :** il faut veiller au féminin des adjectifs pour former l'adverbe correspondant :

*Estatuas llamadas **precisamente** fallas.* (U2, p. 41)
Des statues appelées justement « fallas ».
***Literalmente** relucientes.* (U2, p. 41)
Absolument resplendissantes.

■ L'adverbe ***recientemente*** s'apocope devant un adjectif ou un participe passé :

*Esa democracia **recién** conquistada.* (U9, p. 200)
Cette démocratie récemment conquise.

I. La place de l'adverbe avec un verbe aux temps composés

■ Lorsqu'il est employé avec un verbe à un temps composé, l'adverbe ne doit jamais séparer l'auxiliaire de son participe passé; il se place avant ou après le verbe, suivant le cas :

*Nadie ha construido **tanto**.* (U6, p. 138)
Personne n'a autant construit.

41 La conjecture et l'hypothèse

■ Pour exprimer la conjecture, l'espagnol a le choix entre plusieurs adverbes comme ***quizá, quizás, tal vez, acaso, a lo mejor***, suivant le degré envisagé d'hypothèse :

***Quizá** todo sea fachada. **Quizá pueda** confiarse en él.* (U3, p. 59) Ce n'est peut-être qu'une apparence.
On peut peut-être lui faire confiance.

■ Ces adverbes se placent toujours devant le verbe. ***Quizás, tal vez, acaso, quizá*** sont généralement suivis du subjonctif et ***a lo mejor, quizá*** de l'indicatif.

***Quizá** no **tuvo** hermanos.* (U3, p. 59) Il n'a sans doute pas eu de frères ni de sœurs.
*Un monolito al que **tal vez** adoraron.* (U5, p. 112)
Un monolithe qu'ils ont dû adorer.

42 Les équivalents de « on »

■ **Se** pronom sujet indéfini
Se respira. (U4, p. 90) On respire.

• **Attention :** si « on » + verbe + complément est traduit par **se** + verbe, le complément français devient le sujet en espagnol et le verbe s'accorde.
Se aceptan *comentarios.* (U1, p. 20)
On accepte des commentaires.

■ La 1re personne du pluriel. C'est le contexte ou un élément familier de la phrase qui induisent la 1re personne du pluriel ou le « on »:
Voy vendiendo pulseras que ***hacemos*** *con estas manitas.* (U1, p. 17) Je vends des bracelets qu'on fait avec ces petites mains.

■ La 3e personne du pluriel
Les ***dejan*** *volver a casa a la una de la mañana.* (U1, p. 21) On les laisse rentrer à 1 h du matin.

■ ***Uno, una***
Uno *se va con la sensación de que la gente ha confiado en él.* (U3, p. 66) On part avec le sentiment que les gens vous ont fait confiance.

43 Les équivalents de « devenir »

■ L'espagnol traduit le verbe français « devenir » de différentes façons, selon les cas d'emploi : il considère la nature – nom ou adjectif – du mot introduit par le verbe ainsi que la valeur de la transformation envisagée – progressive, rapide, ponctuelle ou déterminante –.

■ Suivi d'un adjectif, le verbe ***ponerse*** peut rendre compte d'une transformation déterminante, le verbe ***volverse*** d'une idée de transformation plus rapide et le verbe ***hacerse*** d'une idée de transformation plus progressive.
El agua ***se vuelve*** *espumosa y rosa.* (U8, p. 178)
L'eau devient mousseuse et rose.

■ Suivis d'un nom, ***convertirse en*** rend plutôt compte d'une transformation déterminante alors que des expressions verbales comme ***pasar a ser*** et ***llegar a ser*** disent plutôt la transformation progressive.
Puedo ***convertirme en*** *millonaria.* (U1, p. 22)
Je peux devenir millionaire.

44 Les équivalents de « il y a »

■ Pour traduire « il y a », l'espagnol emploie le verbe ***haber*** sous sa forme impersonnelle ; au présent, « il y a » se traduit par ***hay***.
Había *un vecino que trabajaba como técnico.* (U2, p. 36)
Il y avait un voisin qui travaillait comme technicien.

■ Lorsque « il y a » est suivi d'un élément temporel, il est rendu par le verbe ***hacer***, à la 3e personne du singulier :
Hace *seis años.* (U3, p. 62) Il y a 6 ans.

45 Les formes d'insistance « c'est... que », « c'est... qui »

■ Pour introduire une identité, on emploie le verbe ***ser*** conjugué à la personne qui correspond au pronom personnel sujet : ***soy yo, eres tú, es él/ella/usted, somos nosotros(as), sois vosotros(as), son ellos/ellas, ustedes.***

■ Pour la mise en relief, le verbe ***ser*** se conjugue au temps et au mode du verbe qui dit l'action :
Fueron *los supuestos vencidos los que* ***hicieron*** *prevalecer su cultura.* (U4, p. 89) Ce sont/ce furent les supposés vaincus qui firent prévaloir leur culture.

■ Le relatif "que / qui", se traduit par ***quien, quienes*** s'il s'agit de personnes et par ***el que, la que, los que, las que*** s'il s'agit de personnes ou de choses et par ***lo que*** s'il s'agit d'une formulation neutre. Pour des mises en relief concernant le lieu, le temps, la manière, etc..., le relatif se traduit par ***donde, cuando, como***... :
Fueron ellos ***los que*** *nos descubrieron.* (U4, p. 85)
Ce sont eux qui nous ont découverts.

Conjugaisons

Infinitivo (infinitif)	Presente de indicativo (indicatif présent)	Presente de subjuntivo (subjonctif présent)	Imperativo afirmativo/negativo (impératif affirmatif/négatif)	Pretérito imperfecto de indicativo (indicatif imparfait)
VERBES À DIPHTONGUE e → ie o → ue				
PENSAR ***penser***	pienso piensas piensa pensamos pensáis piensan	piense pienses piense pensemos penséis piensen	piensa / no pienses piense / no piense pensemos / no pensemos pensad / no penséis piensen / no piensen	pensaba pensabas pensaba pensábamos pensabais pensaban
PERDER ***perdre***	pierdo pierdes pierde perdemos perdéis pierden	pierda pierdas pierda perdamos perdáis pierdan	pierde / no pierdas pierda / no pierda perdamos / no perdamos perded / no perdáis pierdan / no pierdan	perdía perdías perdía perdíamos perdíais perdían
VERBES À AFFAIBLISSEMENT e → i				
PEDIR ***demander***	pido pides pide pedimos pedís piden	pida pidas pida pidamos pidáis pidan	pide / no pidas pida / no pida pidamos / no pidamos pedid / no pidáis pidan / no pidan	pedía pedías pedía pedíamos pedíais pedían
VERBES À ALTERNANCE e → ie et i o → ue et u				
SENTIR ***sentir, ressentir***	siento sientes siente sentimos sentís sienten	sienta sientas sienta sintamos sintáis sientan	siente / no sientas sienta / no sienta sintamos / no sintamos sentid / no sintáis sientan / no sientan	sentía sentías sentía sentíamos sentíais sentían
DORMIR ***dormir***	duermo duermes duerme dormimos dormís duermen	duerma duermas duerma durmamos durmáis duerman	duerme / no duermas duerma / no duerma durmamos / no durmamos dormid / no durmáis duerman / no duerman	dormía dormías dormía dormíamos dormíais dormían
VERBES EN –HACER/-ECER/-OCER/-UCIR c → zc				
CONOCER ***connaître***	conozco conoces conoce conocemos conocéis conocen	conozca conozcas conozca conozcamos conozcáis conozcan	conoce / no conozcas conozca / no conozca conozcamos / no conozcamos conoced / no conozcáis conozcan / no conozcan	conocía conocías conocía conocíamos conocíais conocían
VERBES EN –DUCIR c → zc c → j				
CONDUCIR ***conduire***	conduzco conduces conduce conducimos conducís conducen	conduzca conduzcas conduzca conduzcamos conduzcáis conduzcan	conduce / no conduzcas conduzca / no conduzca conduzcamos / no conduzcamos conducid / no conduzcáis conduzcan / no conduzcan	conducía conducías conducía conducíamos conducíais conducían
VERBES EN –UIR i → y				
CONSTRUIR ***construire***	construyo construyes construye construimos construís construyen	construya construyas construya construyamos construyáis construyan	construye / no construyas construya / no construya construyamos / no construyamos construid / no construyáis construyan / no construyan	construía construías construía construíamos construíais construían
VERBES EN –UAR / –IAR				
CONTINUAR ***continuer***	continúo continúas continúa continuamos continuáis continúan	continúe continúes continúe continuemos continuéis continúen	continúa / no continúes continúe / no continúe continuemos / no continuemos continuad / no continuéis continúen / no continúen	continuaba continuabas continuaba continuábamos continuabais continuaban
CONFIAR ***faire confiance***	confío confías confía confiamos confiáis confían	confíe confíes confíe confiemos confiéis confíen	confía / no confíes confíe / no confíe confiemos / no confiemos confiad / no confiéis confíen / no confíen	confiaba confiabas confiaba confiábamos confiabais confiaban

Pretérito indefinido (passé simple)	**Pretérito imperfecto de subjuntivo** (subjonctif imparfait)	**Futuro** (futur)	**Condicional** (conditionnel)	**Gerundio** (gérondif) **Participio pasivo** (participe passé)
pensé pensaste pensó pensamos pensasteis pensaron	pensara pensaras pensara pensáramos pensarais pensaran	pensaré pensarás pensará pensaremos pensaréis pensarán	pensaría pensarías pensaría pensaríamos pensaríais pensarían	g. pensando p. p. pensado
perdí perdiste perdió perdimos perdisteis perdieron	perdiera perdieras perdiera perdiéramos perdierais perdieran	perderé perderás perderá perderemos perderéis perderán	perdería perderías perdería perderíamos perderíais perderían	g. perdiendo p. p. perdido
pedí pediste pidió pedimos pedisteis pidieron	pidiera pidieras pidiera pidiéramos pidierais pidieran	pediré pedirás pedirá pediremos pediréis pedirán	pediría pedirías pediría pediríamos pediríais pedirían	g. pidiendo p. p. pedido
sentí sentiste sintió sentimos sentisteis sintieron	sintiera sintieras sintiera sintiéramos sintierais sintieran	sentiré sentirás sentirá sentiremos sentiréis sentirán	sentiría sentirías sentiría sentiríamos sentiríais sentirían	g. sintiendo p. p. sentido
dormí dormiste durmió dormimos dormisteis durmieron	durmiera durmieras durmiera durmiéramos durmierais durmieran	dormiré dormirás dormirá dormiremos dormiréis dormirán	dormiría dormirías dormiría dormiríamos dormiríais dormirían	g. durmiendo p. p. dormido
conocí conociste conoció conocimos conocisteis conocieron	conociera conocieras conociera conociéramos conocierais conocieran	conoceré conocerás conocerá conoceremos conoceréis conocerán	conocería conocerías conocería conoceríamos conoceríais conocerían	g. conociendo p. p. conocido
conduje condujiste condujo condujimos condujisteis condujeron	condujera condujeras condujera condujéramos condujerais condujeran	conduciré conducirás conducirá conduciremos conduciréis conducirán	conduciría conducirías conduciría conduciríamos conduciríais conducirían	g. conduciendo p. p. conducido
construí construiste construyó construimos construisteis construyeron	construyera construyeras construyera construyéramos construyerais construyeran	construiré construirás construirá construiremos construiréis construirán	construiría construirías construiría construiríamos construiríais construirían	g. construyendo p. p. construido
continué continuaste continuó continuamos continuasteis continuaron	continuara continuaras continuara continuáramos continuarais continuaran	continuaré continuarás continuará continuaremos continuaréis continuarán	continuaría continuarías continuaría continuaríamos continuaríais continuarían	g. continuando p. p. continuado
confié confiaste confió confiamos confiasteis confiaron	confiara confiaras confiara confiáramos confiarais confiaran	confiaré confiarás confiará confiaremos confiaréis confiarán	confiaría confiarías confiaría confiaríamos confiaríais confiarían	g. confiando p. p. confiado

Infinitivo (infinitif)	Presente de indicativo (indicatif présent)		Presente de subjuntivo (subjonctif présent)		Imperativo afirmativo/negativo (impératif affirmatif/négatif)		Pretérito imperfecto de indicativo (indicatif imparfait)	
Verbes irréguliers								
ANDAR ***marcher***	ando andas anda	andamos andáis andan	ande andes ande	andemos andéis anden	anda / no andes ande / no ande	andemos / no andemos andad / no andéis anden / no anden	andaba andabas andaba	andábamos andabais andaban
CAER ***tomber***	caigo caes cae	caemos caéis caen	caiga caigas caiga	caigamos caigáis caigan	cae / no caigas caiga / no caiga	caigamos / no caigamos caed / no caigáis caigan / no caigan	caía caías caía	caíamos caíais caían
DAR ***donner***	doy das da	damos dais dan	dé des dé	demos deis den	da / no des dé / no dé	demos / no demos dad / no deis den / no den	daba dabas daba	dábamos dabais daban
DECIR ***dire***	digo dices dice	decimos decís dicen	diga digas diga	digamos digáis digan	di / no digas diga / no diga	digamos / no digamos decid / no digáis digan / no digan	decía decías decía	decíamos decíais decían
ESTAR ***être***	estoy estás está	estamos estáis están	esté estés esté	estemos estéis estén	está / no estés esté / no esté	estemos / no estemos estad / no estéis estén / no estén	estaba estabas estaba	estábamos estabais estaban
HABER ***aux. avoir***	he has ha	hemos habéis han	haya hayas haya	hayamos hayáis hayan			había habías había	habíamos habíais habían
HACER ***faire***	hago haces hace	hacemos hacéis hacen	haga hagas haga	hagamos hagáis hagan	haz / no hagas haga / no haga	hagamos / no hagamos haced / no hagáis hagan / no hagan	hacía hacías hacía	hacíamos hacíais hacían
IR ***aller***	voy vas va	vamos vais van	vaya vayas vaya	vayamos vayáis vayan	ve / no vayas vaya / no vaya	vayamos / no vayamos id / no vayáis vayan / no vayan	iba ibas iba	íbamos ibais iban
OÍR ***entendre***	oigo oyes oye	oímos oís oyen	oiga oigas oiga	oigamos oigáis oigan	oye / no oigas oiga / no oiga	oigamos / no oigamos oíd / no oigáis oigan / no oigan	oía oías oía	oíamos oíais oían
PODER ***pouvoir***	puedo puedes puede	podemos podéis pueden	pueda puedas pueda	podamos podáis puedan			podía podías podía	podíamos podíais podían
PONER ***mettre, poser***	pongo pones pone	ponemos ponéis ponen	ponga pongas ponga	pongamos pongáis pongan	pon / no pongas ponga / no ponga	pongamos / no pongamos poned / no pongáis pongan / no pongan	ponía ponías ponía	poníamos poníais ponían
QUERER ***vouloir, aimer***	quiero quieres quiere	queremos queréis quieren	quiera quieras quiera	queramos queráis quieran	quiere / no quieras quiera / no quiera	queramos / no queramos quered / no queráis quieran / no quieran	quería querías quería	queríamos queríais querían
SABER ***savoir***	sé sabes sabe	sabemos sabéis saben	sepa sepas sepa	sepamos sepáis sepan	sabe / no sepas sepa / no sepa	sepamos / no sepamos sabed / no sepáis sepan / no sepan	sabía sabías sabía	sabíamos sabíais sabían
SALIR ***sortir***	salgo sales sale	salimos salís salen	salga salgas salga	salgamos salgáis salgan	sal / no salgas salga / no salga	salgamos / no salgamos salid / no salgáis salgan / no salgan	salía salías salía	salíamos salíais salían
SER ***être***	soy eres es	somos sois son	sea seas sea	seamos seáis sean	sé / no seas sea / no sea	seamos / no seamos sed / no seáis sean / no sean	era eras era	éramos erais eran
TENER ***avoir***	tengo tienes tiene	tenemos tenéis tienen	tenga tengas tenga	tengamos tengáis tengan	ten / no tengas tenga / no tenga	tengamos / no tengamos tened / no tengáis tengan / no tengan	tenía tenías tenía	teníamos teníais tenían
TRAER ***apporter***	traigo traes trae	traemos traéis traen	traiga traigas traiga	traigamos traigáis traigan	trae / no traigas traiga / no traiga	traigamos / no traigamos traed / no traigáis traigan / traigan	traía traías traía	traíamos traíais traían
VENIR ***venir***	vengo vienes viene	venimos venís vienen	venga vengas venga	vengamos vengáis vengan	ven / no vengas venga / no venga	vengamos / no vengamos venid / no vengáis vengan / no vengan	venía venías venía	veníamos veníais venían
VER ***voir***	veo ves ve	vemos veis ven	vea veas vea	veamos veáis vean	ve / no veas vea / no vea	veamos / no veamos ved / no veáis vean / no vean	veía veías veía	veíamos veíais veían

Pretérito indefinido (passé simple)		**Pretérito imperfecto de subjuntivo** (subjonctif imparfait)		**Futuro** (futur)		**Condicional** (conditionnel)		**Gerundio** (gérondif) **Participio pasivo** (participe passé)	
anduve anduviste anduvo	anduvimos anduvisteis anduvieron	anduviera anduvieras anduviera	anduviéramos anduvierais anduvieran	andaré andarás andará	andaremos andaréis andarán	andaría andarías andaría	andaríamos andaríais andarían	g. p. p.	andando andado
caí caíste cayó	caímos caísteis cayeron	cayera cayeras cayera	cayéramos cayerais cayeran	caeré caerás caerá	caeremos caeréis caerán	caería caerías caería	caeríamos caeríais caerían	g. p. p.	cayendo caído
di diste dio	dimos disteis dieron	diera dieras diera	diéramos dierais dieran	daré darás dará	daremos daréis darán	daría darías daría	daríamos daríais darían	g. p. p.	dando dado
dije dijiste dijo	dijimos dijisteis dijeron	dijera dijeras dijera	dijéramos dijerais dijeran	diré dirás dirá	diremos diréis dirán	diría dirías diría	diríamos diríais dirían	g. p. p.	diciendo dicho
estuve estuviste estuvo	estuvimos estuvisteis estuvieron	estuviera estuvieras estuviera	estuviéramos estuvierais estuvieran	estaré estarás estará	estaremos estaréis estarán	estaría estarías estaría	estaríamos estaríais estarían	g. p. p.	estando estado
hube hubiste hubo	hubimos hubisteis hubieron	hubiera hubieras hubiera	hubiéramos hubierais hubieran	habré habrás habrá	habremos habréis habrán	habría habrías habría	habríamos habríais habrían	g. p. p.	habiendo habido
hice hiciste hizo	hicimos hicisteis hicieron	hiciera hicieras hiciera	hiciéramos hicierais hicieran	haré harás hará	haremos haréis harán	haría harías haría	haríamos haríais harían	g. p. p.	haciendo hecho
fui fuiste fue	fuimos fuisteis fueron	fuera fueras fuera	fuéramos fuerais fueran	iré irás irá	iremos iréis irán	iría irías iría	iríamos iríais irían	g. p. p.	yendo ido
oí oíste oyó	oímos oísteis oyeron	oyera oyeras oyera	oyéramos oyerais oyeran	oiré oirás oirá	oiremos oiréis oirán	oiría oirías oiría	oiríamos oiríais oirían	g. p. p.	oyendo oído
pude pudiste pudo	pudimos pudisteis pudieron	pudiera pudieras pudiera	pudiéramos pudierais pudieran	podré podrás podrá	podremos podréis podrán	podría podrías podría	podríamos podríais podrían	g. p. p.	pudiendo podido
puse pusiste puso	pusimos pusisteis pusieron	pusiera pusieras pusiera	pusiéramos pusierais pusieran	pondré pondrás pondrá	pondremos pondréis pondrán	pondría pondrías pondría	pondríamos pondríais pondrían	g. p. p.	poniendo puesto
quise quisiste quiso	quisimos quisisteis quisieron	quisiera quisieras quisiera	quisiéramos quisierais quisieran	querré querrás querrá	querremos querréis querrán	querría querrías querría	querríamos querríais querrían	g. p. p.	queriendo querido
supe supiste supo	supimos supisteis supieron	supiera supieras supiera	supiéramos supierais supieran	sabré sabrás sabrá	sabremos sabréis sabrán	sabría sabrías sabría	sabríamos sabríais sabrían	g. p. p.	sabiendo sabido
salí saliste salió	salimos salisteis salieron	saliera salieras saliera	saliéramos salierais salieran	saldré saldrás saldrá	saldremos saldréis saldrán	saldría saldrías saldría	saldríamos saldríais saldrían	g. p. p.	saliendo salido
fui fuiste fue	fuimos fuisteis fueron	fuera fueras fuera	fuéramos fuerais fueran	seré serás será	seremos seréis serán	sería serías sería	seríamos seríais serían	g. p. p.	siendo sido
tuve tuviste tuvo	tuvimos tuvisteis tuvieron	tuviera tuvieras tuviera	tuviéramos tuvierais tuvieran	tendré tendrás tendrá	tendremos tendréis tendrán	tendría tendrías tendría	tendríamos tendríais tendrían	g. p. p.	teniendo tenido
traje trajiste trajo	trajimos trajisteis trajeron	trajera trajeras trajera	trajéramos trajerais trajeran	traeré traerás traerá	traeremos traeréis traerán	traería traerías traería	traeríamos traeríais traerían	g. p. p.	trayendo traído
vine viniste vino	vinimos vinisteis vinieron	viniera vinieras viniera	viniéramos vinierais vinieran	vendré vendrás vendrá	vendremos vendréis vendrán	vendría vendrías vendría	vendríamos vendríais vendrían	g. p. p.	viniendo venido
vi viste vio	vimos visteis vieron	viera vieras viera	viéramos vierais vieran	veré verás verá	veremos veréis verán	vería verías vería	veríamos veríais verían	g. p. p.	viendo visto

HABLAR (verbos terminados en –ar)				
Indicatif présent	**Subjonctif présent**	**Impératif (affirmatif/négatif)**	**Indicatif imparfait**	**Passé simple**
hablo hablas habla hablamos habláis hablan	hable hables hable hablemos habléis hablen	habla / no hables hable / no hable hablemos / no hablemos hablad / no habléis hablen / no hablen	hablaba hablabas hablaba hablábamos hablabais hablaban	hablé hablaste habló hablamos hablasteis hablaron
Subjonctif imparfait	**Futur**	**Conditionnel**	**Gérondif**	**Participe passé**
hablara hablaras hablara habláramos hablarais hablaran	hablaré hablarás hablará hablaremos hablaréis hablarán	hablaría hablarías hablaría hablaríamos hablaríais hablarían	hablando	hablado

COMER (verbos terminados en –er)				
Indicatif présent	**Subjonctif présent**	**Impératif (affirmatif/négatif)**	**Indicatif imparfait**	**Passé simple**
como comes come comemos coméis comen	coma comas coma comamos comáis coman	come / no comas coma / no coma comamos / no comamos comed / no comáis coman / no coman	comía comías comía comíamos comíais comían	comí comiste comió comimos comisteis comieron
Subjonctif imparfait	**Futur**	**Conditionnel**	**Gérondif**	**Participe passé**
comiera comieras comiera comiéramos comierais comieran	comeré comerás comerá comeremos comeréis comerán	comería comerías comería comeríamos comeríais comerían	comiendo	comido

VIVIR (verbos terminados en –ir)				
Indicatif présent	**Subjonctif présent**	**Impératif (affirmatif/négatif)**	**Indicatif imparfait**	**Passé simple**
vivo vives vive vivimos vivís viven	viva vivas viva vivamos viváis vivan	vive / no vivas viva / no viva vivamos / no vivamos vivid / no viváis vivan / no vivan	vivía vivías vivía vivíamos vivíais vivían	viví viviste vivió vivimos vivisteis vivieron
Subjonctif imparfait	**Futur**	**Conditionnel**	**Gérondif**	**Participe passé**
viviera vivieras viviera viviéramos vivierais vivieran	viviré vivirás vivirá viviremos viviréis vivirán	viviría vivirías viviría viviríamos viviríais vivirían	viviendo	vivido

Lexique espagnol - français

Abreviaturas utilizadas

adj: adjetivo
adv: adverbio
amer: americanismo
conj: conjunción
f: femenino
fam: familiar
loc: locución
m: masculino
n: sustantivo
pl: plural
prep: preposición
pron: pronombre
v: verbo

a la última *loc* à la pointe
a la vez *loc* en même temps
a mano *loc* fait main
a pesar de *loc* malgré
a principios de *loc* au début de
a toda costa *loc* coûte que coûte
abajo *adv* dessous, en bas
abierto, ta *adj* ouvert(e)
abogado, da *n* avocat(e)
abogar *v* plaider
aburrido, da *adj/n* ennuyeux, -euse
aburrimiento *nm* ennui
aburrirse *v* s'ennuyer
abuso *nm* abus
acabar la carrera *loc* finir ses études
acallar *v* faire taire
aceptar *v* accepter
acerca de *loc* au sujet de
acercamiento *nm* rapprochement
acercarse (a) *v* s'approcher (de)
acero *nm* acier
acogedor(a) *adj* accueillant(e)
acontecimiento *nm* événement
acordar *v* convenir
acordarse *v* se rappeler
actuar *v* agir ; jouer
acudir *v* se rendre, aller
acurrucado, da *adj* recroquevillé(e)
adelanto *nm* progrès
además *adv* en plus, de plus
adinerado, da *adj* riche
adjunto, ta *adj* adjoint(e)
adoquinado, da *adj* pavé(e)
adorno *nm* décoration
aerogenerador *nm* éolienne
aficionado, da *adj/n* supporter
afortunado, da *adj* chanceux, -euse
agachado, da *adj* accroupi(e)
agobiado, da *adj* accablé(e)
agradecido, da *adj* reconnaissant(e)
ampliar *v* agrandir
agravio *nm* offense
ahí *adv* là
ahora *adv* maintenant
ahorrar *v* économiser
aislado, da *adj* isolé(e)
aislamiento *nm* isolement
aislarse *v* s'isoler
albergue *nm* refuge
alcázar *nm* forteresse, palais musulman
alegre *adj* joyeux, -euse
alegría *nf* joie
alentar *v* encourager
alfarero, ra *n* potier, -ère
alfombra *nf* tapis
algodón *nm* coton
allí *adv* là-bas
almacenar *v* emmagasiner
almirante *nm* amiral
alquilar *v* louer
alrededor *adv* autour
alrededores *nmpl* alentours
alto, ta *adj* haut(e)
amazona *nf* cavalière
ambiente *nm* ambiance
amenaza *nf* danger
amenazar (con) *v* menacer (de)
amerindio, dia *adj/n* amérindien(ne)
amigable *adj* convivial(e)
amistoso, sa *adj* convivial(e)
amontonar *v* empiler
ampliar *v* élargir
amplificador *nm* amplificateur
amplio, plia *adj* vaste
añadir *v* ajouter
ancho, cha *adj* large
anchura de miras *loc* ouverture d'esprit
anciano, na *adj/n* âgé(e), personne âgée
ante *prep* devant
antepasado *nm* ancêtre
antes *adv* avant
antiguo, gua *adj* ancien(ne)
apacible *adj* paisible
apagado, da *adj* éteint(e)
apagarse *v* s'éteindre
aparato *nm* appareil
apariencia *nf* apparence
aparte *adv* à part
apodo *nm* surnom
apoyar *v* appuyer, soutenir
apoyo *nm* soutien
apretar(se) *v* (se) serrer
aprobar (un examen) *v* être reçu(e) (à un examen)
aprovechar *v* profiter (de)
apuntarse *v* s'inscrire
aquí *adv* ici
arcilla *nf* argile, glaise
arco *nm* arc
arena *nf* sable
arquitectónico, ca *adj* architectural(e)
arraigo *nm* enracinement
arrancar *v* démarrer
arregladito, ta *adj fam* impeccable
arreglar *v* arranger, réparer
arreglarse *v* se maquiller, se préparer
arriesgarse *v* se risquer, prendre des risques
artesanía *nf* artisanat
artesano, na *n* artisan(e)
artífice *n* instigateur, -trice
artilugio *nm* appareil, engin
asedio *nm* siège
asombrado, da *adj* impressionné(e)
asombro *nm* étonnement
asqueroso, sa *adj* dégoutant(e)
astrología *nf* astrologie
astronomía *nf* astronomie
atado, da *adj* attaché(e)
atender (a) *v* s'occuper (de)
atónito, ta *adj* étonné(e), surpris(e)
atractivo, va *adj* attrayant(e), attirant(e)
atraer *v* attirer
atreverse (a) *v* oser
atrevido, da *adj* courageux, -euse, audacieux, -euse
auge *nm* essor
aún *adv* encore
auxilio *nm* aide
avance *nm* progrès
ave *nf* oiseau
ayuda *nf* aide
ayudar *v* aider
azulejo *nm* carreau de faïence

bailarín, ina *n* danseur, -euse
balsa *nf* radeau
bandera *nf* drapeau
barato, ta *adj* bon marché, pas cher(ère)
barra *nf* comptoir
barrio *nm* quartier
bastante *adv* assez
bastón *nm* canne, bâton
basura *nf* poubelle, ordure
beca *nf* bourse
belleza *nf* beauté
beneficencia *nf* bienfaisance
bicho raro *nf* bête curieuse
bogavante *nm* homard
boquiabierto, ta *adj* bouche bée
borrar *v* effacer
bote *nm* barque
bóveda *nf* voûte

bueno, na *adj* bon(ne), gentil(le)
burlarse *v* se moquer
burlón, ona *adj/n* moqueur, -euse

cabalgar *v* monter à cheval
caballero *nm* chevalier
caballo *nm* cheval
cabello *nm* cheveu(x)
cacique *nm* chef (politique et religieux)
cadena *nf* chaîne
calavera *nf* tête de mort
calentamiento *nm* réchauffement
calentar *v* chauffer
cálido, da *adj* chaud(e)
callarse *v* se taire
caluroso, sa *adj* chaleureux, -euse
cambio *nm* changement
cambio climático *nm* changement climatique
caminar *v* marcher
camiseta *nf* tee-shirt, maillot
cansado, da *adj* fatigué(e)
cantaor(a) *n* chanteur, -euse de flamenco
cantar *v* chanter
cántaro *nm* cruche
capacitado, da *adj* qualifié(e)
capaz *adj* capable
capilla *nf* chapelle
carpeta *nf* chemise, classeur
carrera *nf* course, cursus universitaire
carretilla *nf* brouette
casa *nf* maison
castillo *nm* château
celestial *adj* céleste
celoso, sa *adj* jaloux, -ouse
cena *nf* dîner
ceñido, da *adj* étroit(e), cintré(e)
cerca *adv* près
ceremonia *nf* cérémonie
césped *nm* gazon
cetro *nm* sceptre
charlar *v* bavarder, discuter
chaval(a) *n* gamin(e)
chillón, ona *adj* criard(e)
chimenea *nf* cheminée
ciudadela *nf* citadelle
cobrar *v* se faire payer
coche *nm* voiture
cochero *nm* cocher
codicia *nf* avarice, cupidité
codicioso, sa *adj* cupide
coger *v* prendre
colgado, da *adj* accroché(e)
colgar *v* poster, déposer (internet)
colilla *nf* mégot
colocar *v* placer
coloreado, da *adj* coloré(e)
columna *nf* colonne
combatir *v* combattre
comerciar *v* faire du commerce
cómic *nm* bande dessinée
cómodo, da *adj* confortable, pratique
compadecerse *v* avoir pitié
compaginar *v* réunir, combiner
compartir *v* partager
competencia *nf* concurrence
complicidad *nf* complicité
comprensivo, va *adj* compréhensif, -ive
comprometer(se) *v* (s')engager
comprometido, da *adj* engagé(e)
compromiso *nm* engagement
con motivo de *loc* à l'occasion de
concienciar(se) *v* (faire) prendre conscience
concierto *nm* concert
confianza *nf* confiance
confiar (en) *v* faire confiance à
conflictivo, va *adj* conflictuel(le)
conflicto *nm* conflit
conformarse (con) *v* se contenter (de)
conjunto *nm* ensemble
conmovedor(a) *adj* émouvant(e)
conmovido, da *adj* ému(e)
conquistar *v* conquérir
conseguir *v* obtenir, atteindre
contaminado, da *adj* pollué(e)
contaminar *v* polluer
contar (con) *loc* avoir, disposer (de)
contrapicado *nm* contre-plongée
convivencia *nf* convivialité
convivir *v* vivre avec
corazón *nm* cœur
cosecha *nf* récolte
coser *v* coudre
costa *nf* côte
costar *v* coûter
costumbre *nf* habitude, tradition
crecer *v* grandir
creciente *adj* croissant(e)
credulidad *nf* crédulité
creencia *nf* croyance
creer (en) *v* croire (à)
crisis *nf* crise
cruzado, da *adj* croisé(e)
cuadrado, da *adj* carré(e)
cualquier(a) *adj/pron* quelconque, n'importe quel(le)
cubierto, ta *adj* couvert(e)
cuidadosamente *adv* soigneusement
cuidadoso, sa *adj* soigneux, -euse

dañar *v* nuire
dar a *loc* donner sur
darse por vencido, da *loc* s'avouer vaincu(e)
de repente *loc* soudain
decepcionado, da *adj* déçu(e)
decepcionar *v* décevoir
dedicar(se) *v* (se) consacrer
defender *v* défendre
dejar *v* laisser
delante *adv* devant
demostrar *v* montrer, démontrer
dentro *adv* à l'intérieur
deporte *nm* sport
depositar *v* déposer
derecho *nm* droit
derrochar *v* gaspiller
derrota *nf* défaite
derrotado, da *adj* vaincu(e)
derrotar *v* vaincre
derrumbarse *v* s'effondrer
desafío *nm* défi
desahuciado, da *adj* expulsé(e)
desangrarse *v* se vider de son sang
desanimar *v* décourager
desaparecer *v* disparaître
desaparecido, da *adj/n* disparu(e)
desarrollar *v* développer
descansar *v* se reposer
desconcertado, da *adj* déconcerté(e), perplexe
desconfianza *nf* méfiance
desconfiar *v* se méfier
desconocer *v* méconnaître
descontento *nm* mécontentement
descontento, ta *adj* mécontent(e)
desde *prep* depuis
desembarcar *v* débarquer
desempleo *nm* chômage
deseoso, sa *adj* désireux, -euse
desigualdades *nfpl* inégalités
deslucido, da *adj* terne
desnudo, da *adj* nu(e)
despertarse *v* se réveiller
despierto, ta *adj* éveillé(e), réactif(ve)
despilfarrar *v* gaspiller
despilfarro *nm* gaspillage
desprenderse *v* se dégager
despreocupado, da *adj* insouciant(e)
después *adv* après
destino *nm* destination
destruir *v* détruire
detallista *adj* pointilleux, -euse
detener *v* retenir, arrêter
detrás *adv* derrière
diente *nm* dent
difundir *v* diffuser

dinero *nm* argent
dios(a) *n* dieu, déesse
dirigirse *v* s'adresser
discoteca *nf* boîte de nuit
diseño *nm* design, conception
disfrutar *v* profiter
distendido, da *adj* convivial(e)
diversión *nf* divertissement
divertido, da *adj* amusant(e)
divertirse *v* s'amuser
documental *nm* film documentaire
domar *v* dompter, dresser
dominar *v* dominer, maîtriser
donación *nf* don
dorado, da *adj* doré(e)
dragado *nm* dragage

E

edificar *v* édifier, construire
edificio *nm* bâtiment, immeuble
efecto invernadero *nm* effet de serre
ejército *nm* armée
elaborado, da *adj* élaboré(e)
elegancia *nf* élégance
elegir *v* choisir
embaldosado, da *adj* recouvert(e) de dalles
emitir *v* émettre
emocionado, da *adj* ému(e)
empedrar *v* paver
empeñarse *v* s'obstiner
empeño *nm* acharnement
empleo *nm* emploi
empobrecimiento *nm* appauvrissement
emprendedor(a) *adj* entreprenant(e)
emprender *v* entreprendre
empresa *nf* entreprise
empresario, ria *n* chef d'entreprise
empujar *v* pousser
en busca de *loc* à la recherche de
en cambio *loc* en revanche
en casa de *loc* chez
en cualquier lugar *loc* n'importe où
en cualquier momento *loc* n'importe quand
en torno a *loc* autour de
en vano *loc* en vain
en vez de *loc* au lieu de
encabezar *v* être en tête
encaje *nm* dentelle
encantar *v* adorer
encarnar *v* incarner
enchufe *nm* prise
encima *adv* dessus
encontrar(se) *v* (se) trouver, (se) situer
encuentro *nm* rencontre
encuesta callejera *nf* micro-trottoir
endeudarse *v* s'endetter
energías limpias *nfpl* énergies propres
enfadarse *v* se fâcher
enfermo, ma *adj/n* malade
enfurecerse *v* s'emporter, devenir furieux, -euse
engañar *v* induire en erreur, tromper
enriquecedor(a) *adj* enrichissant(e)
enriquecerse *v* s'enrichir
ensalzar *v* vanter, porter aux nues
ensayo *nm* répétition
enseguida *adv* tout de suite
enseñar *v* montrer, apprendre
entablar amistad *loc* se lier d'amitié
enterarse *v* apprendre, comprendre
entorno *nm* milieu, environnement
entrada *nf* entrée
entrega *nf* livraison
entrelazado, da *adj* entrecroisé(e)
entrevista *nf* entretien
envase *nm* emballage
época *nf* époque
equipo *nm* équipe
equivocado, da *adj* erroné(e), dans l'erreur
erradicar *v* supprimer
escapar *v* échapper
escaparate *nm* vitrine
escoger *v* choisir
escudilla *nf* écuelle
escudo *nm* écusson
esculpido, da *adj* sculpté(e)
esfuerzo *nm* effort
eslabón *nm* maillon
especie *nf* espèce
espectador(a) *n* spectateur, -trice
espejismo *nm* mirage
espejo *nm* miroir
esperanza *nf* espoir
esperanzador(a) *adj* encourageant(e)
esperar *v* attendre
espuma *nf* mousse
estar a la última *loc* être à la mode
estar a merced de *loc* être à la merci de
estar colgado, da *loc fam* être accro
estar de moda *loc* être à la mode
estar de pie *loc* être debout
estar harto, ta *loc* en avoir assez
estar listo, ta *loc* être prêt(e)
estilo *nm* style
estrago *nm* dégât
estrecho, cha *adj* étroit(e)
estrella *nf* étoile, star
estricto, ta *adj* strict(e)
estuco *nm* stuc
estudiar una carrera *loc* faire des études
estudioso, sa *adj* studieux -euse, travailleur –euse
estupendo, da *adj* formidable
estupidez *nf* stupidité
evento *nm* événement
evidenciar *v* montrer, démontrer
evolucionar *v* évoluer
excavaciones *nfpl* fouilles
excluido, da *adj* exclu(e)
éxito *nm* succès
experimentar *v* éprouver
explorar *v* explorer
explotar *v* exploiter
extranjero, ra *adj/n* étranger, -ère
extraño, ña *adj* étrange, bizarre

fábrica *nf* usine
fachada *nf* façade
falda *nf* jupe
falta *nf* manque
fantasmagórico, ca *adj* fantasmagorique
fastidiar *v* embêter
favorecer *v* favoriser, dévélopper
fecha *nf* date
feliz *adj* heureux, -euse
financiar *v* financer
firma *nf* signature
firmar *v* signer
firme *adj* intransigeant(e)
fomentar *v* favoriser, dévélopper
forastero, ra *adj/n* étranger, -ère (personne d'autre village ou ville)
formar parte de *loc* faire partie de
fortaleza *nf* forteresse
frente a *loc* face à
friso *nm* frise
fruta *nf* fruit
frutal *adj/n* fruitier, verger
fuente *nf* fontaine
fuente de energía *nf* source d'énergie
fuera *adv* dehors
fuerte *adj* fort(e)
fuerza *nf* force
fundar *v* fonder
fusta *nf* cravache

gallego, ga *adj/n* galicien(ne)
gana *nf* envie
gasolina *nf* essence
gastar *v* dépenser
generoso, sa *adj* généreux, -euse
geométrico, ca *adj* géométrique
globo *nm* bulle (de bande dessinée)
globo terráqueo *loc* globe terrestre
gordo, da *adj* gros, grosse
gorro *nm* bonnet
granito de arena *loc* petit grain de sable
grifo *nm* robinet
gritar *v* crier
guapo, pa *adj* beau, belle, joli(e)
guía *nf/n* guide (livre) ; guide (personne)
gustar *v* aimer, plaire

hacer compañía *loc* tenir compagnie
hacer falta *loc* avoir besoin
hacer feliz *loc* rendre heureux, -euse
hacer llevadero, ra *loc* rendre supportable
hacia *prep* vers
hallazgo *nm* découverte, trouvaille
hasta *prep* jusqu'à
heredero, ra *n* héritier, -ère
herencia *nf* héritage
hermoso, sa *adj* beau, belle
herradura *nf* fer à cheval
hincado, da *adj* planté(e)
hincha *n* supporter
hito *nm* événement marquant
homenaje *nm* hommage
huella *nf* empreinte, trace
huir *v* fuir
humo *nm* fumée
huracán *nm* ouragan

icono *nm* icone
igualdad *nf* égalité
impactante *adj* saisissant(e), frappant(e)
imponente *adj* imposant(e)
impuesto *nm* impôt
inagotable *adj* inépuisable
incaico, ca *adj* inca
incentivar *v* stimuler, encourager
incomunicado, da *adj* isolé(e)
increíble *adj* incroyable
incremento *nm* augmentation
indefenso, sa *adj* fragile
independizarse *v* devenir indépendant(e)
indígena *adj/n* indigène
indio, dia *adj/n* indien(ne)
inesperado, da *adj* inattendu(e)
influir (en) *v* influencer
ingenuidad *nf* naïveté
ingenuo, nua *adj* naïf, -ive
ingresos *nmpl* recettes, revenus
inmejorable *adj* incomparable
insertar *v* insérer
integrado, da *adj* intégré(e)
intentar *v* essayer, tenter de
intercambiar *v* échanger
intercambio *nm* échange
investidura *nf* investiture
investigador(a) *n* chercheur, -euse
investigar *v* faire de la recherche / des recherches
invierno *nm* hiver
involucrado, da *adj* impliqué(e)
ir de fiesta *loc* faire la fête
irreal *adj* irréel(le)

jarro *nm* pichet
jaula *nf* cage
jinete *n* cavalier, -ère
joven *adj/n* jeune
joya *nf* bijou
juez *n* juge
jugador(a) *adj* joueur, -euse
juntarse *v* se réunir
juzgar *v* juger

ladrillo *nm* brique
lago *nm* lac
lágrima *nf* larme
lamentar *v* regretter
lana *nf* laine
lancha *nf* barque, chaloupe
largo, ga *adj* long, -gue
lata *nf* canette
latido *nm* battement
laúd *nm* luth (instrument)
legado *nm* héritage
lejos *adv* loin
lema *nm* slogan
levantar *v* dresser
leyenda *nf* légende
lienzo *nm* toile (peinture)
ligar *v fam* draguer
limpiar *v* nettoyer
limpio, pia *adj* propre
línea *nf* ligne
llama *nf* flamme
llamativo, va *adj* voyant(e)
llave *nf* clé
llegada *nf* arrivée
lleno, na *adj* rempli(e)
llevar *v* porter
llevar a cabo *loc* mener à bien
llorar *v* pleurer
llover *v* pleuvoir
lluvia *nf* pluie
loco, ca *adj/n* fou, folle
locutor(a) *n* présentateur, -trice
lucha *nf* lutte
luchar *v* lutter
lugar *nm* lieu
lujoso, sa *adj* luxueux, -euse
luminoso, sa *adj* lumineux, -euse
luz *nf* lumière

maceta *nf* pot de fleurs
macizo, za *adj* massif, -ive
maestría *nf* maîtrise
maldad *nf* méchanceté
maleducado, da *adj/n* mal élevé(e)
males *nmpl* maux
maleta *nf* valise
malgastar *v* gaspiller
maltratar *v* maltraiter
manar *v* jaillir
mandar *v* commander, envoyer
mandar a paseo *loc fam* envoyer promener
mano de obra *loc* main d'œuvre
mantón *nm* châle
mapa *nm* carte
máquina *nf* machine
mar *nm* mer
maravilla *nf* merveille
marca *nf* marque
marchito, ta *adj* flétri(e)
matanza *nf* massacre
matricularse *v* s'inscrire (à un cours, une école)
mayores *nmpl* personnes âgées
mecenazgo *nm* mécénat
medio ambiente *nm* environnement
mejor *adj/adv* meilleur(e), mieux
mejorar *v* améliorer
menosprecio *nm* mépris
merece la pena *loc* cela en vaut la peine
meter un gol *loc* marquer un but
mezcla *nf* mélange, mixage
mezclar *v* mélanger
miedo *nm* peur
minuciosidad *nf* minutie
minucioso, sa *adj* minutieux, -euse
mirada *nf* regard
mirar *v* regarder
modelo de conducta *nm* exemple, modèle
molestar *v* déranger
molestia *nf* gêne
motivo *nm* motif, raison
moverse *v* bouger
móvil *nm* téléphone portable
muchacho, cha *n* jeune homme, jeune femme
muchedumbre *nf* foule
mudarse *v* déménager
músico, ca *n* musicien(ne)
mutuo, tua *adj* mutuel(le)

naturaleza *nf* nature
nave *nf* navire
necesitar *v* avoir besoin de
negarse (a) *v* refuser (de)
negocio *nm* affaire
negro, gra *adj/n* noir(e)
nervioso, sa *adj* nerveux, -euse
nevar *v* neiger
nieto, ta *n* petit-fils, petite-fille
nieve *nf* neige
niñez *nf* enfance
ninguno, na *adj* aucun(e)
nivel *nm* niveau
no cabe duda *loc* il n'y a pas de doute
nocivo, va *adj* nuisible
nombramiento *nm* nomination
noticia *nf* nouvelle
nube *nf* nuage
nunca *adv* jamais

obedecer *v* obéir
obra *nf* œuvre
ocio *nm* loisir
odiar *v* détester
odio *nm* haine
ofender(se) *v* (s')offenser
oferta *nf* promotion, offre
ofrenda *nf* offrande
oír *v* entendre
ola *nf* vague
oler *v* sentir (odorat)
olvidar *v* oublier
opinar *v* donner un avis
oponerse *v* s'opposer
oportunidad *nf* chance, possibilité
opuesto, ta *adj* opposé(e)
orgulloso, sa *adj* fier, fière
origen *nm* origine
orilla *nf* bord
oscuro, ra *adj* sombre
otoño *nm* automne
otorgar *v* octroyer, accorder
oveja *nf* brebis

pagar *v* payer
pájaro *nm* oiseau
palacio *nm* palais
pantalla *nf* écran
papagayo *nm* perroquet
papel *nm* papier, rôle
paraíso *nm* paradis
parecer *v* paraître
parecerse *v* se ressembler
pared *nf* mur, paroi
paro *nm* chômage
participar (en) *v* participer (à)
pasado *nm* passé
pasajero, ra *n* passager, -ère
pasar a ser *loc* devenir
pasarela *nf* défilé de mode
pasmoso, sa *adj* époustouflant(e)
patrimonio *nm* patrimoine
pedazo *nm* morceau
peligro *nm* danger
peligroso, sa *adj* dangereux, -euse
peña *nf* association (de loisirs ou sportive)
pendiente *nm* boucle d'oreille
peor *adj/adv* pire
pérdida *nf* perte
pertenecer *v* appartenir
pertenencia *nf* appartenance
peruano, na *adj/n* péruvien(ne)
pesca *nf* pêche
pescado *nm* poisson (à cuisiner)
pescador(a) *n* pêcheur, -euse
pez *nm* poisson (vivant)
pilar *nm* pilier
pincel *nm* pinceau
pirámide *nf* pyramide
piso *nm* étage, appartement
planear *v* organiser
plata *nf* argent (métal)
plato *nm* assiette ; platine
poblar *v* peupler
pobreza *nf* pauvreté
pólvora *nf* poudre à canon
ponerse en fila *loc* se mettre en rang
por encima de todo *loc* par dessus tout
portuario, ria *adj* portuaire
porvenir *nm* avenir
poseer *v* posséder
potente *adj* puissant(e)
prejuicio *nm* préjugé
premiar *v* récompenser
prestigioso, sa *adj* prestigieux, -euse
pretendiente *n* prétendant(e), amoureux, -euse
prevalecer *v* prévaloir
primavera *nf* printemps
privilegiado, da *adj/n* privilégié(e)
procesador *nm* processeur
producir *v* produire
profecía *nf* prophétie
profuso, sa *adj* abondant(e)
programador(a) *nf* programmeur, -euse
prohibido, da *adj* interdit(e)
propio, pia *adj* propre (appartenance)
protegido, da *adj/n* protégé(e)
provecho *nm* profit
puerto *nm* port
pujante *adj* vigoureux, -euse
pujanza *nf* nerf
puñal *nm* poignard
puntero, ra *adj* à la pointe
puntiagudo, da *adj* pointu(e)

quedarse *v* rester
quemado, da *adj* brûlé(e)
quieto, ta *adj* tranquille
quizá(s) *adv* peut-être

rabioso, sa *adj* en colère
raíz *nf* racine
rama *nf* branche
reaccionar *v* réagir
rebelde *adj/n* rebelle
recargado, da *adj* chargé(e)
recaudación *nf* collecte
recaudar *v* collecter
rechazar *v* rejeter, refuser
recién titulado(a) *nm/f* jeune diplômé(e)
recientemente *adv* récemment
recoger *v* ramasser
recogida *nf* ramassage, collecte
reconocer *v* reconnaître
recordar *v* se souvenir
recorrer *v* parcourir
recorrido *nm* itinéraire
recuerdo *nm* souvenir
recurrir *v* faire appel
red *nf* réseau
redondo, da *adj* rond(e)
reducir *v* réduire
refinamiento *nm* raffinement, élégance
reflejar(se) *v* (se) refléter
reflejo *nm* reflet
reja *nf* grille
relacionarse *v* nouer des relations
relieve *nm* relief
remero, ra *nm* rameur –euse
remunerado, da *adj* rémunéré(e)
reparar en *loc* observer
representar un papel *loc* jouer un rôle
rescatar *v* sauver
rescate *nm* sauvetage
residuo *nm* déchet
resolver *v* résoudre
respaldar *v* appuyer
respetar *v* respecter
reto *nm* défi
rico, ca *adj/n* riche
riesgo *nm* risque
riña *nf* dispute
riqueza *nf* richesse
robar *v* voler

rodaje *nm* tournage
rodeado, da (por) *adj* entouré(e) (de)
rojo, ja *adj* rouge
romper *v* casser, rompre
ropa *nf* vêtements
rostro *nm* visage
ruedo *nm* arène

S

saber *v/nm* savoir
sacar *v* tirer, retirer
sacar buenas notas *loc* avoir de bonnes notes
sacar una foto *loc* prendre une photo
sagrado, da *adj* sacré(e)
salida *nf* sortie, départ
salir *v* sortir
salir de marcha *loc fam* faire la fête
saltar *v* sauter
salvaje *adj/n* sauvage
sangre *nf* sang
satisfecho, cha *adj* satisfait(e)
secar *v* sécher
seguir *v* continuer, suivre
semejanza *nf* ressemblance
sencillez *nf* simplicité
sencillo, lla *adj* simple
sensato, ta *adj* sensé(e)
sensibilizar *v* sensibiliser
sentido *nm* sens
sentir *v* ressentir
sequía *nf* sécheresse
séquito *nm* cortège
ser adicto, ta *loc* être accro
serenata *nf* sérénade
sillón *nm* fauteuil
símbolo *nm* symbole
simplicidad *nf* simplicité
sin remilgos *loc* sans faire de manières
sobrealzado, da *adj* surélevé(e)
sobrevivir *v* survivre
solidario, ria *adj* solidaire
soltero, ra *adj/n* célibataire
sombra *nf* ombre
sombrero *nm* chapeau
sombrío, bría *adj* sombre
soñar (con) *v* rêver (de)
sonreír *v* sourire
sonrisa *nf* sourire
soplar *v* souffler
soportal *nm* arcade
sorprendente *adj* surprenant(e)
sorprendido, da *adj* étonné(e), surpris(e)
sospechar *v* soupçonner
sostenible *adj* durable
suceso *nm* événement ; fait divers
suelo *nm* sol
superar *v* surmonter
supremacía *nf* suprématie
sustentable *adj amer* durable
sustituir *v* remplacer

tallado, da *adj* sculpté(e)
tamaño *nm* taille, dimensions
también *adv* aussi
tampoco *adv* non plus
tanto *adv* autant
tapa *nf* couvercle
tarea *nf* tâche
techo *nm* plafond
teclear *v* taper (sur un clavier)
tejer *v* tisser
tener cuidado con *loc* faire attention à
tenso, sa *adj* tendu(e)
terco, ca *adj* obstiné(e)
testimoniar *v* témoigner
testimonio *nm* témoignage
tienda *nf* boutique
tirar *v* jeter
tocar un instrumento *loc* jouer d'un instrument
todavía *adv* encore
todopoderoso, sa *adj* tout-puissant(e)
toga *nf* toge
tomas aéreas *nfpl* prises de vues aériennes
torneo *nm* tournoi
torpeza *nf* maladresse
torre *nf* tour
trabajo *nm* travail
traje *nm* costume
traje de luces (del torero) *nm* habit de lumière
trayecto *nm* trajet
trepar *v* grimper
tripulación *nf* équipage
triunfo *nm* triomphe, réussite
trocar *v* troquer, échanger
tutear *v* tutoyer
tuteo *nm* tutoiement

ubicarse *v* se situer
unidad *nf* unité
unido, da *adj* uni(e)
uso *nm* usage, utilisation

vaciar *v* vider
vacío, a *adj* vide
valerse *v* se servir
valiente *adj/n* courageux, -euse
valioso, sa *adj* de valeur
valor *nm* valeur, courage
valorar *v* apprécier, évaluer
vaquero *nm* jean
variopinto, ta *adj* bariolé(e)
varios, rias *adjpl* plusieurs
vasco, ca *adj/n* basque
vasija *nf* poterie
vecindario *nm* voisinage
velo *nm* voile
velocidad *nf* vitesse
vencedor(a) *adj/n* vainqueur
vencer *v* vaincre
vencido, da *adj/n* vaincu(e)
vender *v* vendre
venganza *nf* vengeance
vengarse *v* se venger
ventana *nf* fenêtre
verano *nm* été
verdura *nf* légume
vestido *nm* robe
vestido, da *adj* vêtu(e)
vestigio *nm* vestige
vestir *v* porter un costume, être habillé(e)
viajar *v* voyager
victoria *nf* victoire
vigilar *v* surveiller
vínculo *nm* lien
virgen *nf/adj* vierge
visitar *v* visiter
vista *nf* vue
vivienda *nf* maison, logement
vivo, va *adj* vif, vive, vivant(e)
voluntariado *nm* bénévolat
voluntario, ria *adj/n* bénévole

yeso *nm* plâtre

zapatillas deportivas *nfpl* chaussures de sport
zoomorfo *adj* qui a la forme d'animal

Crédits photographiques

Couverture : ht HEMIS/Escudero Patrick ; m g AGE FOTOSTOCK/Toño Labra ; bas g HEMIS/ALAMY/dbimages ; bas d Arnold Jerock/ARTCOMART ; **10** REA/François Perri ; **11** ht GETTY/Fuste Raga ; **11** bas AGE/Florian Koopimagebro ; **12** SIPA PRESS/Reed Saxon/AP ; **13** PHOTO12.COM /ALAMY ; **14** GAMMA-RAPHO/Pascale Béroujon ;**16** © listocomics.com ; **19** Movistar/DR ; **20** ht d © RTVE ; **20** g GETTY/Jupiter images ; **20** m GETTY/Jupiter images ; **23** © Universidad Peruana Unión ; **24** g SIPA PRESS/STR/EFE ; **24** d SIPA PRESS/Eduardo Verdugo/AP ; **25** g SIPA PRESS/ Alberto Esteve ; **25** ht d CORBIS/Carlos Dafonte ; **26** ht DR ; **26** bas g SIPA PRESS/Manuel Lorenzo/EFE ; **27** ht http://www.mataderomadrid.org/ ficha/2639/festeen<C18.html **27** bas © Escándalo Films /DR ; **30** © 2013 H.Bauer Ediciones, S.L ; **31** © Portada de la investigación 'Adolescentes de hoy. Aspiraciones y modelos' publicado por la Liga Española de la Educación y la Cultura Popular en colaboración con el Ministerio de Sanidad, Servicios Sociales e Igualdad Autoras: ERESTA PLASÍN, MARÍA JESÚS; DELPINO GOICOCHEA, MARÍA ANTONIETA Ilustración: Mauricio Maggiorini Tecco ; **32** CORBIS/Keith Dannmiller ; **33** © Matadero Madrid. Centro de creación contemporánea ; **34** CORBIS/Tim Clayton ; **35** ANDIA/Thierry Monasse ; **37** PANORAMIC/Zuma ; **38** ht © RTVE ; **38** bas AGE FOTOSTOCK/FSG ; **40** CORBIS/Nick Ledger ; **42** CORBIS/Eventpress Hoensch/dpa ; **43** © BOTERO FERNANDO/DR ; **44** CORBIS/Danny Lehman ; **45** HEMIS/Aurora ; **46** ht d AGE FOTOSTOCK/Stoneimages ; **46** bas g AGE FOTOSTOCK/Yadid Levy ; **47** ht d PHOTO.COM /ALAMY ; **47** bas g AGE FOTOSTOCK/Sandra Salvad ; **48** CORBIS/Eduardo43 Ripoll ; **49** ht http://www.tunadegranada.es ; **49** bas © UNESCO /DR ; **52** CORBIS/Ruth Tomlison ; **53** ht g PHOTO12.COM /ALAMY ; **53** ht d PHOTO12.COM /ALAMY ; **53** m g CORBIS ; **53** m d AGE FOTOSTOCK/ Bernard Visage ; **53** bas g AGE FOTOSTOCK/Lucas Vallecillos ; **54** CORBIS/Jorge Sanz ; **55** © Ramon ; **56** AFP/Dani pozo/Str ; **57** SIPA PRESS/Sashenka Gutierrez/EFE ; **58** © entreculturas/DR ; **61** ©Bernardo Pérez (EDICIONES EL PAÍS) All rights reserved ; **62** © Ayto de Elche, La Concejalía de Juventud del mismo, fotógrafa: Adelina Sánchez Ortiz ; **63** © Junta de Castilla y León ; **64** © DR ; **67** © Diseño robertiKoramos 2013/Cuba para MUERDO/España ; **68** ht © upna/DR ; **68** bas © DR ; **69** ht © Universidad de Jaén, 2008 ; **69** bas Coopera Tour.org/DR ; **70** © rebelde producciones/ Fernando Caro/DR **70** © Sociedad Educadora de Sinaloa/DR ; **71** ht http://www.cruzrojajuventud.org ; **71** bas © TECHO ; **74** AGE FOTOSTOCK/Francisco Javier Gil © Pepe Noja/ DR ; **75** ht DR ; **75** bas Cortesia fundaciontelefonica.org ; **76** Cortesia fundaciontelefonica.org ; **77** DR ; **78** CORBIS/Uwe Geng ; **79** ht ASK IMAGES/Catherine Hansen ; **79** bas Shutterstock/NCG ; **80** AGE FOTOSTOCK/Lucas Vallecillos ; **81** © Cordopolis ; **82** BIS / Ph. Oronoz © Archives Larbor ; **84** SHUTTERSTOCK/amorfat.art ; **85** © RTVE ; **87** © Suhail Ensemble ; **88** AGE FOTOSTOCK/J. Fdez Bordonada ; **90** SHUTTERSTOCK/Matt Trommer ; **91** © Ernest Descal ; **92** bas AGE FOTOSTOCK/Fernando Fernandez ; **93** ht SHUTTERSTOCK/Matt Trommer ; **93** bas AGE FOTOSTOCK/ Jerimo Alba ; **94** DR ; **94** bas DR ; **95** ht http://www.turismoentren.com/ ; **95** bas © RTVE ; **98** Ars Latina, 2002, Antonio Cuesta et Eufrasio Martinez/DR ; **99** AGE FOTOSTOCK/Jose Antonio Moreno ; **100** © Fundación Pública Andaluza El legado andalusí ; **101** © Junta de Andalucia, Consejeria de Turismo y Comercio ; **102** DR ; **103** LOOK AT SCIENCES/Pascal Sorrentino ; **104** CF /COLORISE ; **106** AGE FOTOSTOCK/Toño Labra ; **107** © By permission of Leigh Rubin and Creators Syndicate, Inc. ; **109** LEEMAGE/Prisma Archivo ; **110** © Patrick Bard/SIGNATURES ; **113** © Yuji Nukui, cinemaforce ; **114** ht AGE FOTOSTOCK/Luis Castaneda ; **114** bas AFP/Ronaldo Schemidt/str ; **115** ht LEEMAGE/Cuboimages ; **115** bas FIGARO MAGAZINE/Eric Martin ; **116** CORBIS/ Alejandro Ayala ; **117** ht http://www. chileprecolombino.cl/ ; **117** bas © Ccusi ; **120** AFP/De Agostini Pictues Lib. ; **123** © proexport Colombia ; **124** AGE FOTOSTOCK/JTB photo communication ; **125** HEMIS/Alamy/James Brunker ; **126** HEMIS/Hugues Hervé ; **127** SHUTTERSTOCK/Pyty ; **129** DR ; **130** © Auténtica Cuba ; **132** g AGE FOTOSTOCK/Dennis MacDonald ; **132** d © RTVE ; **134** AGE FOTOSTOCK/José enrique Molina ; **135** © México desconocido/DR ; **136** ht d AGE FOTOSTOCK/Dennis MacDonald ; **136** m g PLANETA/Archivo L.A.R.A ; **136** bas g AGE FOTOSTOCK/Tibor Bognar ; **136** bas d AKG/Kurwenal/Prisma ; **137** ht g LEEMAGE/Aisa ; **137** ht d SHUTTERSTOCK/Meunierd ; **137** m d DR ; **137** bas g AGE FOTOSTOCK/waldhaeusl.com ; **138** © Clúster Turístico de Santo Domingo /DR ; **139** ht http://www.visitmexico.com/es/ las-mejores-ciudades-coloniales ; **139** bas © Diaphana Films /DR ; **142** g AKG/Gilles Mermet ; **142** d AKG/Gilles Mermet ; **143** SHUTTERSTOCK/Chrupka ; **144** CORBIS/Jose Arnold ; **145** © Jerry King ; **146** MAXPPP/EPA/Salvatore Di Nolfi © ADAGP, Paris 2014 ; **147** ht shutterstock/Christian Vinces ; **147** bas Picture Tank/ Lourdes Segade ; **148** AFP/Eduardo Parra ; **149** SIPA PRESS/Mario Guzman/EFE ; **150** SIPA PRESS/EFE ; **152** © Universidad del Bio-bío ; **154** Agathe Poupeney ; **155** © *Robot !* de Blanca Li par Magali Bragard ; **156** ht © RTVE ; **156** bas SIPA PRESS/EFE Animation ; **158** SIPA PRESS/Montserrat T Diez/EFE ; **159** ht g AGE FOTOSTOCK/Gonzalo Azymundi © ADAGP, Paris 2014 ; **159** ht m AFP/STR/Jaime Reina © ADAGP, Paris 2014 ; **160** ht d © Laura Morata ; **160** m SIPA PRESS/EFE ; **160** m g SIPA PRESS/Yoko Kaneko/EFE ; **160** bas HEMIS/Jon Arnold © Luis Duval architecte ; **161** ht © Estrada Design ; **161** m d © Estrada Design ; **161** bas g SIPA PRESS/Leo La Valle/EFE © ADAGP, Paris 2014 ; **161** m SIPA PRESS/Leo La Valle/EFE ; **162** © Fontvella/DR **163** ht http:// www.achap.cl ; **163** bas © Wild Bunch Distribution /DR ; **166** ht HEMIS/Roberto Herrett © ADAGP, Paris 2014 ; **166** bas d SIPA PRESS/Tony Kyriacou Rex Features ; **167** © Estrada Design ; **168** ministerio de economía y competitividad/ DR ; **169** © Programa Ciencia, Cultura y Sociedad de la Fundación Séneca-Agencia de Ciencia y Tecnología de la Región de Murcia, D. Francisco M. Martínez González, Dª Magdalena Lorente Martínez ; **170** AGE FOTOSTOCK/Danita Delimont/Stock ; **171** AGE FOTOSTOCK/Danita Delimont Stock ; **173** © Gobierno de la Ciudad de Buenos Aires ; **174** CORBIS/Franz Smets ; **176** © concepto y creación: Smäll, fotografía: Ramon Serrano ; **179** AKG © ADAGP, Paris 2014 ; **180** REA/Paul Langrock/Zenith-laif ; **182** ht g © Iván Macías DR ; **182** m SHUTTERSTOCK/Panu Ruangian ; **182** bas AGE FOTOSTOCK/Alfredo Maiquez ; **183** ht AFP/Juan Cevlalos/Str ; **183** m d AFP/Aizar Raldes/Str ; **183** m g AFP/Aizar Raldes/Str ; **184** ht ROY Philippe ; **184** bas © Cortesía del Programa Cuadra limpia y saludable de Botiquería ; **185** ht http://www.amazonas2030.net ; **185** bas © Bausan Films ; **188** Jaume Plensa/MAIRIE DE BORDEAUX/Ph. F.Deval © ADAGP, Paris 2014 ; **189** © Gobierno de la Ciudad de Buenos Aires ; **190** SHUTTERSTOCK/Marcas VDT ; **191** AGE FOTOSTOCK/Loren McIntyre ; **192** CORBIS/Art Widak ; **193** SHUTTERSTOCK/Tifonimages ; **194** © Proexport Colombia ; **197** ht d SHUTTERSTOCK/Kamira ; **197** bas d SHUTTERSTOCK/Kamira ; **197** g SHUTTERSTOCK/James A.Harris ; **198** AFP/Aizar Raldes Nunez ; **201** AFP/Pablo Blazquez Dominguez ; **203** © Faro / DaCol. www.e-faro.info ; **204** ht © Ccompaz ; **204** m d AFP/Pablo Bielli/Str ; **204** bas AFP/Panta Astiazaran ; **205** ht Comunicaciones Titanium/DR ; **205** m DR ; **205** bas ANSES/DR ; **206** AGE FOTOSTOCK/Florian Kopp ; **207** ht http://www.survival.es/indigenas ; **207** bas © RTVE ; **210** © Colectivo La Mano/ www. museocieloabiertosanmiguel.cl ; **211** ht CORBIS/Matthias Oesterle ; **211** bas AGE FOTOSTOCK/Rob Rae ; **212** SIPA PRESS/Juan Carlos Hidalgo/EFE ; **213** © ABC ; **214** ht CORBIS/Ocean ; **214** bas ©PHOTO 12/ALAMY ; **215** ht NOOR AGENCE PHOTO/Francesco Zigola ; **215** bas AFP/Josep Lago ; **216** ht SIPA/ Alfredo Aldai/EFE ; **216** bas SIPA/ Juan Francisco Moreno/EFE ; **217** ht AKG/ Gérard Degeorge ; **217** bas AGE/ Anna Elias ; **218** ht © URBA IMAGES/Schneider D. ; **218** bas CORBIS/Jeremy Horner ; **219** ht LEEMAGE/North Wind Pictures ; **219** bas CORBIS ; **220** ht DR ; **220** bas AKG © ADAGP, Paris 2014 ; **221** ht AGE/Javier Larrea ; **221** bas DR ; **222** g AFP PHOTO/Inaldo Perez ; **222** d AKG/AlbumOronoz.

Crédits textes

15 © El País / Antonio Nieto 25/06/2013 ; **17** © Planeta / Carlos Fonseca 2011 ; **18** ht © El País / Manuel Vicente 16/06/2013 ; **18** bas © Antena 3, 27/06/2013 ; **21** © El País / Almudena Grande 13/01/2013 ; **22** ht © Marcela Serrano c/o Guillermo Schavelson & Asociados, Agencia Literaria www.schavelson.com ; **22** bas EFE/DR ; **32** © El País / Tom C. Avedaño 25/07/2013 ; **36** ht ©*Tiempo de escarcha*, Jordi Sierra i Fabra © Ediciones SM, 2006 ; **36** bas ©Manuel Rivas, 2012 / Alfaguara ; **39** © Nicolás GUILLÉN 1958 /DR ; **41** © Santiago Roncagliolo, 2007 ; **42a** © 2009, Mario Vargas Llosa, Fragmento de la obra SABLES Y UTOPÍAS ; **42b** © Europa Press, 09/08/2012 / DR ; **44** © Mercedes Guerrero, 2010 ; **54** © Carmen Alborch / RBA Libros /DR ; **59** © Jordi Sierra i Fabra © Grupo Anaya, 2013 ; **60** ht © Rafael Chirbes / Anagrama /DR ; **60** bas © ABC / Laura Peraita 24/06/2013 ; **62** © www.elreferente.es ; **65** © El País / Flor Gragera de León 31/03/2013 ; **66** © El País / Javier Molina 01/03/2013 ; **76** © Mercedes Guerrero, 2010 ; **83** © Reyes Monforte, 2011, Temas de Hoy, grupo Planeta ; **85** © El País / María Centeno 30/03/2013 ; **86** ht © Zorilla /DR ; **86** bas © Ildefonso Falcones, *La mano de Fatima*, 2009. Licencia editorial para Editions Nathan, cortesía de Penguin Random House Grupo Editorial, S.A. ; **89** © Turismo Sevilla /DR ; **90** ht © José Carlos Llop 2010 / RBA Libros ; **90** bas© Ildefonso Falcones, *La mano de Fatima*, 2009. Licencia editorial para Editions Nathan, cortesía de Penguin Random House Grupo Editorial, S.A. ; **100** © elnortedecastilla.es /DR ; **105** © Planeta / Juan Martorell 2007 ; **106** © Juan Villoro 2012 / Anagrama /DR ; **108** ht © Elena Poniatowska c/o Guillermo Schavelson & Asociados, Agencia Literaria www.schavelson.com ; **108** bas © Mercedes Guerrero, 2010 ; **111** © 2006, Mario Vargas Llosa, Fragmento de la obra DICCIONARIO DEL AMANTE DE AMERICA LATINA ; **112** © Alberto Vázquez Figueroa, 1998 ; **122** ©Fundación Pablo Neruda, 2014, Fragmento de De Paris a Isla Negra: el último regreso. OBRAS COMPLETAS V ; **126** © Alberto Vázquez Figueroa, 1998 ; **128** © Planeta / Miguel Ruiz Montañez 2007 ; **131**© Alma Guillermoprieto, Reprinted by permission of The Marsh Agency Ltd ; **133** © Juan Carlos Botero, *La sentencia*, 2002, Ediciones B. ; **134** Carlos Fuentes, Fragmento de *Los cinco soles de México*© Herederos de Carlos Fuentes, 2014 ; **144** © Mercedes Guerrero, 2010 ; **151** © El País / Alvaro Romero 14/01/2012 ; **153** © Planeta / Matilde Asensi 2003 ; **154** ht © Diario de Sevilla / María Luisa Gaspar, 04/07/2013 /DR ; **154** BAS © *ABC* 11/10/2013 ; **157** © El País / Rocío García 19/01/2013 ; **158** © José Carlos Llop **2010** / RBA libros ; **168** © El Mundo / Lucia González 11/04/2011 /DR ; **172** ht © EFE México/ Edna Alcántara19/01/2009 /DR ; **172** bas © www.ecologiaverde.com / David Sanz 2012 ; **175** © Juan Villoro 2012 / Anagrama / droits réservés ; **177** © El País / Thiago Ferrer 14/04/2013 ; **178** ht © Sabina Berman 2010 ; **178** bas © Domingo Villar c/o Guillermo Schavelson & Asociados, Agencia Literaria www.schavelson.com ; **181** © padresonones.es /DR ; **190** © El País / Paula Chouza 23/05/2013 ; **195** © 2006, Mario Vargas Llosa Fragmento de la obra DICCIONARIO DEL AMANTE DE AMERICA LATINA ; **196** © Leonardo Padura 2013/ Tusquets Ed. ; **199** © El Mundo / Ramy Wurgaft 20/01/2013 /DR ; **200** ht © El País / Fernando Garrea 07/04/2013 ; **200** bas © El País / Elvira Lindo 29/09/2013 ; **202** ht © Abilio Estévez 2010/ Tusquets Ed. ; **202** bas© Cambio 16 / Diego Caballero 01/12/2012 /DR ; **212** © El País / Jesús Ruiz Mantilla 17/11/2013.

Crédits sonores

14 © Canal Cope /DR ; **20** © RTVE ; **32** © Azteca Noticias /DR ; **38** © RTVE ; **54** © Cancho Grupo Reforma /DR ; **58** © Sociedad Española de Radiodifusión, S.L. - Cadena SER ; **61** © Televisión de Baleares /DR ; **70** © RNE/RTVE ; **76** © Fundación Telefónica ; **84** © RNE/RTVE ; **88** © RNE/RTVE ; **94** © Mercury /DR ; **100** © RNE/RTVE ; **110** © RNE/RTVE ; **116** © Agencia EFE /DR ; **122** © RNE/RTVE ; **132** © RTVE ; **135** © DGEST Radio /DR ; **144** © CANAL+ España /DR ; **150** © RNE/RTVE ; **156** © RTVE ; **162** © Agua Font Vella /DR ; **168** © Sociedad Española de Radiodifusión, S.L. - Cadena SER ; **174** © W Radio /DR ; **180** © RNE/RTVE ; **184** © Parlophone Music Spain /DR ; **190** © Caracol Radio /DR ; **197** © Cuba Información /DR ; **198** © RNE/RTVE ; **212** © Público.es /DR.

N° d'éditeur : 10225691 - Dépôt légal juin 2016
Imprimé en Italie par Rotolito Lombarda

Animation
interactive

Relieve de España

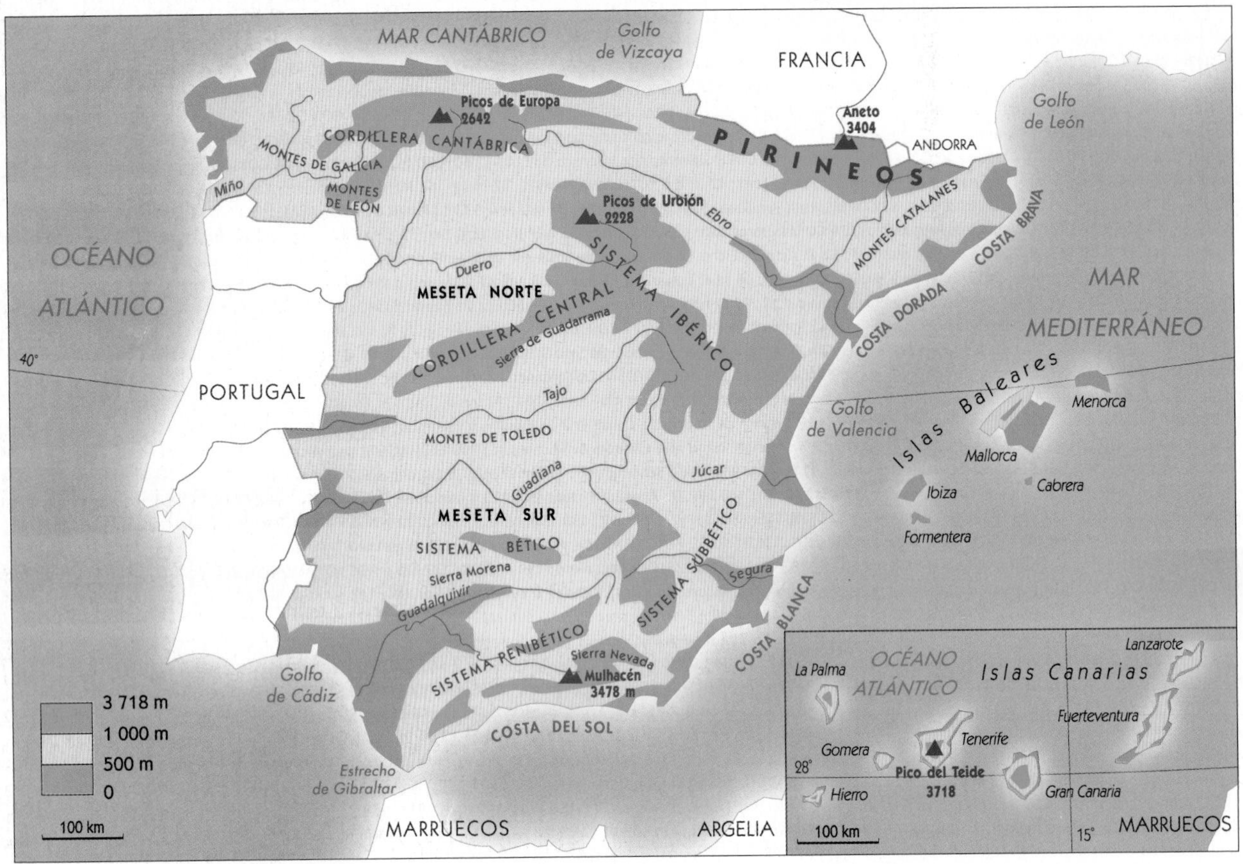
MAR CANTÁBRICO
Golfo de Vizcaya
FRANCIA
Picos de Europa 2642
Aneto 3404
ANDORRA
Golfo de León
CORDILLERA CANTÁBRICA
PIRINEOS
MONTES DE GALICIA
Miño
MONTES DE LEÓN
Picos de Urbión 2228
Ebro
MONTES CATALANES
COSTA BRAVA
OCÉANO ATLÁNTICO
SISTEMA IBÉRICO
Duero
MESETA NORTE
COSTA DORADA
MAR MEDITERRÁNEO
CORDILLERA CENTRAL
Sierra de Guadarrama
40°
PORTUGAL
Tajo
Islas Baleares
Menorca
Golfo de Valencia
MONTES DE TOLEDO
Mallorca
Júcar
Guadiana
Ibiza
Cabrera
MESETA SUR
SISTEMA BÉTICO
SISTEMA SUBBÉTICO
Formentera
Sierra Morena
Segura
Guadalquivir
SISTEMA PENIBÉTICO
COSTA BLANCA
Sierra Nevada
Mulhacén 3478 m
Golfo de Cádiz
COSTA DEL SOL
3 718 m
1 000 m
500 m
0
Estrecho de Gibraltar
100 km
MARRUECOS
ARGELIA
La Palma
OCÉANO ATLÁNTICO
Islas Canarias
Lanzarote
Fuerteventura
Tenerife
Gomera
28°
Pico del Teide 3718
Hierro
Gran Canaria
100 km
15°
MARRUECOS

Comunidades autónomas de España

MAR CANTÁBRICO
FRANCIA
La Coruña
Oviedo
CANTABRIA
PAÍS VASCO
ASTURIAS
Santander
Bilbao
San Sebastián
Santiago de Compostela
Lugo
GALICIA
Vitoria
NAVARRA
Pamplona
ANDORRA
Pontevedra
León
Burgos
Logroño
LA RIOJA
Orense
CASTILLA-LEÓN
Palencia
Huesca
Gerona
CATALUÑA
Lérida
Valladolid
Soria
Zaragoza
Barcelona
Zamora
ARAGÓN
MAR MEDITERRÁNEO
OCÉANO ATLÁNTICO
Segovia
Tarragona
Salamanca
Ávila
Guadalajara
MADRID
Madrid
Teruel
PORTUGAL
Toledo
Cuenca
Castellón de la Plana
Cáceres
CASTILLA-LA MANCHA
Valencia
Palma de Mallorca
EXTREMADURA
COMUNIDAD VALENCIANA
BALEARES
Mérida
Ciudad Real
Albacete
Badajoz
Alicante
MURCIA
Córdoba
Jaén
Murcia
Huelva
Sevilla
ANDALUCÍA
Granada
CANARIAS
100 km
Santa Cruz de Tenerife
Cádiz
Málaga
Almería
Límite de Autonomía
Límite de provincia
Capital de Autonomía
Capital de provincia
Ciudad autónoma
28°
Las Palmas de Gran Canaria
Ceuta
OCÉANO ATLÁNTICO
MARRUECOS
Melilla
ARGELIA
100 km
15°
MARRUECOS